ВАЛЕНТИНА КРАСКОВА

КРЕМЛЕВСКИЕ ТЕЩИ

Минск
СОВРЕМЕННЫЙ
литератор
1999

УДК 947
ББК 63.3(2)
К 78

Краскова В. С.

К 78   Кремлевские тещи. — Мн.: Современ. литератор, 1999. — 448 с.

ISBN 985-456-109-7.

В очередной раз в центре внимания Валентины Красковой семейные тайны «кремлевских вождей». На этот раз автор рассказывает о матерях, многие из которых при жизни не были до конца поняты своими детьми, а в некоторых случаях подвергались даже гонениям. Автор не претендует, естественно, на полный обзор имен всех знаменитых кремлевских тещ — в рамках данной книги это сделать невозможно. Но даже те немногие из них, которые представлены здесь, способны поразить воображение любого человека многообразием своих неповторимых индивидуальностей. Будущая судьба ребенка всегда есть дело его матери. И если справедливо, что характер человека определяет его судьбу, то, без сомнения, никто другой в такой мере не создает судьбу ребенка, как мать, которая пробуждает в нем первые знания, первые чувства и первые желания. Ребенок — мужчина или женщина в миниатюре, и в содержании этой миниатюры заключается содержание будущего взрослого человека. А этот взрослый человек может оказаться политиком, от которого зависят судьбы многих людей.

Валентина Краскова известна читателям по книгам: «Кремлевские дети», «Кремлевские невесты», «Наследники Кремля», «Кремлевские свадьбы и банкеты», «Преступления за Кремлевской стеной», «Кремлевские кланы», «Тайны кремлевской охраны».

УДК 947
ББК 63.3(2)

СЛОВО К ЧИТАТЕЛЮ

На сегодняшний день положение в стране слишком серьезно, чтобы мы могли себе позволить прислушиваться к демагогам или же идти на поводу у таких лидеров, которые руководствуются только рассудком, не включая ни сердца, ни эмоций.

Критический разум лишь тогда бывает плодотворным, когда выступает в единстве с бесценным человеческим даром, имя которому — любовь к жизни.

Мы живем в странное время, когда готовность превзойти Каина считается лучшим средством сделать карьеру.

Конечно, не всем даны способности, необходимые для того, чтобы представить возможный в будущем приговор истории. Иные же до такой степени основательно сожгли свои корабли, что им даже лучше совсем не думать об этом, — все равно ведь история будет судить по совокупности содеянного. Бывают и такие, которым нравится слава Герострата.

А что касается меня, то, скорее всего, я уже больше ничего не смогу написать.

Для меня все в прошлом. Если правда, что история развивается по спирали, то можно сказать, что жизни человека хватает только на один виток.

Человек идет по кругу, доходит до одной точки и останавливается. Никто не может начать все сначала. Повторять его удачи и ошибки будут уже другие.

Я говорю «все в прошлом», имея в виду свои книги. Было время, когда они появлялись одна за одной: «Кремлевские дети», «Кремлевские невесты», «Наследники Кремля», «Кремлевские свадьбы и банкеты», «Преступления за Кремлевской стеной», «Кремлевские кланы», «Тайны кремлевской охраны».

Было время, когда я читала мемуары кремлевских обитателей, пытаясь воссоздать бытовую модель их жизни. Мне хотелось соорудить что-то вроде музейного макета: дома, квартиры, дачи, с которых в любой момент можно снять крышу и заглянуть внутрь, не боясь обидеть жильцов, — ведь все это прошлое. Было и прошло...

Но теперь я поняла, что ошибалась. Я ошибалась с самого начала. Я начала с детей, моя первая книга называлась «Кремлевские дети». И в этом была основная ошибка — я начала не с того, нарушила природные законы. Ведь начинать надо было с родителей, дедушек, бабушек, которые воспитывали наших правителей и сделали их такими, какими они стали. Надо было мне попробовать сделать книгу «Кремлевские родители».

Вот теперь я стараюсь наверстать упущенное. Хотя время прошло, былого не вернешь, и все наши попытки оживить прошлое — тщетны.

Пока человек молод, он стремится к самостоятельности, отходит от семьи, ищет свой путь в жизни. Сам себе он кажется единственным и неповторимым. А главное — ни на кого не похожим. В духовных поисках и смутах молодой человек часто забывает о своих родителях, не говоря уже о дедушках и бабушках. Но чем старше становится человек, тем чаще он начинает вспоминать свое детство. Годы идут, и все больше общих черт со своими родителями находит тот, кто давно оторвался от родительского гнезда.

Женщина средних лет посмотрит с утра в зеркало и увидит в нем свою мать, на которую так не хотела быть похожей...

Цецилия Бобровская (урожденная Зеликсон), член партии с 1898 года, вспоминала:

«В первых числах апреля 1906 года я решила съездить на родину в город Велиж, где хотела отдохнуть, а также легализоваться, так как после октябрьской амнистии, которая покрыла все мои предыдущие «грехи», оформиться и восстановить себя в правах не успела.

Дома я предполагала получить паспорт на свое собственное имя, однако это было не так просто. Наши уездные власти к весне 1906 года уже вовсе забыли про царский манифест 17 октября 1905 года, благо от этого манифеста к тому времени уже остались «рожки да ножки». Приехав к матери, отец мой умер в 1903 году, когда я сидела в Доме предварительного заключения в Петербурге, я два дня благополучно просуществовала, а на третий, когда меня вписали в домовую книгу, появился «почетный» эскорт из нескольких городовых во главе с усатым, нафиксатуаренным, чрезвычайно галантным в обращении приставом. Пришли за мной часов в одиннадцать утра, обыска никакого не производили, а вежливо пригласили «пожаловать» в полицейское управление.

Бедная мать моя пришла в великое отчаяние, причитая мне вдогонку, что я позором покрыла ее седую голову, что на нее теперь все пальцами будут указывать, как на мать арестантки, и т. д. Но все эти упреки нисколько не помешали ей тут же побежать на базар, купить курицу, сварить и принести мне в полицейское управление. Некоторое время спустя, находясь в запертой комнате, я услышала за дверью перебранку между усатым околоточным, недавно столь галантно предо мной расшаркивавшимся, и старческим голосом, в котором, к ужасу своему, узнала голос матери. Я стала барабанить кулаком в дверь, ее открыли, и я увидела перед собой заплаканную мать с судком в руках и разъяренную физиономию околоточного, который при моем появлении приятно осклабился и забормотал: «Ах, извиняюсь, это, оказывается, к вам, никак не ожидал, чтобы у такой барышни была такая надоедливая мамаша!» При виде меня вполне здоровой мать моя облегченно вздохнула, а когда я, поев курицы, уверила ее, что никакой серьезной опасности мне не грозит, совсем успокоилась».

Было время, когда скромность украшала человека. Не сразу жажда личного обогащения проникла в среду советской элиты. Так, занимая высокие посты, командарм Якир в обычной жизни был очень непритязательным человеком. Его, как командующего, вселили в отдельный особняк, красивый, двухэтажный, с двумя огромными шумящими кленами перед окнами. Якир, чуждый всякой роскоши, устроил в этом домике своеобразную коммуну. В комнатах поселились командиры корпусов, дорогие ему люди, с которыми он прошел бок о бок всю гражданскую войну. Здесь жили И. И. Гарькавый, И. Н. Дубовой, И. А. Акулов, В. К. Блюхер и другие. Многое здесь было общим, и обедали всегда вместе.

Бывая за границей, куда он выезжал по делам или на лечение, Якир жил удивительно скромно, отказывая себе во многом.

Как-то в Карлсбаде советский военный атташе спросил его, не желает ли он купить жене чернобурку.

«Мой Иона, — вспоминает С. Л. Якир, — даже побледнел и, повернувшись ко мне, спросил:

— Неужели тебе нужна чернобурка?

При этом у него было такое страдальческое выражение лица, что я поспешила уверить: никаких чернобурок мне не нужно.

— Ты говоришь правду?

— Конечно, — ответила я.

Иона сразу посветлел, улыбнулся и облегченно вздохнул.

— А я-то испугался, — сказал он потом, — что моя жена и впрямь польстилась на меха. Спасибо!»

Есть люди, которым суждено остаться вечными детьми. Это те, кто не имеет своих собственных детей. Такая женщина никогда не услышит слово «мама», обращенное к ней самой. Она всю жизнь будет только дочкой. Большевичка Полина Виноградова вспоминала: «Однажды я пришла по делу к Надежде Константиновне домой вечером. Мы сидели у нее в кабинете, когда ее зачем-то позвали на кухню. Оставшись одна, я приподнялась на носки, чтобы лучше рассмотреть детский портрет Владимира Ильича, висевший на стене. Это был написанный маслом портрет с известной семейной фотографии. На меня смотрел мальчик с огромными, проникновенными и в то же время удивленными глазами. На большой выразительный лоб свисал светлый локон. Одет он был в белую рубашечку, подпоясанную ремешком. Я так засмотрелась на него, что не услышала легких шагов вошедшей Надежды Константиновны. Постояв немного за моей спиной, она положила руку мне на плечо и сказала:

— А! Вы залюбовались маленьким Ильичем! — И задумчиво, еле слышно добавила: — Я очень жалею, что у меня не было детей. Как хорошо было бы, если бы тут бегал такой вот Ильичек! — Но тут же спохватилась и добавила: — Впрочем, у меня ведь много ребят. Все дети Советской России — мои дети. Они мне часто пишут, и я им отвечаю.

Сама Крупская вспоминала: «В день 8 Марта несколько лет тому назад я была на одной фабрике. В президиуме рядом со мной сидела пионерка с каким-то свертком. Я спрашиваю ее:

— Что это у тебя?

— Это — вышитый плакат, мы подносим его сегодня коллективной матери.

— Кому?!

— Коллективной матери.

— Что это значит?

— А это мать, для которой все дети как свои.

В буржуазном обществе естественное материнское чувство принимает ярко выраженный буржуазный, собственнический характер. Американские капиталисты для своих детей иногда строят своеобразные школы. Школа — прекраснейшее здание с лабораториями, музеями, ванной, душем, с различными приборами, с богатой библиотекой, со штатом квалифицированных учителей — имеет одного ученика, сына капиталиста, построившего эту школу. Более нелепую вещь трудно придумать. Но собственнические чувства родителей по отношению к детям типичны для буржуазии и крупной и мелкой. «Мой» ребенок должен «меня» слушаться; «моему» ребенку лучшие куски; я «своего» ребенка воспитываю, как я нахожу лучшим; я имею право его бить, имею право баловать его сверх меры, «мой», «мой», «мой»...

«Ты, сынок, с товарищами посоветуйся, как вам это дело получше наладить», — советует работница сыну. Родительские чувства не обязательно должны вырождаться в собственнические чувства; родительские чувства могут проявляться в особенно внимательном, заботливом отношении ко всем детям, не только к своему ребенку.

Капиталист, устраивающий для своего сына, и только для него, богатейшую школу, мало чем отличается от собаки, облизывающей своего щенка. Отец, растящий из своего сына человека, без-

9

заветно преданного делу рабочего класса, — родитель уже совсем другого типа, гораздо более высокого.

«Коллективная мать» — это женщина, которая по-матерински, тепло, внимательно умеет отнестись к каждому ребенку, заслужить его доверие, себя не пожалеть ради детей.

Это материнское чувство дает и женщине очень многое. Заботы, вечная занятость часто заглушают, притупляют материнское чувство. От этого жизнь женщины становится менее содержательной, менее глубокой».

Наш век характеризуется важными историческими событиями, бурной общественной жизнью, выдающимися личностями, деятельность которых во многом зависела от их нравственного и физического здоровья. Нравственное здоровье и политическая деятельность неразрывно связаны между собой, в этом мы сможем убедиться на примерах многих политических лидеров, занимавших ответственные посты. А нравственное здоровье берется откуда? От мамы. Каков климат в семье, такое нравственное здоровье детей. Никогда не поверю, что хорошая мать может воспитать морального урода. Если она его воспитала, значит, она — нехорошая мать.

Более полутора века назад написал письмо своей жене выдающийся русский архитектор Василий Петрович Стасов. Василий Петрович, бывший, по словам его внучки Елены Дмитриевны Стасовой, революционерки, соратницы Ленина, архитектором «не только зданий, но и человеческих душ», излагал в этом письме свои взгляды на воспитание и те требования, те правила, которым должна следовать женщина-мать, если хочет стать истинным наставником своих детей, ибо «ничего нет на свете столь почтенного и столь любезного».

«...Для нравственности расположить время каждого дня, — советовал он жене своей Марии Абрамовне, — чтобы не было праздного часа...

...При детях ни под каким видом не делать выговоров людям и никому даже спорливого или громкого разговора, ибо они делаются оттого спорливыми или крикунами...

...Чтобы рано ложились и рано вставали и больше проводили время с нами, а не одни в детской, ибо там некому их поправлять.

За сим убедительно прошу иметь к себе самой, мой друг, почтение, оно доставит тебе все приятности жизни, ибо, уважая сама себя, будешь осторожна ко всему тебя окружающему и приобретешь от всех почтение, уважение и любовь».

В страшном сне не могло Василию Петровичу Стасову присниться, что внучка его Елена станет видным деятелем большевистской партии и будет участвовать в разных неприглядных делах, например, в изготовлении фальшивых денег. Историю о фальшивых деньгах рассказала сама Елена Стасова в своих мемуарах: «1919 год был очень тяжелым годом. Наступление 14 иностранных держав на Советскую республику создавало опасное положение. Не исключено было, что партии придется вновь уйти в подполье, если силы внутренней контрреволюции и иностранной интервенции временно возьмут верх. На всякий случай нужно было позаботиться о паспортах для всех членов ЦК, и для В. И. Ленина в первую очередь, обеспечить партию и материальными средствами. С этой целью было отпечатано большое количество бумажных денег царских времен (так называемых «екатеринок», т.е. сторублевок с портретом Екатерины). Их упаковали в специально изготовленные оцинкованные ящики и передали на хранение в Петроград Николаю Евгеньевичу Буренину. Он закопал их, насколько я знаю, под Питером, где-то в Лесном, а впоследствии, когда Советская власть окончательно утвердилась, даже сфотографировал их раскопку. Тогда же на имя Н. Е. Буренина (как купца по происхождению) был оформлен документ о том, что он является владельцем гостиницы «Метрополь». Сделано это было с целью материального обеспечения партии».

В жизни случается всякое, хотя еще Наполеон сказал, что будущая судьба ребенка всегда есть дело его матери. И если справедливо, что характер человека определяет его судьбу, то, без сомнения, никто другой в такой мере не создает судьбы ребенка, как мать, которая пробуждает в нем первые знания, первые чувства и первые желания. И в самом деле — мать производит дитя не только из своего тела, но и из своей души. Она есть главная воспитательница и хранительница душевных и физических сил человека.

Не секрет, что родители подсознательно влияют и на выбор будущего супруга для своих дочерей.

Уже нет среди нас Анны Михайловны Бухариной-Лариной. Только в 1961 и 1962 гг. ей разрешили вернуться с сыном в Москву после почти двадцати лет, проведенных в лагерях и ссылке. Она обратилась лично к Хрущеву с просьбой официально снять с Бухарина предъявленные ему на суде обвинения и вернуть ему доброе партийное имя. О своей жизни Анна Михайловна написала прекрасную книгу воспоминаний «Незабываемое».

Своего будущего мужа она знала с детства. Он был другом ее родителей.

«Момент знакомства с Бухариным мне хорошо запомнился. В тот день мать повела меня в Художественный смотреть «Синюю птицу» Метерлинка. Весь день я находилась под впечатлением увиденного, а когда легла спать, увидела во сне и Хлеб, и Молоко, и загробный мир — спокойный, ясный и совсем нестрашный. Слышалась мелодичная музыка Ильи Саца: «Мы длинной вереницей идем за Синей птицей». И как раз в тот момент, когда мне привиделся Кот, кто-то дернул меня за нос. Я испугалась, ведь Кот на сцене был большой, в человеческий рост, и я крикнула: «Уходи, Кот!» Сквозь сон я услышала слова матери: «Николай Иванович, что вы делаете, зачем вы будите ребенка?» Но я уже проснулась, и передо мной все отчетливее стало вырисовываться лицо Николая Ивановича. В тот момент я и поймала свою Синюю птицу, символизирующую стремление к счастью и радости, не сказочно-фантастическую, а земную, за которую заплатила дорогой ценой. Из всех много-

13

численных друзей отца моим любимцем был Бухарин. В детстве меня привлекали в нем неуемная жизнерадостность, озорство, страстная любовь к природе и знание ее (он был неплохим ботаником, великолепным орнитологом), а также его увлечение живописью.

Я не воспринимала его в то время взрослым человеком. Это может показаться смешным и нелепым, тем не менее это так. Если всех близких товарищей отца я называла по имени и отчеству и обращалась к ним на «вы», то Николай Иванович такой чести удостоен не был. Я называла его Николаша и обращалась только на «ты», чем смешила и его самого, и своих родителей, тщетно пытавшихся исправить мое фамильярное отношение к Бухарину, пока они к этому не привыкли».

Ребенок — мужчина или женщина в миниатюре, в содержании этой миниатюры заключается содержание будущего взрослого человека. А этот взрослый человек может оказаться политиком, от которого зависят судьбы многих.

Валентина Краскова, ноябрь 1998 г.

СВОЮ СКРОМНУЮ ПЕНСИЮ ОНА ТРАТИЛА НА ОБЕДЫ ДЛЯ ЗЯТЯ

Я попыталась отыскать имя Елизаветы Васильевны Крупской в современном энциклопедическом словаре, но не нашла. Там был только

Константин Игнатьевич Крупский. Я решила, что словарь слишком новый, и обратилась к словарю, изданному при Сталине, но и там не было никакой информации о матери Надежды Крупской. Я подумала, что большевики явно не оценили ее роль. Ведь все это время, пока Ленин с Крупской раздували «огонь революции», о них заботилась самоотверженная Елизавета Васильевна.

Семья... У многих это понятие сразу ассоциируется с простой и четкой схемой: муж, жена, дети. Впрочем, иногда остряки вспоминают и о теще. В этом плане семью Владимира Ильича Ленина можно считать нетипичной. Детей, как известно, у него не было, зато теща всегда и везде сопровождала чету революционеров. Елизавета Васильевна Крупская была надежной опорой для своей дочери и для зятя — Владимира Ульянова.

Уже в пожилом возрасте в своих многочисленных беседах с молодежью Надежда Константиновна Крупская не уставала повторять, что Владимир Ильич никогда не смог бы полюбить женщину, с которой он расходился бы во взглядах, которая не была бы товарищем по работе.

Никита Сергеевич Хрущев в своих воспоминаниях уделил внимание отношениям Ленина с женщинами и мнению Сталина по поводу этих отношений: «Много Сталин говорил о Ленине. Он часто возмущался тем, что, когда Ленин был больной, и он повздорил с Крупской, Ленин потребовал, чтобы он извинился перед ней. Я сейчас точно не могу припомнить, какой был повод для ссоры. Вроде Сталин прорывался к Ленину, а Надежда Константиновна охраняла Ленина, чтобы его не перегружать, не волновать, как рекомендовали врачи. Сталин сказал какую-то грубость Надежде Константиновне, а она передала Ленину. Ленин потребовал, чтобы он извинился. Я не помню, как поступил Сталин, послушался ли он Ленина и извинился или нет. Я думаю, в какой-то форме он все-таки извинился, потому что Ленин с ним иначе бы не помирился.

Уже после смерти Сталина в секретном отделе мы нашли конверт, а в этом конверте была записка, написанная рукой Ленина. В ней Ленин писал Сталину, что он нанес оскорбление Надежде Константиновне, которая является его другом, и он требовал, чтобы он извинился. Он писал, что если Сталин не извинится, то он не будет считать его своим товарищем. Я был удивлен, что эта записка сохранилась. Наверное, Сталин забыл о ней.

Сталин очень не уважал Надежду Константиновну. Не уважал он и Марию Ильиничну. Вообще он очень плохо отзывался о них, считал, что они не представляли какую-то ценность в партии. Мне было очень не по себе, когда я видел, не только чувствовал, а видел, с каким неуважением относился Сталин к Надежде Константиновне еще при ее жизни.

Я был воспитан как молодой коммунист с послеоктябрьским стажем. Я привык смотреть на Ленина с уважением, как на вождя, а Надежда Константиновна — это неотделимая часть самого Ленина. Поэтому мне было очень горько смотреть на нее на активах. Бывало, придет старушка, дряхлая, ее все сторонятся, ведь она считается человеком, который не отражает партийной линии, к которой надо присматриваться, потому что она неправильно понимает политику партии и выступает против целого ряда положений.

Теперь, когда я анализирую то, что делалось в то время, думаю, что она была в этих вопросах права, но тогда все смешивалось в одну кучу и забрасывали грязью Надежду Константиновну и Марию Ильиничну.

Сталин в узком кругу объяснял, говорил, что она и не была женой Ленина. Он другой раз выражался весьма вольно. Уже после смерти Крупской, когда он вспоминал об этом периоде, он говорил, что если бы дальше так продолжалось, то мы могли бы поставить под сомнение, что она являлась женой Ленина. Он говорил, что могли бы объявить, что другая была женой Ленина, и назвал довольно солидного и уважаемого человека в партии. Я не могу быть судьей в таких вопросах».

Существует версия, что Сталин угрожал Крупской в случае ее малейшего неповиновения объявить официальной женой Ленина Инессу Арманд.

Тем не менее теплые, если на восторженные воспоминания об Инессе Арманд оставила Крупская. В 1926 году она являлась редактором сборника «Памяти Инессы Арманд». Самозабвенно посвятив всю себя мужу, она после его смерти стремилась уберечь его личную жизнь от всяких кривотолков. Детей же Инессы Арманд

Крупская в своей одинокой старости любила горячо и искренне.

После смерти Ленина, выступая перед советской общественностью, Крупская говорила о том, как она скрашивала суровые дни Ленина в далекой сибирской ссылке (куда она, как невеста, отправилась сама, добровольно, вместо назначенной ей более близкой и легкой ссылки в Уфимскую губернию); что она облегчала ему долгие годы одиночества и тоски в эмиграции; что она тридцать лет шла с ним рука об руку и никогда с этого пути не свернула.

Но всегда вспоминала она о своей матери, которая прошла этот же путь, следуя за своей дочерью.

Несомненно, уже одним этим Елизавета Васильевна Крупская заслужила, чтобы ее имя вошло в анналы истории.

Но сделанное ею не исчерпывается одним этим. Она была не только тещей вождя мирового пролетариата — она была его соратником, его ближайшим помощником. Все это она делала ради любви к дочери. В этом ее материнский подвиг.

Маленькая Надя — единственная дочь Елизаветы Васильевны и Константина Игнатьевича Крупских росла в атмосфере любви, ласки и внимания, царивших в семье.

Ее отец служил офицером. Его часть была расквартирована в Польше, входившей тогда в Российскую империю. Константин Игнатьевич, как человек прогрессивных взглядов, порицал жестокую расправу царского правительства с освободительным движением поляков и белорусов.

Он был против русификаторской политики, которую проводили русские власти. Этого было достаточно, чтобы уволить Крупского как неблагонадежного и предать суду. Семья познала нужду, гонения, скитания.

Отец умер, когда Наде было 14 лет.

После смерти отца Надя с матерью жили в Петербурге, на старом Невском. Надя подрабатывала, давая уроки. Об этом периоде их жизни вспоминала Мария Куприна-Иорданская, которая была в ту пору маленькой девочкой, а Крупская готовила ее к поступлению в гимназию:

«Вход в квартиру был под воротами. Подниматься надо было по темной, крутой и узкой лестнице. На площадке первого этажа — обитая старой клеенкой дверь. С правой строны на проволоке висела деревянная груша. Когда за нее дергали, в передней дребезжал колокольчик.

Дверь открывала Надежда Константиновна, и я повисала у нее на шее.

— Ну, будет, будет, раздевайся, Мышка, — говорила она смеясь, когда я долго не отрывалась от нее.

Квартира Крупских была маленькая — две комнаты и кухня. Из передней дверь вела в полутемную комнату с одним окном, выходившим в подворотню. Обстановка этой комнаты была очень скромная. У стены против входной двери стоял диван с высокой деревянной спинкой, перед ним овальный стол, кругом несколько стульев. В углу — шкаф с посудой, около окна стояли шифоньерка и кресло. Это была комната Елизаветы Васильевны и столовая.

В смежной, очень узкой и поэтому казавшейся длинной комнате жила Надежда Константиновна. Здесь всю поперечную короткую стенку занимала кровать. По продольным стенам размещался комод, вешалка для платьев, две высокие книжные полки и два стула. Небольшой канцелярский стол с двумя ящиками, покрытый темно-малиновой промокательной бумагой, стоял у окна. На столе в большом порядке лежали книги и ученические тетради. Рядом с небольшой стеклянной чернильницей, в темно-синей деревянной рамке, выделялся портрет отца Надежды Константиновны. Крошечная кухня с окном, выходившим уже во двор, а не в подворотню, была самым светлым помещением в квартире.

Дома Надежда Константиновна не закалывала волосы в прическу, и ее длинная пышная коса спускалась ниже пояса. Иногда она позволяла мне расплетать и снова заплетать косу. Это занятие доставляло мне огромное удовольствие. Если гребенка запутывалась в ее густых волосах, она только морщилась и смеялась. Но от банта, которым я непременно хотела украсить ее голову, она решительно отказывалась и не сдавалась ни на какие мои просьбы.

Елизавета Васильевна очень любила свою дочь — ведь больше у нее никого не было. Она просто восхищалась своей Надей.

После занятий она предлагала дочери и ее ученице по стакану какао, при этом, обращаясь к девочке, говорила: «Ты такая худенькая, настоящая мышка. Если ты будешь мало есть, у тебя никогда не будет такой косы, как у Наденьки, и навсегда останется такой маленький мышиный хвостик».

Вспоминая, между прочим, как в раннем детстве, прочитав какую-то книжку о «страшном трубочисте», она смертельно испугалась зашедшего к ним в дом трубочиста, Надежда Константиновна рассказывает, сколько такта и мягкости потребовалось ее родителям, чтобы побороть этот страх.

«Я вбежала в испуге в комнату и говорю матери с отцом, что трубочист пришел, а сама дрожу от страха. Они мне ничего не сказали, а потом отец говорит:

— Он, наверное, у плиты трубу чистит?

— У плиты.

— Ему, наверное, жарко? Не снесешь ли ты ему чаю?

Ну, такое поручение — отнести трубочисту чай, — тут я про свой страх забыла, подружилась с трубочистом».

Надя Крупская с раннего детства слышала в своей семье разговоры взрослых о несправедливости, жестокости, царящей кругом, о подавлении всяких свобод. Крупская вспоминала: «Я росла под двумя влияниями — отца и матери. Отец был типичным шестидесятником: глубоко верил в науку, читал «Колокол» Герцена, принимал некоторое участие в революционном движении, насмешливо относился ко всякой религии. Он воспитывался в корпусе, где требовалось строгое соблюдение постов, говений, где было обязательно посещение церковных служб и где процветало в то же самое время полное безверие.

...Мать также воспитывалась в закрытом учебном заведении — в институте. Священник у них был прекрасным педагогом. Для матери церковные службы связаны были с целым рядом радостных переживаний, она была одной из лучших певчих. Мать также не говела, не постилась, не соблюдала обрядов, в церковь ходила лишь изредка, когда бывало «настроение», дома никогда не молилась, но в квартире у нас висели образа, у моей кроватки красовался семейный образок, и иногда мать брала меня с собой ко всенощной...

Только семидесятилетней старухой она сказала мне: «В молодости я была религиозна, теперь повидала жизнь, вижу — все это пустяки», — и просила непременно после смерти сжечь ее тело. Так и сделали. Если отец был для меня непререкаемым авторитетом, то по отношению к матери в детстве я держалась «независимо». Только в раннем детстве, в возрасте лет пяти, на меня влияла, вероятно, религиозная нянька. Впрочем, это мое предположение; я помню только, что она носила меня раз в костел. Позднее никаких религиозных влияний на себе я не испытывала. А вышло так, что я была внутренне религиозна, потихоньку, чтобы не посмеялись, усердно читала евангелие и отделалась окончательно от религиозных настроений лет в двадцать с лишним, лишь став марксисткой. Как это вышло? Лет пяти-шести я по вечерам усердно молилась богу. Отец раз посмеялся надо мной:

«Будет тебе грехи замаливать-то, ложись уж спать!» И странное дело, эта мягкая насмешка над ребенком дошкольного возраста повлияла на меня самым неожиданным образом. В области религиозных верований отец перестал быть для меня авторитетом. Я говорила с ним обо всем, только не о религии. Тут у меня было свое «особое мнение».

...Я часто думала, где, в чем лежали корни моей религиозности. Ко всякой мистике я чувствовала всегда глубокую, инстинктивную ненависть.

...Зачем мне нужна была религия? Я думаю, что одной из причин было одиночество. Я росла одиноко. Я очень много читала, много видела. Я не умела оформить своих переживаний и мыслей так, чтобы они стали понятны другим. Особенно мучительно это было в переходный период. У меня всегда было много подруг. Но мы общались как-то на другой почве. И вот тут мне очень нужен был бог. Он, по тогдашним моим понятиям, по должности должен понимать, что происходит в душе у каждого человека. Я любила сидеть часами, смотреть на лампадку и думать о том, чего словами не скажешь, и знать, что кто-то тут близко и тебя понимает.

На ребенка, впервые попавшего в церковь, эта обстановка производит часто незабываемое впечатление, и семена религиозности оказываются брошенными в очень благодатную почву».

Особенно умело использовали эту податливость детской души католические священники и монахи, замечает Надежда Константиновна. «Католическая церковь, — говорит она, — прекрасно знала силу впечатлений раннего детства и потому всячески как можно сильнее старалась влиять на ребят. Мне запомнилась одна сцена. Жили мы в Париже. Как-то встала я на рассвете и подошла к окну. Что же я увидела? По улице в глубоком молчании шествовала похоронная процессия. Хоронили воспитанницу католического приюта. Все девочки, в том числе и девочки дошкольного возраста, были одеты в саваны, держали в руках зажженные свечи. Вся эта инсценировка была жуткая. Можно представить себе, какое впечатление на всю жизнь оставила эта процессия у малышей.

Позже изжитию остатков религиозности мешало отсутствие понимания закономерности явлений общественного характера. Вот почему марксизм так радикально излечил меня от всякой религиозности».

Но, кроме повышенной впечатлительности, легкой внушаемости детей, есть еще причина, считает Крупская, зарождения религиозных верований у них. Это одиночество ребенка. Причем одиночество, обусловленное не отсутствием друзей и не плохим, черствым, холодным или равнодушным отношением к детям в семье, а какими-то своеобразными особенностями натуры ребенка, некоторой замкнутостью, неумением выразить свои переживания, поделиться ими с другими и отсюда — невольными поисками того, кто, как говорят, все понимает, т.е. неосознанным еще стремлением к Богу.

Надежда Константиновна стала марксисткой. По ее собственному признанию, она пришла совершенно самостоятельно к марксизму в ту переломную пору, когда революционное движение оказалось в тупике. И Надежда Константиновна нашла выход из этого тупика. Она поняла, как сама писала, что не в терроре одиночек, не в толстовском самоусовершенствовании надо искать путь. Могучее рабочее движение — вот где выход.

Надежда Константиновна сразу же почувствовала на себе способность Ленина воздействовать на людей. Он умел воздействовать на подсознание. Эта же самая способность проявлялась во время его общения с массами. Ведь кроме общественного сознания, существует и играет огромную роль в обществе общественное бессознательное. Это бессознательное — сумма стереотипов мышления и деятельности, моральных представлений. Оно полностью определяется реальными социальными условиями, в которых формируется человек. И эти стереотипы нельзя заменить никакой пропагандой и никаким просвещением. Любая теория, которую захотят внести в общественное сознание и сделать идеологией масс, будет преломлена через эти стереотипы бессознательного, переработана массовым сознанием и в конце концов превращена в словесное выражение этих стереотипов.

Ученые установили, что между жестами, мимикой человека и структурой его речи существует жесткая взаимосвязь. Имеется в виду «код эффективного общения». Тот, кто умело использует это код, может неявным способом воздействовать на окружающих и даже на толпу. Этот код напрямую воздейстует на подсознание. Ленин не знал проблем в установлении контактов с товарищами по партии.

Крупская сразу же «настроилась на волну» Ленина и готова была идти за ним хоть на край света, хоть, закрыв глаза, над краем пропасти. И это вопреки мнению некоторых товарищей, знавших Ленина раньше и уверявших, что он, дескать, «сухарь» и ничем, кроме экономической науки, не интересуется и ни на что другое не способен.

Здесь сказалась, если так можно выразиться, особая, ей свойственная женская интуиция.

Владимир Ульянов тоже проникся к ней доверием и вскоре раскрыл одну из своих семейных тайн. Крупская вспоминала: «Потом, когда мы близко познакомились, Владимир Ильич рассказал мне однажды, как отнеслось «общество» к аресту его старшего брата. Все знакомые отшатнулись от семьи Ульяновых, перестал бывать даже старичок-учитель, приходивший раньше постоянно играть по вечерам в шахматы. Тогда еще не было железной дороги из Симбирска, матери Владимира Ильича надо было ехать на лошадях до Сызрани, чтобы добраться до Питера, где сидел сын. Владимира Ильича послали искать попутчика — никто не захотел ехать с матерью арестованного».

Встретив Ленина, она на всю жизнь связала с ним свою судьбу. У некоторых вызывает недоумение, что, когда Ленин сделал ей предложение стать его женой, она ответила так «прозаично»: «Женой, так женой». Но в том-то и дело, что у них, помимо молодой влюбленности, было такое взаимное понимание, такая общность, что высокие слова были не нужны.

Советские люди любили «дедушку Ленина», но мало кто думал о том, что в его личной жизни происходит все то же самое, что и в жизни обыкновенных людей.

Один из основоположников германской социал-демократической партии, теоретик марксизма Август Бебель не без основания утверждал: «Из всех естественных потребностей человека половая потребность, после потребности есть и пить, самая сильная... Заповедью человека, которую он обязан выполнить по отношению к самому себе, если он желает нормально развиваться и быть здоровым, является то, чтобы он не пренебрегал в упражнении ни единым членом своего тела и не отказывал в удовлетворении ни одной своей естественной потребности».

С той питерской поры, когда Владимир Ильич стал провожать Крупскую домой после занятий в кружках, со времени тех воскресных дней, когда он захаживал к ней, а она с энтузиазмом рассказывала о своей работе в воскресной школе (в которую была влюблена, и ее можно было хлебом не кормить, лишь бы дать поговорить о школе), — им обоим стало ясно, что у них чувства и мысли едины и что они должны быть вместе.

Возможно, Крупская никогда бы не вышла замуж за Ленина, если бы он не оказался в тюрьме. Должен же был кто-то носить ему передачи, ходить на свидания. Всем известно, что этим занимались так называемые «невесты». Очень часто за неимением настоящих «невесты» были «подсадные».

Вот и Крупская стала такой «невестой», но выполняла свои обязанности настолько старательно, что Ильичу это запало в душу. Он понял, что это оптимальный вариант и лучшей невесты ему не найти. «Отношения с Владимиром Ильичем завязались очень быстро, — вспоминала Крупская. — В те времена заключенным в «предварилке» можно было передавать книг сколько угодно, они подвергались довольно поверхностному осмотру, во время которого нельзя было, конечно, заметить мельчайших точек в середине букв или чуть заметного изменения цвета бумаги в книге, где писалось молоком. Техника конспиративной переписки у нас быстро совершенствовалась. Характерна была заботливость Владимира Ильича о сидящих товарищах. В каждом письме на волю был всегда ряд поручений, касающихся сидящих: к такому-то никто не ходит, надо подыскать ему «невесту», такому-то передать на свидании через родственников, чтобы искал письма в такой-то книге тюремной библиотеки, на такой-то странице, такому-то достать теплые сапоги и пр.

Он переписывался с очень многими из сидящих товарищей, для которых эта переписка имела громадное значение. Письма Владимира Ильича дышали бодростью, говорили о работе. Получая их, человек забывал, что сидит в тюрьме, и сам принимался за работу. Я помню впечатление от этих писем (в августе 1896 г. я тоже села). Письма молоком приходили через волю в день передачи книг — в субботу. Посмотришь на условные знаки в книге и удостоверишься, что в книге письмо есть. В шесть часов давали кипяток, а затем надзирательница водила уголовных в церковь. К этому времени разрежешь письмо на длинные полоски, заваришь чай и, как уйдет надзирательница, начинаешь опускать полоски в горячий чай — письмо проявляется (в тюрьме неудобно было проявлять на свечке письма, вот Владимир Ильич додумался проявлять их в горячей воде), и такой бодростью оно дышит, с таким захватывающим интересом читается. Как на воле Владимир Ильич стоял в центре всей работы, так в тюрьме он был центром сношений с волей.

Но как ни владел Владимир Ильич собой, как ни ставил себя в рамки определенного режима, а нападала, очевидно, и на него тюремная тоска. В одном из писем он развивал такой план. Когда их водили на прогулку, из одного окна коридора на минутку виден кусок тротуара Шпалерной. Вот он и придумал, чтобы мы — я и Аполлинария Александровна Якубова — в определенный час пришли и стали на этот кусочек тротуара, тогда он нас увидит. Аполлинария почему-то не могла пойти, а я несколько дней ходила и простаивала подолгу на этом кусочке. Только что-то из плана ничего не вышло, не помню уже отчего.

Во время стачки 1896 г. в нашу группу вошла группа Тахтарева, известная под кличкой Обезьяны, и группа Чернышева, известная под кличкой Петухи. Но пока «декабристы» сидели в тюрьме и держали связь с волей, работа шла еще по старому руслу. Когда Владимир Ильич вышел из тюрьмы, я еще сидела. Несмотря на чад, охватывающий человека по выходе из тюрьмы, на ряд заседаний, Владимир Ильич ухитрился все же написать письмишко о делах. Мама рассказывала, что он в тюрьме поправился даже и страшно весел.

Меня выпустили вскоре после «ветровской истории» (заключенная Ветрова сожгла себя в Петропавловской крепости). Жандармы выпустили целый ряд сидевших женщин, выпустили и меня и оставили до окончания дела в Питере, приставив пару шпионов, ходивших всюду по стопам.

Мне дали три года Уфимской губернии, я перепросилась в село Шушенское Минусинского уезда, где жил Владимир Ильич, для чего объявилась его «невестой».

В Минусинск доехала на свой счет, поехала со мной моя мать. Приехали мы в Красноярск 1 мая 1898 г., оттуда надо было ехать на пароходе вверх по Енисею, но пароходы еще не ходили.

В село Шушенское, где жил Владимир Ильич, мы приехали в сумерки; Владимир Ильич был на охоте. Мы выгрузились, нас провели в избу. В Сибири — в Минусинском округе — крестьяне очень чисто живут, полы устланы пестрыми самоткаными дорожками, стены чисто выбелены и украшены пихтой. Комната Владимира Ильича была хоть невелика, но также чиста. Нам с мамой хозяева уступили остальную часть избы. В избу набились все хозяева и соседи и усердно нас разглядывали и расспрашивали. Наконец, вернулся с охоты Владимир Ильич. Удивился, что в его комнате свет. Хозяин сказал, что это Оскар Александрович (ссыльный питерский рабочий) пришел пьяный и все книги у него разбросал. Ильич быстро взбежал на крыльцо. Тут я ему навстречу из избы вышла. Долго мы проговорили в ту ночь.

Правда, обед и ужин был простоват — одну неделю для Владимира Ильича убивали барана, которым кормили его изо дня в день, пока всего на съест; как съест — покупали на неделю мяса, работница во дворе в корыте, где корм скоту заготовляли, рубила купленное мясо на котлеты для Владимира Ильича, тоже на целую неделю. Но молока и шанег было вдоволь и для Владимира Ильича, и для его собаки, прекрасного гордона — Женьки, которую он выучил и поноску носить, и стойку делать, и всякой другой собачьей науке. Так как у Зыряновых мужики часто напивались пьяными, да и семейным образом жить там было во многих отношениях неудобно, мы перебрались вскоре на другую квартиру — полдома с огородом наняли за четыре рубля. Зажили семейно. Летом никого нельзя было найти в помощь по хозяйству. И мы с мамой вдвоем воевали с русской печкой. Вначале случалось, что я опрокидывала ухватом суп с клецками, которые рассыпались по исподу. Потом привыкла. В огороде выросла у нас всякая всячина — огурцы, морковь, свекла, тыква; очень я гордилась своим огородом. Устроили из двора сад — съездили мы с Ильичем в лес, хмелю привезли, сад соорудили. В октябре появилась помощница, тринадцатилетняя Паша, худущая, с острыми локтями, живо прибравшая к рукам все хозяйство. Я выучила ее грамоте, и она украшала стены мамиными директивами: «Никовды, никовды чай не выливай», вела дневник, где отмечала: «Были Оскар Александрович и Проминский. Пели «Пень», я тоже пела».

Через пару лет вся семья в полном составе — муж, жена и теща — уже в Европе.

В 1901 году Владимир Ульянов занимался изданием и распространением газеты «Искра». Он жил на окраине Мюнхена с Надеждой Константиновной и матерью ее Елизаветой Васильевной Крупской, никогда не расстававшейся с дочерью и неизменно следовавшей за ней и в ссылку и в эмиграцию.

В мае 1901 года в Мюнхен приехала Елизавета Васильевна. Еще раньше как-то во время прогулки «Ильичи» оказались в тихом предместье города — Швабинге, рядом был лес, река. Присмотрели удобную с точки зрения конспирации квартиру в большом, только что отстроенном доме. Плата квартирная была умеренная. Удобств и комфорта хозяева не обещали, но зато жильцов было много, никто друг друга не знал, чужой жизнью не интересовался, не то что в маленьком домишке, когда вся жизнь на виду. Это обстоятельство Ульяновых очень устраивало. Правда, пришлось обзаводиться хозяйством. Мебель купили на распродаже по дешевке. Крупская так описала их комнату: «...комната была небольшая, продолговатая, посредине стоял длинный деревянный стол, деревянные стулья, никаких портретов по стенам не висело (мы жили под фамилией Иордановых). Насколько скромна была обстановка, видно из того, что при отъезде мы всю обстановку продали за 12 марок».

На столе у Надежды Константиновны ее «орудия производства»: пузырек с симпатическими чернилами, которыми она между строками какого-нибудь «поздравления с днем ангела» заносила свои шифровки. Днями и ночами просиживала здесь Надежда Константиновна, расшифровывая получаемую из России информацию о состоянии дел на местах и зашифровывая послания В. И. Ленина комитетам и отдельным работникам о положении, создавшемся в партийных центрах за границей, и о том, что надо делать дальше.

Почерк Крупской знали уже во всех концах России. При обысках полицейские все чаще находили письма, подписанные коротко «Катя». В ее досье ложится новое донесение: «Проживая во второй половине 1901 года за границей, она под именем «Кати» вела из разных заграничных городов оживленную конспиративную переписку со всеми действующими в России комитетами Российской социал-демократической рабочей партии и занимала центральное положение в заграничной организации «Искры».

В досье не было указано, что во всех этих делах ей помогала мать — Елизавета Васильевна.

Надежда Константиновна и Елизавета Васильевна наладили «производство» так называемых «корсетов». Они шили широкий пояс с большими карманами, куда закладывали иногда до сотни номеров «Искры», напечатанной на папиросной бумаге. «Корсет» надевался прямо на тело, под одежду, и служил довольно надежно. Ведь переезжающих границу не обыскивали, для этого нужно было особое указание полиции, а чемоданы просматривали все.

«Искра» вышла на международную арену. Типографии нужен постоянный приток денег. Все средства партии идут на газету. А Ленина с Крупской кормит Елизавета Васильевна. Ее пенсии с горем пополам хватает на троих.

В начале 1901 года пришла посылка из Кишинева, где удалось организовать типографию для печатания нелегальной литературы. Посылка несказанно обрадовала Надежду Константиновну: там была ее первая книга — «Женщина-работница» — пусть в сером бумажном переплете, на желтой бумаге — какое это имело значение. Так было приятно держать в руках пахнущую типографской краской свою книгу, плод бессонных ночей, выражение своих мыслей. Надежду Константиновну поздравили мать и Владимир Ильич.

С приездом Елизаветы Васильевны у Крупской стало больше времени для партийной и своей собственной работы: мать взяла на себя ведение хозяйства.

Целых 15 лет жили «Ильичи» в эмиграции, они переезжают из страны в страну, и повсюду их сопровождала мать Крупской. Со своей матерью Ленин переписывался.

Осень 1902 года в Лондоне была на редкость солнечная и сухая, что нечасто случалось в стране тумана. «Погода здесь стоит для осени удивительно хорошая — должно быть возмездие за плохое лето. Мы с Надей уже не раз отправлялись искать — и находили — хорошие пригороды с «настоящей природой», — пишет Владимир Ильич матери.

Иногда собирались друзья и все вместе отправлялись на велосипедах за город. Надежда Константиновна очень любила такие поездки. Они давали возможность хотя бы на некоторое время выключиться из напряженного ритма работы, передохнуть и отвлечься. Иногда забирали с собой Елизавету Васильевну и уезжали на целый день, но такой отдых позволяли себе только в воскресные дни. Изредка удавалось выбраться в театр или на хороший концерт.

Кроме всего, Крупская время от времени пишет своей свекрови в Россию.

В одном из писем к Марии Александровне, матери Ленина, Надежда Константиновна дала волю чувствам; сообщая о своем житье-бытье, о том, что Владимир Ильич уехал в Париж, о том, что Елизавета Васильевна болела, она пишет: «...Как бы охотно побывала я теперь у вас! В последнем письме Вы пишете о квартире, и я так живо представила себе, как Вы там живете, целую картину себе нарисовала, как на улице мороз, как в комнате печка топится, как Вы ждете Маню со службы, как Маня с морозу пришла. Наверное, самарская жизнь на уфимскую похожа. «Дайте крылья мне перелетные»... Однако я совсем уже вздор стала болтать. Иногда ужасно тянет в Россию, а сегодня особенно. Впрочем, у меня всегда так: все куда-нибудь тянет».

К осени 1902 года относится появление в Лондоне после побега из киевской тюрьмы девяти искровцев: Баумана, Крохмаля, Литвинова, Таршиса (Пятницкого) и других.

В ноябре был создан специальный организационный комитет для подготовки съезда, которому «Искра» передала все свои русские связи. Владимир Ильич поручил Надежде Константиновне подготовить и написать доклад организации «Искры» к съезду РСДРП об организаторской работе в России за время с апреля 1901 года по ноябрь 1902 года. Она тотчас же засела за эту трудоемкую работу, но ее пришлось прервать в связи с переездом редакции «Искры» в Женеву, чего требовала группа «Освобождение труда».

Перед самым переездом Владимир Ильич заболел, сказалось постоянное нервное и физическое напряжение. В то время Ульяновы были так ограничены в средствах, что Крупской и в голову не пришло обратиться к английскому врачу — слишком это было дорого. Будучи полностью уверенной в своих «многочисленных талантах», Надежда Константиновна, поставив по медицинским справочникам диагноз (совершенно неверный), стала лечить Владимира Ильича домашними средствами.

Во время этих медицинских экспериментов Ленин метался от боли, а Крупская проклинала европейские поезда, где не было спальных вагонов.

В Женеве Владимира Ильича осмотрел настоящий доктор из эмигрантов и пришел в ужас от методов самолечения. Владимир Ильич пролежал две недели — у него был тяжелейший приступ нервной болезни — воспаление грудных и спинных нервных окончаний.

Владимир Ильич и Надежда Константиновна поселились в рабочем предместье Сешерон (улица Шмон приве дю Фуайе, 10), где прожили до 17 июня 1904 года.

Жили они наверху, куда вела деревянная лесенка. Внизу была большая кухня с плитой, на которой на случай прихода гостей постоянно кипел большой эмалированный чайник. В небольшой комнате рядом помещалась вечно озабоченная своим незатейливым хозяйством Елизавета Васильевна. После первых же слов приветствия можно было услышать ее добродушно-ворчливое: «Вот, уткнулись там наверху в свои книги и тетради, мучает себя на работе Владимир Ильич и Надю замучил — покушать не дозовешься их». Здесь же, на кухне, в иные дни, когда приходили сразу несколько человек, Владимир Ильич принимал гостей, потому что «апартаменты» наверху были слишком тесны.

В двух верхних комнатах меблировка состояла из простых столов, заваленных журналами, рукописями, газетными вырезками. По стенам полки с книгами. В каждой комнате койка, прикрытая пледом, и пара стульев. В центре стола Владимира Ильича красовались русские счеты.

Цецилия Бобровская, вспоминая о своем визите к «Ильичам» в Сешероне, не забыла и о теще вождя мирового пролетариата. Вот характерный эпизод: «Елизавета Васильевна пригласила нас всех обедать. Владимир Ильич был в хорошем настроении и все время шутил. Вот, иронизировал он, наша Елизавета Васильевна считает, что возникший внутрипартийный разлад может быть легко изжит, что обязательно надо помирить Юлия Осиповича (Мартова) с Владимиром Ильичем и сделать это может Вера Ивановна (Засулич), к которой она, Елизавета Васильевна, собирается сходить, чтобы переговорить по этому поводу.

Вначале мне показалось, что Ильич шутки ради придумал этот «план выхода из положения», но оказалось, что наивная старая мать действительно надумала сходить к Вере Ивановне Засулич в полной уверенности, что ей таким образом удастся восстановить мир в партии, нарушенный из-за «капризов Владимира Ильича и Юлия Осиповича», как она выражалась. А главное — «Надя перестанет так болеть душой за все это дело».

Подшучивая над Елизаветой Васильевной, Владимир Ильич еще от себя добавил: «Мы с Юлием теперь ходим по разным тротуарам Женевы. Завидев друг друга издали, каждый из нас переходит на противоположный тротуар, а что касается Плеханова, то я с ним состою в переписке. Подписываюсь я не «преданный Вам Ленин», а «преданный Вами Ленин».

На одной из площадей Женевы в центре города находилась пивная «Ландольт». Здесь в двух противоположных боковых комнатах почти каждый вечер собирались в одной большевики, в другой — меньшевики. В комнату большевиков приходил В. И. Ленин вместе с Надеждой Константиновной, бывала там и теща Ильича — Елизавета Васильевна. А в основном здесь собирались работники партии, бежавшие из тюрем и ссылки или специально посланные для связи с центром.

В противоположную комнату приходил Мартов, неизменно сопровождавший его Дан и все их многочисленное окружение, в значительной части состоявшее из эмигрировавших интеллигентов, основательно осевших за границей.

В Сешерон начали съезжаться из России делегаты съезда. Те, кто спешил на съезд партии, стремились прежде всего увидеть двух людей — Плеханова и Ленина, и эти две встречи часто оказывались решающими в выборе пути. Многие не подозревали, что редакция «Искры» далеко не едина.

Плеханов встречал делегатов радушно, но не мог и не хотел скрыть своего высокомерия, не терпел ни слова возражения, временами обрушивал на приехавших каскад острот, далеко не всегда безобидных. Мартов и Засулич сразу начинали жаловаться на плохой характер Ленина, вспоминая все обиды, и вызывали у приезжих недоумение — там, в России, идет борьба, люди ежедневно, ежечасно рискуют жизнью, а здесь делят места в редакции и не могут между собой договориться. Причем очень часто члены редакции показывают незнание русских дел.

Поражала и обстановка, в которой жили Ульяновы. Вот как описывает ее М. Эссен:

«В то время как в Женеве все жили на европейский лад, в хороших комнатах, спали на пружинных матрацах, так как комнаты и жизнь были в Женеве сравнительно дешевы, Ленин жил в доме, напоминающем дом русского заштатного города. Внизу помещалась кухня, она же и столовая, очень чистая и опрятная, но почти лишенная мебели, сбоку небольшая комната, где жила мать Надежды Константиновны, и наверху спальня и рабочая комната Ильича. Две простые узкие кровати, несколько стульев, по стенам полки с книгами и большой стол, заваленный книгами и газетами. Так просто и уютно там чувствовалось, ничто не стесняло, и эта простота обстановки особенно хорошо действовала на рабочих. Все чувствовали себя как дома. Обычная дневная обстановка такова: Владимир Ильич сидит углубленный в работу или уходит работать в библиотеку. Надежда Константиновна разбирает корреспонденцию или шифрует письма. Мать возится с несложным хозяйством».

В июне 1904 года «Ильичи» выехали в Лозанну, откуда Крупская писала своей свекрови, Марии Александровне:

«Сейчас мы в Лозанне. Уже с неделю как выбрались из Женевы и отдыхаем в полном смысле этого слова. Дела и заботы оставили в Женеве, а тут спим по 10 часов в сутки, купаемся, гуляем — Володя даже газет толком не читает, вообще книг было взято минимум, да и те отправляем нечитанными завтра в Женеву, а сами в 4 часа утра надеваем мешки и отправляемся недели на 2 в горы».

Чтобы полностью отключиться от партийных дел, Ульяновы забираются в горы, в самую глушь. Еще в Женеве они договариваются: о политике ни слова. Крупская вспоминала: «Мы с Владимиром Ильичем взяли мешки и ушли на месяц в горы. Мы выбирали всегда самые дикие тропинки, забирались в самую глушь, подальше от людей. Пробродяжничали мы месяц: сегодня не знали, где будем завтра, вечером, страшно усталые, бросались в постель и моментально засыпали.

Деньжат у нас было в обрез, и мы питались больше всухомятку — сыром и яйцами, запивая вином да водой из ключей, а обедали лишь изредка. В одном социал-демократическом трактирчике один рабочий посоветовал: «Вы обедайте не с туристами, а с кучерами, шоферами, чернорабочими: там вдвое дешевле и сытнее». Мы так и стали делать. Тянущийся за буржуазией мелкий чиновник, лавочник и т. п. скорее готов отказаться от прогулки, чем сесть за один стол с прислугой. Это мещанство процветает в Европе вовсю. Там много говорят о демократии, но сесть за один стол с прислугой не у себя дома, а в шикарном отеле — это выше сил всякого выбивающегося в люди мещанина. И Владимир Ильич с особенным удовольствием шел обедать в застольную, ел там с особым аппетитом и усердно похваливал дешевый и сытный обед».

Из этого путешествия вернулись загорелыми и отдохнувшими. Но через два года у Ленина — очередной нервный срыв...

В 1906 году усталость проявилась в бессоннице, страшных головных болях, в полном отсутствии аппетита. Посоветовавшись с товарищами, Надежда Константиновна настояла на отъезде мужа в Стирсуден(Финляндия), где на одинокой даче жила семья Лидии Михайловны

Книпович. Сама же Крупская тоже едет в Стир-суден.

Море, сосны и тишина. Ульяновы купаются, ездят на велосипедах, слушают музыку — одна из родственниц Книповичей была певицей. В их жизни мало выпадало подобных минут.

К этому времени относится маленькая любительская фотография — Надежда Константиновна и Елизавета Васильевна сидят в двуколке. Крупская улыбается, лицо счастливое.

В августе Надежда Константиновна проводила Владимира Ильича в Штутгарт на международный конгресс, а сама активно включилась в работу.

После возвращения Ленина они еще некоторое время прожили на даче «Ваза», а в ноябре 1907 года Владимиру Ильичу пришлось уехать в глубь Финляндии, на небольшую станцию Оглбью.

За два года на даче «Ваза» скопилось колоссальное количество архивных документов, нелегальщины. Без суеты, деловито разбирала эти архивы Надежда Константиновна с женой Богданова. Самое ценное, то, что было необходимо сохранить, относили к финским товарищам, остальное жгли. Снег вокруг дачи почернел от пепла, пришлось принять меры предосторожности.

Наконец дела приведены в порядок. Крупская едет в Питер, устраивает Елизавету Васильевну, договаривается с остающимися товарищами о связях и спешит в Стокгольм, куда уже переправили Владимира Ильича. Он рассказал жене, как чуть не погиб, когда при переходе через Финский залив лед стал уходить под воду.

Надежда Крупская была в ужасе от этого рассказа. И ничего не стала говорить своей маме.

В последнее время само понятие «семья» люди воспринимают как-то однобоко, я бы даже сказала, — усеченно. Про человека, который не имеет мужа (жены) и детей говорят: «Он одинокий. У него нет семьи». Но ведь, наверняка, у такого человека могут быть живы родители, могут быть братья и сестры, племянники — это и есть его семья. Он — член семьи. Сын, брат, дядя и т.д. Человек может стать главой клана, не имея собственного потомства. Далеко за примером ходить не будем. Вот пред нами «вождь мирового пролетариата» Владимир Ульянов (Ленин). Из семьи учителя, по образованию юрист, сумел сплотить вокруг себя не только партийных товарищей, но и свою семью.

Сестры Ленина Анна Ильинична Ульянова-Елизарова и Мария Ильинична Ульянова принадлежали к тому клану профессиональных революционеров, который их брат назвал «основным ядром», «выпестовавшим партию».

Семья Ульяновых дружно готовила государственный переворот. И вот переворот состоялся. Большевики, как и предсказывал Ленин, «взяли власть». Вспоминает большевичка Полина Виноградская: «На первых порах Владимира Ильича и Надежду Константиновну пришлось поселить в гостинице «Националь». Разумеется, гостиничная обстановка совершенно не соответствовала образу жизни и занятиям Ильича. К тому же там было не безопасно — много посторонней публики, близость черносотенного Охотного ряда.

Ленин мирился с неудобствами, знал, что это временно. Он только торопил с ремонтом кремлевских зданий, предназначенных для вселения правительственных учреждений. Зато от Якова Михайловича Свердлова здорово доставалось Моссовету.

Дело в том, что Московскому Совету и специальной правительственной комиссии заранее было поручено разместить учреждения и подобрать помещения для квартир работников правительственного аппарата. Сделать это было нелегко. В старой Москве не было такого комплекса зданий, где можно было бы разместить вместе все государственные учреждения. Первопрестольная устремилась ввысь только колокольнями своих «сорока сороков», она расползлась вширь переулками, застроенными одноэтажными купеческими особняками. Московскую старину оберегали веками.

Первые же попытки Моссовета расширить проезд бывшего Китай-города, упразднить Сухаревскую толкучку были злобно встречены московскими обывателями.

Вот и получилось, что Московский Совет не мог ничего предложить другого, кроме Кремля и нескольких зданий в Китай-городе. И правительственная комиссия с этим согласилась. В Китай-городе разместились позже наши центральные партийные органы. Правительству предоставили Кремль. И если контрреволюционные журналисты, бежавшие за границу, вопили тогда, что большевики «отгородились от народа толстыми стенами Кремля», то это была явная демагогия и ложь. Кремль был заселен по необходимости.

Но беда была в том, что Кремль оказался не готов к заселению. Многие его помещения были испорчены и загажены белыми еще в октябрьские дни 1917 года. Стены некоторых зданий пострадали от перестрелки. Все было захламлено. Вот поэтому под жилье для Ленина, членов правительства и сотрудников центральных учреждений пришлось временно занять гостиницы. Так «Националь» стал первым домом Советов, «Метрополь» — вторым и т. д.

Наконец наступил день, когда Владимир Ильич, Надежда Константиновна Крупская и Мария Ильинична Ульянова смогли из гостиницы «Националь» переехать в Кремль. Ленина с семьей поселили сначала в Кавалерском корпусе, а когда был окончательно закончен ремонт, — в маленькой квартире в бывшем здании Судебных установлений. В этом же доме разместился Совнарком и управление делами. Одна из больших комнат стала залом заседаний Совета Народных Комиссаров. На этих заседаниях решались срочные, важные государственные дела».

19 марта 1918 года Ленин и Крупская переехали в Кремль, где постепенно был сосредоточен центр управления всей страной.

Но Елизавете Васильевне не было дано увидеть триумф своего зятя — она не дожила до этого времени. Рядом нет мамы, ведущей «все нехитрое хозяйство», но уже есть возможность нанять домработницу. Об этом нюансе вспоминал Эдуард Эдуардович Смилга: «Для семьи Вла-

45

димира Ильича подыскали три небольшие комнаты с кухней, маленькой передней, ванной и комнатой для домработницы.

Бонч-Бруевич отдал распоряжение оборудовать эти комнаты. Когда с ремонтом было покончено, нам дали задание обставить квартиру мебелью. Так как в нашем распоряжении был весь Кремль, мы натаскали в новую квартиру самую лучшую мебель, какую только можно было найти, обставили квартиру Ильича позолоченными стульями и креслами, обитыми шелком и бархатом, зеркальными шкафами, массивными столами и т. д. Уж очень нам хотелось доставить любимому человеку удовольствие.

Но когда Ленин осмотрел приготовленную для него квартиру, то ему не понравилась роскошная мебель, и он распорядился заменить ее простой.

Мы были разочарованы: старались, старались, и оказалось, что перестарались».

К первой годовщине Октября над правительственным зданием взвился красный флаг, был утвержден герб. Ленин велел убрать из первоначального проекта герба меч, оставив только эмблему труда и мира: серп и молот.

А с какой радостью и гордостью Ленин, получив новую печать, оттиснул ее на своем ответном письме Кларе Цеткин, где он писал: «Вот отпечаток. Надпись гласит: Российская Социалистическая Федеративная Советская Республика. Пролетарии всех стран, соединяйтесь!»

Около шести лет провел Ленин в Кремле, но жизнь эта была без любящей тещи Елизаветы Васильевны.

Однажды Надежда Константиновна обронит: «А, пожалуй, хорошо, что наши старушки не дожили до этого, — как-то перенесли бы они эти волнения. Не под силу было бы им это». Она имела в виду свою мать и свекровь — Марию Александровну Ульянову.

СЛИШКОМ МНОГО
ДЛЯ ОДНОГО ЧЕЛОВЕКА...

В 1887 году в симбирской газете появилось объявление: «Продается дом с садом, рояль и мебель. Московская, дом Ульяновой». Жители города Симбирска отправлялись по этому адресу просто из любопытства — многим хотелось посмотреть на семью повешенного преступника.

Мария Александровна Ульянова встречала всех у порога и сдержано останавливала: «Вам что угодно? Вы пришли что-нибудь купить?»

Летом 1887 года Ульяновы простились с Симбирском, они переехали в Казань.

8 мая 1891 года от тифа умерла дочь Ольга. Мать поехала на похороны в Петербург. «Идти было трудно, — вспоминала Ольгина подруга по Бестужевским курсам З.П. Невзорова-Кржижановская. — Я острожно вела под руку мать Оли, с другой стороны ее поддерживал Владимир Ильич. Она шла молча, прямая, тонкая, хрупкая, с слегка закинутой назад головой и лишь изредка из-под полуопущенных глаз скатывались скупые слезинки.

У меня сердце разрывалось от жалости. Невыносимо было хоронить Олю, чудесную девятнадцатилетнюю девушку, умницу, только что развертывавшую свои блестящие способности, милого товарища... Невыносимо было видеть ее мать. Я знала, что один за другим падали удары на ее прекрасную седую голову. Слишком много для одного человека».

Наверное, кому-то одному в семье выпадает роль главного в доме. У Ульяновых эта роль выпала матери.

Несколько затеняется личность отца, его влияние на весь уклад семьи, на детей. Отец больше занимался работой и своей личной жизнью — имел сердечные привязанности на стороне. Хотя это было семейной тайной, табу, так называемый «скелет в шкафу». Известно, например, как горячо запротестовала Анна Ильинична, когда прочла публикацию «Из весенних воспоминаний члена Симбирского уездного училищного совета», появившуюся в «Симбирских губернских ведомостях» в мае 1894 года. Автор ее, В. Н. Назарьев, рассказывал об И. Н. Ульянове-деятеле, его преданности народному образованию, его неутомимости и самоотверженности и как бы к слову — об Ульянове-отце, которого не хватало и не могло хватить на своих собственных детей.

Автор публикации — Валериан Никанорович Назарьев, либерал, публицист, сторонник начинаний Ильи Николаевича по открытию народных училищ, был другом отца Владимира Ульянова. Он писал о нем как о своем добром приятеле, с симпатией и восторгом нарисовал человека, целиком поглощенного работой. Именно потому что он знал, что делалось в семье на самом деле. Он знал, где его друг проводит свободное время. Назарьев знал, как велось домашнее хозяйство в доме его друга — все взяла на себя заботливая, деятельная жена.

У нее были свои задачи и функции: приобрести новый вицмундир на место пришедшего в негодность старого, положить в карман носовой платок, следить за тем, как и чем занимаются дети.

Поселившись в Симбирске осенью 1869 года, Ульяновы не сразу смогли купить собственный дом. Когда приехали из Нижнего Новгорода, детей было двое — пятилетняя Аня и трехлетний Саша, — через полгода родился Володя, за ним Оля... Перебирались с одной наемной квартиры на другую, все надеясь поудобней разместиться — Стрелецкая, Московская, Покровская.

Шесть переездов пережили за девять неполных лет. И наконец 2 августа 1878 года нотариус оформил купчую на имя Марии Александровны. Теперь своя крыша, свои стены, свой сад.

Высокие окна смотрят на Московскую. У дома есть второй этаж — антресоли. Здесь отвели комнаты, вернее, комнатки детям. По одной внутренней лестнице можно было подняться к Володе и Саше, по другой — к Ане и в детскую, где поселили младших. Летом с одной половины второго этажа на другую можно было перейти по балкону, который соединял Сашину и Анину комнаты.

Тонкие красивые черты лица, живые умные глаза, серебристые волосы, кружевная заколка на голове — такой мы знаем Марию Александровну по многим фотографиям.

Мать Ленина поседела очень рано, поседела за одну ночь, во время родовой болезни, едва не стоившей ей жизни. Наверное, поняла опасения врачей и, не знавшая страха — закаленная с детства, умела справляться с «нервами», — испугалась.

Родила восьмерых. Между Александром и Владимиром была девочка, которая умерла в грудном возрасте, между Ольгой и Дмитрием мальчик Николай — несколько дней всего прожил. Часто в ту пору уносили младенцев болезни, только это «часто» никак не уменьшало ни материнского горя, ни сердечной боли.

Вырастила шестерых, любила своих детей, «жила ими» — так скажет самая младшая из ее дочерей, выразив то, что чувствовала с того момента, как начала себя осознавать.

Дети в семье делились на пары. Разница между старшими Аней и Сашей около полутора лет, и так же близки по возрасту Володя и Оля, за ними шли Митя с Маней. Характеры все разные.

Старшие — тихие, послушные. Аня любила мечтать, фантазировать. Очень впечатлительна, даже нервна. Илья Николаевич отмечал тут явно выраженный меланхолический темперамент. Саша с ранних лет на редкость серьезен, вдумчив, чуток, справедлив. Эти черты еще больше разовьются в отрочестве, юности.

С появлением Володи покой из дома ушел навсегда. Неукротимая энергия с младенчества. Там, где он, — там всегда шум, возня. И Оля ему не уступает. Целый день может вертеться, петь, скакать на одной ножке. Явные холерик и сангвиник, считал отец. Бегали по дому, саду и двору, лазали по деревьям.

В конце XIX века большую популярность приобрела педагогическая система австрийца Фридриха Фребеля. Суть этой системы заключалась в том, что родители должны развивать только те таланты своих детей, которые заложены в них природой. В педагогических журналах того времени постоянно печатались рекомендации последователей Фридриха Фребеля. Мария Александровна Ульянова тоже читала рекомендации вроде нижеследующих «Писем к матери»:

«С самого раннего детства развивайте его способности, но не навязывайте свою волю.

Имея дело с ребенком, обладающим ограниченной силой мышления, обращайтесь преимущественно к способности восприятия объекта и факта, сводите всякий изучаемый предмет к знакомым уже ребенку фактам, предоставьте ему отыскать в ближайших предметах их признаки и делать по ним описание предметов, чтобы этим путем сколько возможно больше развить в нем здравый человеческий смысл, который умеет поставить себя в надлежащие отношения к природе и к людям.

Ребенок — мужчина или женщина в миниатюре, в содержании этой миниатюры заключается содержание будущего взрослого человека.

Какого вы воспитаете, таков впоследствии из него бывает человек.

Ваш ребенок не является вашей копией. С раннего детства он может иметь чувства и влечения, которых нет у вас.

В отношении чувств и влечений принимается главным законом — не уничтожать ни одной врожденной силы, но в противодействие каждой из них, односторонне развивающейся, возбуждать ей противоположную, чтобы привести ее в гармонию с целым. Но нравственное чувство при всех условиях должно служить средоточием, чтобы обусловливать высшую гармонию, какая возможна для человеческой души.

Если же эта последняя составляет в наших детях уже природный задаток, то вам остается спокойно наблюдать за ее надлежащим раскрытием и оберегать ее от бурь и незгод.

При воспитании детей твердо знайте: где дело и труд, там нет места злым побуждениям: они бывают следствием праздности; у занятого делом человека на душе развивается, напротив, светлая безмятежность.

Где дело и труд, там нет места скуке и рассеянности: они — следствие недостатка занятий, потому что где есть достаточная деятельность, там душа вполне и всецело занята.

Мыслительные способности у разных детей проявляются в разной мере и степени. Обращайте внимание на это различие способностей у детей при ваших требованиях. Острый ум хочет только пищи; если она есть, он развивается сам собой.

Только не понуждайте насильственно развития благородного растения, чтобы, вытянувшись неестественным образом, оно не захирело и не сделалось бесплодным. Если ребенок жаждет мысли и знания, но неукротим и дик, то при правильном воспитании такие дети вообще делаются великими людьми.

Напротив, детей, желающих учиться, но не одаренных быстрым умом, не следует слишком энергически понуждать в развитии: впоследствии они вернее достигают цели, если только не будут обременяемы непосильным трудом. Впрочем, таким детям нисколько не вредно, если иногда их сводят с товарищами, одаренными живой и бойкой натурой: от подобного сообщества они сами оживляются.

С ребенком, мышление которого слабо, надо идти вперед шаг за шагом, от одной станции до другой ближайшей. Не взваливайте на это бедное дитя труда, который ему не под силу, не увлекайте на широкое поле науки того, чья душа в тесном кружке чувствует себя легко и свободно.

Впрочем, если в ком-нибудь из ваших детей будет особенно выдаваться какая-нибудь способность, не обрезайте у нее крыльев из одного опасения, что она залетит слишком высоко.

Не старайтесь также вместо существующей способности привить ребенку какую-нибудь другую.

Из вашего ребенка выйдет не то, что хочется вам, не поэт или живописец, не композитор или архитектор, не философ или естествоиспытатель, не гений математики или механики, но то, чем он должен быть по своим природным задаткам, если только вы дадите им свободно развиваться, то есть если будете доставлять им соответствующую пищу.

Берегитесь, далее, того предрассудка, будто бы дитя ваше легко может научиться математике, потому именно, что оно скоро выучилось говорить, легко может усвоить числа потому, что легко удерживает в памяти имена.

Одни способности могут быть велики, другие малы, и того, кто силен в одной отрасли знания, не всегда можно считать столько же отличным в другой или во всех прочих.

Не верьте также тому факту, будто бы дитя, не делающее существенных успехов в науках, уже не может вследствие этого оказаться в позднейшей жизни преуспевающей личностью.

Впрочем, когда у ребенка, при преобладании высших способностей, какой-нибудь из них более или менее недостает, или даже особенно сильно проявляется то или другое влечение, то заботливым воспитанием старайтесь уничтожить слабость первых и ограничить силу последнего, потому что малейшая дисгармония в душе позже может нарушить ее общую гармонию.

Наконец, если в ребенке будут преобладать низшие инстинкты, то все возможные средства, влияние окружающей среды и отношений, примеры и наставления должны быть направлены к тому, чтобы высшие чувства, по крайней мере, настолько преобладали над низшими, чтобы, сделавшись взрослым, ваше дитя могло быть полезным членом общества».

В семье Ульяновых дети любили слушать рассказы матери про деда — Александра Дмитриевича Бланка, про его дом, про его дочерей. Пятеро их было и один сын. Жена умерла, когда младшей едва минуло два года. Заботы о семье взяла на себя ее сестра, Екатерина Ивановна Эссен. На всю жизнь сохранила Мария Александровна признательность очень строгой и очень заботливой тетке. Аккуратная до педантизма, неукоснительно исполняла воспитательные требования отца и прибавляла к ним свои «так надо», «так надо», любимые ее слова. «Так надо» — и жизнь девочек почти спартанская. Без барства, без баловства — этого отец не терпел. Купание в реке до холодов — доктор Бланк был сторонником закаливания. Обтирания по утрам — холодная вода, жесткая мочалка. Прохладные, хорошо проветренные комнаты, а одежда — ситцевые платьица. Накрахмаленные кружевные воротнички, кружева на панталончиках — нарядные барышни! Но платьиц всего по два — одно носится, другое в стирке. Крахмалить воротнички, гладить, штопать, а потом шить — все должны были сами. Утром, накинув что-нибудь на себя поверх легких платьиц, бежали через холодные сени на кухню согреть себе молока на завтрак. Ни чая, ни кофе отец не разрешал: детям вредно. «Самовар подавали только для бабушки с дедушкой», — рассказывала Мария Александровна своим детям. Дочки Бланка даже в гостях не решались нарушить запрет отца.

Василий Андреевич Калашников, хорошо знавший семью, вспоминал, что Илья Николаевич и его супруга Мария Александровна, отдавая детям все внимание, воспитывали их по последнему слову педагогических наук, тогда, после реформ 60-х годов, «вдруг вошедших» в интеллигентные слои общества. В списке книг, которыми пользовались Ульяновы, составленном Анной Ильиничной, мы видим сочинения Константина Дмитриевича Ушинского, педагога-демократа, основоположника научной педагогики в России. Он выступает за всеобщее обязательное обучение детей обоего пола на родном языке, за открытие народных школ и изъятие их из ведения духовенства. В нравственном воспитании отводит одно из главных мест воспитанию патриотизма, истинного патриотизма, исключающего всякий шовинизм. Патриотизма, который немыслим без гражданского долга, без мужества высказать смелое слово против гнета и насилия, оставшихся в России и после отмены крепостного права. Система нравственного воспитания по Ушинскому исключает авторитарность, строится на силе положительного примера, на разумной деятельности ребенка, на атмосфере товарищества и требует развития активной любви к человеку.

В списке книг — труды выдающегося русского врача и педагога Николая Ивановича Пирогова. Его прогрессивные педагогические идеи, педагогическую деятельность высоко ценили революционеры-демократы А. И. Герцен, Н. Г. Чернышевский...

Здесь же «Педагогическая психология» П. Ф. Каптерева...

Нет возможности подробно изложить педагогические воззрения каждого, но можно сказать, что одно общее было в этих воззрениях — уважение к человеку, к ребенку как к личности. Дух передовой России 60-х годов отражался во взглядах на образование и воспитание.

«...Ребенок, который переносит меньше оскорблений, вырастает человеком, более сознающим свое достоинство», — писал Чернышевский.

«...Если дети не имеют ни силы, ни способов нарушить законы нашей жизни, то и мы не имеем права безнаказанно и произвольно ниспровергать столь же определенные законы мира детей», — утверждал Пирогов.

«В каждом возрасте человек есть настоящий, цельный человек, а не только ступень развития на пути к настоящему полному человеку. Но мы, взрослые, мало ценим особенности мысли и чувства детей и юношей, мало уважаем их своеобразную личность», — говорил Каптерев.

Семья жила на одно жалованье. Мать Ленина отличалась аккуратностью, бережливостью и педантизмом. Бережливость распространялась даже на сад. Дети не могли сами рвать ягоды с кустов — должны были ждать, пока эти ягоды подадут к обеду. С садовых кустов запрет снимался только тогда, когда было сварено варенье на зиму. А три самых больших вишневых дерева Мария Александровна запрещала трогать до 20 июля, до именин отца.

Первая непоправимая беда пришла в семью в январе 1886 года.

За несколько дней перед этим Илья Николаевич вернулся из очередной нелегкой поездки. Вернулся вместе с Аней, встретив ее в Сызрани. Занемог, но не оставил работы: надо было поспешить с годовым отчетом. И в тот день с утра работал с одним из своих помощников. От обеда отказался, а когда семья была в сборе, появился в дверях столовой, обвел всех долгим взглядом.

«Точно проститься приходил», — не раз говорила потом Мария Александровна.

«...Да поможет господь супруге его, пользующейся заслуженной известностью образцовой матери, выполнить с успехом великое дело воспитания и образования оставленных на ее попечение детей», — писала в некрологе симбирская газета. Поможет ли? Не убавит горя и ничего не прибавит к скудной вдовьей пенсии.

Вся надежда ее была на Сашу. Он помогал младшим. Вот скоро окончит университет. Да и Ане недолго уже учиться на Бестужевских курсах.

Известие из Петербурга: Александр и Анна арестованы. Сын обвиняется в подготовке покушения на царя. Не колебалась, не размышляла — ехать, немедленно ехать к ним! Он приговорен к смертной казни.

Мать понимала: сыну грозит страшное, но в душе надеялась на лучшее. Ведь покушение не состоялось! Она напишет прошение царю, не может он ее не услышать, не снизойти.

«Милости, государь, прошу! Пощады и милости для детей моих. Старший сын Александр, кончивший гимназию с золотой медалью, получил медаль и в университете.

...Сын был всегда... глубоко предан интересам семьи и часто писал мне. Около года назад умер мой муж, бывший директор народных училищ Симбирской губернии. На моих руках осталось шесть человек детей, в том числе четверо малолетних. Это несчастье, совершенно неожиданно обрушившееся на мою седую голову, могло бы окончательно сразить меня, если бы не та нравственная поддержка, которую я нашла в старшем сыне, обещавшем мне всяческую помощь и понимавшем критическое положение семьи без поддержки с его стороны.

Он был увлечен наукой... В университете он был на лучшем счету. Золотая медаль открывала ему дорогу на профессорскую кафедру, и нынешний учебный год он усиленно работал... чтобы скорее выйти на самостоятельный путь и быть опорой семьи...

Я свято верю в силу материнской моей любви и сыновней его преданности, — писала Ульянова, — и ни минуты не сомневаюсь, что я в состоянии сделать из моего несовершеннолетнего еще сына честного члена русской семьи...»

Она заговорила с сыном о прошении, о раскаянии. И услышала: «Не могу сделать этого... Ведь это было бы неискренне после того, что я признал на суде».

Так несчастная мать потеряла старшего сына. Ей суждено было стать матерью революционеров-профессионалов. Сама мать жила жизнью своих детей. Поэтому места проживания Марии Александровны Ульяновой, адреса, по которым находили ее письма из Шушенского, из Мюнхена, из Праги, Парижа, Цюриха, письма с глубокой нежностью сквозь сдержанность — «Дорогая мамочка», — с торопливо-лаконичным «Твой В. У.», — менялись очень часто. В сохранившемся ее паспорте, который она получила уже в 60 лет, более сорока отметок о прописке.

13 февраля 1897 года Владимиру Ульянову был объявлен приговор царского суда о высылке в Восточную Сибирь.

В мае Владимир прибыл на место ссылки — в село Шушенское Минусинского округа Енисейской губернии. В то время это было глухое сибирское село, находившееся более чем в 600 верстах от железной дороги.

Через год в село Шушенское приехала Надежда Константиновна Крупская. Она также была арестована по делу петербургского «Союза борьбы за освобождение рабочего класса». Местом ссылки ей была назначена Уфимская губерния. Но она попросила отправить ее в Шушенское, к Владимиру Ильичу. Здесь Надежда Константиновна стала его женой.

Из Шушенского Владимир Ульянов пишет матери длинные обстоятельные письма, в которых рассказывает о своей неожиданной женитьбе в ссылке, о своей жене и многом другом...

24.I.98.
Надежду Константиновну обнадеживают, что ей заменят 3 года Уфимской губернии 2-мя годами в Шуше, и я жду ее с Елизаветой Васильевной. Подготовляю даже помещение — соседнюю комнату у тех же хозяев. Если летом еще гости приедут, то можно будет нам занять весь дом (хозяева уйдут в старую избушку на дворе), — а это было бы гораздо удобнее, чем обзаводиться здесь своим хозяйством.

Не знаю только, кончится ли до весны дело у Н. К.: говорят, что в феврале, но мало ли ведь чего говорят.

Досадно ужасно, что Митино дело несколько затягивается; неприятно ему будет терять год. Вероятно, все-таки разрешат ему поступить в другой университет или держать экзамен экстерном.

Твой В. У.

Прилагаемое письмо для Колумба.

10.V.98.

Приехали ко мне наконец, дорогая мамочка, и гости. Приехали они седьмого мая вечером, и как раз ухитрился я именно в этот день уехать на охоту, так что они меня не застали дома. Я нашел, что Надежда Константиновна высмотрит неудовлетворительно — придется ей здесь заняться получше своим здоровьем. Про меня же Елизавета Васильевна сказала: «Эк Вас разнесло!» — отзыв, как видишь, такой, что лучше и не надо!

Ужасно грустно только, что ничего хорошего о Мите не привезено!

Твое письмо и с ним и от 20.IV получил. Большое merci за присланные вещи. Насчет имеющих прибыть книг Н. К. уже переговорила в Минусинске, и я надеюсь, что получу их скоро и без хлопот. Может быть, и сам привезу, ибо собираюсь съездить в «город».

Насчет пароходов. Н. К. довезли только до Сорокина (верст 70 от Минусинска); в Красноярске они прождали неделю. Вода еще низка, и половодье будет приблизительно в конце мая — в начале июня. От Минусинска до Шуши 55 верст. Рейсы здешние пароходы совершают неправильно: расписания нет, но вообще раз установится навигация — вероятно, будут ходить более или менее правильно и без экстраординарных проволочек. Очень и очень бы хотелось, чтобы тебе удалось сюда приехать, — только бы поскорее выпустили Митю.

Да, Анюта спрашивала меня, кого я приглашаю на свадьбу: приглашаю всех вас, только не знаю уж, не по телеграфу ли лучше послать приглашение!! Н. К., как ты знаешь, поставили трагикомическое условие: если не вступит немедленно (sic!) в брак, то назад в Уфу. Я вовсе не расположен допускать сие, и потому мы уже начинаем «хлопоты» (главным образом прошения о выдаче документов, без которых нельзя венчать), чтобы успеть обвенчаться до поста (до петровок): позволительно же все-таки надеяться, что строгое начальство найдет это достаточно «немедленным» вступлением в брак?! Приглашаю тесинцев (они уже пишут, что ведь свидетелей-то мне надо) — надеюсь, что их пустят.

Привет всем нашим.

Целую тебя крепко.

Твой В. У.

7.VI.98.

Третьего дня получил я, дорогая мамочка, твое длинное письмо от 20.V. Merci за него. Прошлый раз забыл написать тебе, что ящик с книгами я получил в Минусе и привез оттуда с собой.

Недоумеваю, как это вышло так, что ты долго не получала от меня писем; я уже «с незапамятных времен» пишу тебе каждое воскресенье.

Насчет нашей свадьбы дело несколько затянулось. Прошение о высылке необходимых документов я подал почти месяц назад и в Минусе сам ходил справляться к исправнику о причинах волокиты. Оказалось (сибирские «порядки»!), что в Минусе нет до сих пор моего статейного списка, — хотя я уже второй год в ссылке!! (Статейным списком называется документ о ссыльном; без этого документа исправник не знает обо мне ничего и не может выдать мне удостоверения.) Придется выписывать его из Красноярска из тюремного правления, — боюсь, что исправник и с этим промешкает. Во всяком случае раньше июля свадьба теперь состояться не может. Просил исправника пустить ко мне на свадьбу тесинцев — он отказал категорически, ссылаясь на то, что один политический ссыльный в Минусе (Райчин) взял отпуск в деревню в марте этого года и исчез... Мои доводы, что бояться исчезновения тесинцев абсолютно не доводится, — не подействовали.

Тесинцам разрешили остаться до осени в Теси, а потом они переезжают в Минусу.

Насчет пароходства по Енисею я, кажется, писал уже тебе. Высокая вода держится до сих пор: теперь даже опять прибывает; стоят сильные жары и, вероятно, тает снег в тайге на горах. Расписания пароходам (все—буксирные) здесь не бывает; от Красноярска до Минусинска пароход идет дня два — иногда больше. От Минусы 55 верст на лошадях до Шуши. Надеюсь получить от тебя телеграмму, если Митю выпустят и ты решишь съездить к нам. Елизавета Васильевна высказывает опасение, не утомила бы дорога тебя чересчур. Если бы можно во 2-м классе по железной дороге, я думаю, что не будет чересчур утомительно.

Привет всем нашим. Жду очень письма от Анюты. Получила ли она «Вопросы Философии»?

Крепко целую тебя.

Твой В. У.

16.IX.98. Красноярск.

Живу я здесь, дорогая мамочка, вот уже несколько дней. Завтра думаю ехать, если пароход не запоздает на сутки. Ехать придется без А. М. и Э. Э. (я ведь, кажется, писал тебе из Минусинска, как устроилась у нас с ними совместная поездка?). Э. Э. легла в больницу здешнюю; один из докторов — знакомый А. М., и Э. Э., кажется, устроилась там недурно и чувствует себя хорошо. Точного диагноза врачи все еще не могут поставить: либо это — простая боль от ушиба (она упала из экипажа месяца 1 1/2—2 тому назад), либо — нарыв печени, болезнь очень серьезная, продолжительная и трудно поддающаяся излечению. Ужасно жаль мне бедную А. М., которая еще не оправилась после смерти своего ребенка и после своей болезни; она волнуется по временам до того, что с ней чуть не делаются нервные припадки. Оставлять ее одну здесь очень бы не хотелось, но у меня кончается срок и ехать необходимо. Попрошу здешних товарищей навещать ее. Финансы мои, вследствие поездки, необходимости помочь А. М. и сделать кое-какие закупки, сильно истрепались. Пошли, пожалуйста, Елизавете Васильевне (у которой я сделал заем) около половины той суммы, которую должны были прислать за (весь) перевод Webb'а (отправленный в СПБ 15 августа). Если не прислали еще, то, я думаю, лучше подождать несколько (или взять гонорар при оказии, буде таковая случится). Кризиса у меня все-таки не будет, так что особенно большого спеху нет.

Поездкой своей сюда я очень доволен: вылечил себе зубы и проветрился несколько после 1 1/2-годового шушенского сидения. Как ни мало в Красноярске публики, а все-таки после Шуши приятно людей повидать и поразговаривать не об охоте и не о шушенских «новостях». Ехать назад придется довольно долго (суток 5 или около того): против воды пароходы тащатся по Енисею чертовски медленно. Сидеть придется в каюте, потому что погода стоит чрезвычайно холодная (одет я, разумеется, по-зимнему и купил еще здесь тулуп для Нади, так что меня никакой холод не проберет). Я запасаюсь свечами и книгами, чтобы не умереть со скуки на пароходе. Со мной поедет, вероятно, Лепешинская, жена ссыльного, которая едет на службу в село Курагинское (верст 40 от Минусинска, где живет наш товарищ Курнатовский); ее мужа перевели туда же. Вчера узнал приятную новость, что Юлий переведен, но куда именно — еще не знаю. Последнее письмо из дому, которое я получил, было Анютино от 24-го VIII. Очень благодарю ее за него и за книги («*Neue Zeit*», *оттиск из* «*Archiv'a*», *биографию Коханской и др.). Отвечать ей буду уже из Шуши, т. е. недели через полторы: промедление порядочное, а ничего не поделаешь.*

Твой В. У.

В июле 1900 года Ленину удалось выбраться за границу. Началась его первая эмиграция, длившаяся свыше пяти лет.

С апреля 1902 года по апрель 1903 года Ленин жил в Лондоне, где при содействии английских социал-демократов было налажено печатание «Искры». Ленин и Крупская сначала поселились в меблированных комнатах, а потом сняли две комнаты в небольшом доме недалеко от Британского музея. И из эмиграции летели письма к матери.

170 писем Ленина к матери, написанных в течение 23 лет, охватывают жизнь в Петербурге, Сибири, Пскове, Германии, Англии, Швейцарии, Финляндии, Франции, Польше.

Когда после встречи в Стокгольме расставалась с сыном, как ни грустно было, благодарила судьбу: вот ведь какой удачный выдался год — и Володю удалось повидать, и остальные пока на свободе.

Переезжали из Петрограда на дачу в Большие Юкки. Дочери очень надеялись, что на свежем воздухе матери станет лучше. Ослабла она в последнее время: дает знать о себе возраст — 81 год. Уже сложены вещи в квартире на Широкой улице, ждут извозчика. Мария Александровна сняла перчатки, села за пианино — ведь на даче не будет инструмента! — и заиграла что-то из своего любимого. Музыка тоже была ее счастьем.

В Юкках слегла. Терпеливая, не любившая никого беспокоить, попросила Аню:

— Дай мне что-нибудь, ну, облатку — ты знаешь, что — я хочу пожить еще с вами!

Шел 1916 год. Россия была накануне переворота... Но Марии Александровне не суждено было увидеть, какую роль сыграют ее дети в том страшном будущем, которое раскрывалось перед страной.

Как в людях, так и в целых народах и царствах есть что-то фатальное, неизбежное. Но времена и лета, различные сроки остаются во власти Божьей.

Почти все пророчества и предсказания несколько предупреждают события, потому что точное определение времени скрыто от людей. Помните слова Иисуса: «О дне же том и часе никто не знает, ни ангелы небесные, а только Отец Мой один».

Отсюда можно заключить, что год и месяц как будто еще в нашей власти, но день и час сокрыты от нас.

КАРОЛИНА ШМУРЛО

Теща Феликса Дзержинского, Каролина Шмурло, не смогла взять на себя заботу о воспитании его сына Ясика. Ребенок сначала воспитывался в женской тюрьме «Сербия», затем в белорусском местечке Клецк, потом в Швейцарии и, наконец, переехал к своему отцу в Кремль.

Почему Каролина Шмурло не взяла на воспитание ребенка? Скорее всего дело было в том, что она не была родной матерью Софьи Мушкат — жены Дзержинского. Софья Мушкат вспоминала: «Мачеха не была в состоянии взять на себя заботу о моем ребенке». А может быть, дело в том, что мачеха с самого начала была крайне недовольна революционными увлечениями падчерицы, а в маленьком Ясике, рожденном в тюрьме, увидела только продолжение этой деятельности. К тому же надо учитывать, что Софья Мушкат с Дзержинским не венчалась, а значит, жили они «без Божьего благословения».

С семьей своей жены Феликс Дзержинский познакомился только после рождения сына. Все происходило при достаточно странных обстоятельствах. Это было в начале апреля 1911 года. Софья Мушкат с новорожденным была в тюрьме. Феликс Дзержинский пришел на квартиру к отцу Софьи, Сигизмунду Мушкату, где познакомился со всей семьей — отцом, мачехой Каролиной Шмурло, братьями Станиславом и Чеславом. Правда, при этом он «из конспиративных соображений» назвался не Феликсом, а братом Феликса. Боялся, что не похвалят? Отец рассказал об этом визите своей дочери на свидании, и она сразу поняла, что это был не барт, а дорогой и любимый Феликс.

Вот такая была конспирация. Даже администрация женской тюрьмы «Сербия», где родился

Ясик, долгое время не могла понять — чей ребенок. И только по фотографии Феликса, которую по просьбе дочери передал ей в тюремную камеру отец, был сделан вывод, что это ребенок Дзержинского.

Софья Мушкат оставила воспоминания о своем детстве. Она рассказала об атмосфере, которая царила в семье, об условиях воспитания. «Родилась я в декабре 1882 года в Варшаве. Моя мать Саломея-Станислава, урожденная Либкивд, была воплощением доброты. Она заботилась не только о муже и детях, но и о своих сестрах и братьях, которые были старше ее, а также и об их семьях. Мать была чутка и отзывчива к нуждам других. Она не только хорошо относилась к домашним работницам, но помогала чем только могла и их семьям. Старушка няня Юзефа Винтер, которая вынянчила брата и меня, продолжала жить у нас, хотя ослепла и ничего уже не могла делать.

Мать научила меня читать и писать. Она часто пела нам, детям. От нее я впервые услышала запрещенные царскими властями песни польского народа «Боже, ты, что Польшу...», «С дымом пожаров...», гимн Народной Польши «Еще Польша не погибла...» и другие песни, которые я запомнила на всю жизнь. Любила она также петь народные песни «Эй, ты Висла», «Стась мне с ярмарки привез колечко», «Эй, ребята, сплавщики» и арию Йонтека из оперы Монюшко «Галька». Она никогда не училась пению, но голос у нее был приятный. Возможно, что именно ее пение еще в детстве зародило у меня горячее желание учиться музыке. Когда мне исполнилось 7 лет, я начала брать уроки игры на рояле.

Одним из первых произведений, которые я тогда играла, была специально обработанная для детей прелюдия Шопена (опус 28, №7A-dur).

Семи лет меня отдали в только что открытый, второй по счету в Варшаве частный детский сад, организованный моей двоюродной сестрой Юлией Уншлихт.

Мой отец Сигизмунд Мушкат, сын эконома небольшого поместья под Варшавой, начал работать с десятилетнего возраста мальчиком в одном из варшавских книжных магазинов. Тринадцатилетним подростком он принимал участие в восстании 1863 года, доставляя боеприпасы и еду скрывавшимся в лесах повстанцам.

Он рассказывал нам потом об этом восстании, о его подавлении и о тяжелой судьбе многих сотен повстанцев, сосланных в Сибирь. После подавления восстания отец продолжал работать мальчиком, а затем приказчиком в книжном магазине в Варшаве. Это дало ему возможность познакомиться с произведениями польской литературы.

У отца не было систематического образования (в детстве он в школу не ходил, только юношей стал посещать воскресную школу), но был он начитан, сам научился читать, писать и неплохо говорить по-немецки, изучил также бухгалтерское дело, что позднее дало ему возможность работать счетоводом, бухгалтером и корреспондентом в торговых заведениях и на промышленных предприятиях.

Мы с братом Станиславом воспитывались в семье в атмосфере глубокого польского патриотизма.

От детства у меня осталось воспоминание необычайной душевной гармонии, настоящей любви и дружбы в семье, не нарушаемой ни одним резким словом, ни одной ссорой. В родительском доме не было лицемерия и лжи. Я никогда не слышала сплетен о ком-нибудь.

В 1891 году кончилось мое счастливое детство. Неожиданно на 37-м году жизни в расцвете сил умерла моя мать во время родов. Это был страшный удар, внезапно обрушившийся на нашу семью. Через несколько дней после смерти матери мы покинули нашу квартиру на Краковском предместье около Дворцовой площади с чудесным видом на Вислу, мост Кербедзя и Прагу и поселились в маленькой комнате на Маршалковской улице (дом №148) в квартире моей тетки Дороты, которая за год до этого овдовела. Оставшись одна с семью детьми, она открыла в своей квартире небольшую белошвейную мастерскую.

По воскресеньям к тете часто приходили гости, и тогда ее старший сын Бенедикт Герц (позднее известный баснописец), прекрасно игравший на скрипке, под аккомпанемент фортепиано исполнял разные классические произведения. Чаще всего он играл траурный марш Шопена. Кто-нибудь из гостей проникновенно декламировал под звуки этой музыки волнующие стихи Корнеля Уейского, специально написанные им для шопеновского марша. До сих пор помню некоторые строфы:

71

Предо мною как в тумане очень близко дроги...

Как темно мне!.. и как больно...
О, как черны дроги!..
Я иду, плыву, как спящий,
Двигаюсь безвольно,
Только в сердце так щемяще,
Так ужасно больно.
В мозг впились и в сердце клещи,
Острые, кривые...
Звонят, звонят все зловещей,
Воронье крикливо...
А, и музыка!.. я слышу, хорошо играют...
Слезы жгут, потом скупые по лицу стекают...

Каждый раз, когда я слышала эту изумительную музыку Шопена и эти трагические слова Уейского, мне казалось, что я иду за гробом матери, и, притаившись за тяжелой оконной портьерой, заливалась горючими слезами. Через год после смерти матери отец женился вторично, и мы уехали от тетки. Женился отец на художнице Каролине Шмурло, дочери известного (в то время уже покойного) проф. Аугустина Шмурло, специалиста по древнегреческому и латинскому языкам, переводчика «Илиады» и «Одиссеи» Гомера на польский язык.

Мачеха моя была очень красивая. Мы с братом встретили ее с открытым сердцем, ожидая ласки и любви, которой нам не хватало. Была она женщина неплохая, но клерикалка, полная захолустных шляхетских предрассудков. Она заставляла нас с братом молиться по утрам и вечерам, ходить в костел по воскресеньям на мессу. По-своему она любила нас, но нашей родной матери заменить нам не могла.

Семейная обстановка резко изменилась. Не стало в доме прежней слаженности и дружбы. Между отцом и мачехой часто вспыхивали ссоры, возникали недоразумения на почве расхождения во взглядах. Отец был демократом, а мачеха считала себя аристократкой и презирала всех, у кого не было «голубой крови». Все это чрезвычайно угнетало меня.

Через несколько лет родился брат Чеслав. Мачеха души в нем не чаяла и баловала его невероятно, потакая всем прихотям и капризам. В детстве я его очень любила. Долгие годы я с ним не виделась и только после второй мировой войны узнала, что он погиб в лагере смерти в Освенциме во время гитлеровской оккупации Польши».

Каролина Шмурло, мачеха Софьи Мушкат, была светской женщиной и стремилась жить «по правилам». Это совсем не значит, что она была черствой и бессердечной. Как раз, наоборот, она была очень живой и впечатлительной натурой, но считала необходимым сдерживать свои порывы.

У всякого живого существа поведение обусловлено физиологическими потребностями: голод вырабатывает стремление насытиться, жажда — желание напиться и т.п. Этими инстинктами можно описать поведение животных. Они действуют, непосредственно побуждаемые неуправляемыми мотивами.

Совсем по-другому обстоит дело у человека. У человека есть самосознание, некое «Я», центр его личности. Неотъемлемая часть его личности — стереотипы и нормы культурной среды, усвоенные в процессе социализации. Эти структуры, образующие личность, согласно своим целям и усвоенным стереотипам, подавляют одни мотивы и позволяют реализоваться другим. Так, путем подавления мотивов, «ущемления аффектов» формируется человеческая деятельность. Сознание оказывается всего лишь всадником, который оседлал норовистое животное, укротил его, насколько возможно, и не дает ему бежать туда, куда оно хочет, — только к цели. Поведение человека определяется не его сознательными планами, а борьбой его «Я» с бессознательными устремлениями организма.

Каролина Шмурло возмущалась деятельностью своей падчерицы, но не смогла сдержать жалости по отношению к ребенку, рожденному в тюрьме. Софья Мушкат вспоминала: «Ребенок родился преждевременно. Был он таким худеньким и слабеньким, что все открыто говорили о том, что он жить не будет. На третий день после рождения у него начались судороги, и я думала, что он умирает.

Только через несколько дней пришел тюремный врач, но, не входя даже в палату и не взглянув на ребенка, бросил: «В тюрьме не место для детей».

Судороги повторились на девятый день. Ребенок был слаб, а помощи — ниоткуда и совета ни от кого. Официальным путем послала я письмо своему отцу, сообщая о болезни Ясика. Не помню точно, через сколько дней после родов неожиданно разрешили мачехе прийти ко мне в лазарет. Мачеха ужаснулась, увидев худобу младенца. Но ребенок так ей понравился, что она нарисовала его нежный профиль. Мачеха моя была художницей. Рисунок этот послали Феликсу в Краков. К сожалению, он не сохранился.

Мачеха принесла с собой небольшую записку от Феликса, которую она незаметно для караулившей нас надзирательницы передала мне.

Эта записочка Феликса, уже знавшего о состоянии нашего малыша, ободрила меня. Он выражал уверенность, что Ясик, несмотря ни на что, будет жить и вырастет здоровым.

Мой сын страдал из-за тюремных условий и моей неопытности, и меня в такие вечера охватывало отчаяние».

Все же нельзя сказать, что теща Дзержинского Каролина Шурло была безучастна к судьбе маленького Ясика.

Она носила передачи. Передавала материал на пеленки, овсянку и даже нелегальные письма от Феликса. Не думаю, что ей все это нравилось, но поступать иначе она не могла. Каролина Шмурло была доброй католичкой.

В конце концов, Каролина Шмурло на карете приехала в тюрьму «Сербия» и забрала ребенка в только что открывшиеся частные ясли пани Савицкой. Это было перед тем, как Софью Мушкат отправляли по этапу в Сибирь. На прощальное свидание пришли мать, отец и пани Савицкая с Ясиком. Они передали ей в дорогу теплое одеяло, мыло и кое-что из еды.

Наличие частных детских садов в то далекое время в Польше не может не радовать. О подобных детских садах информировала российскую публику Надежда Константиновна Крупская в одном из своих педагогических произведений: «Самое трудное время — это период воспитания детей в дошкольном возрасте. Уже в настоящее время в западноевропейских странах существуют так называемые «детские сады». Матери, отправляющиеся на работу, отводят туда своих маленьких детей и оставляют их там до своего возвращения с работы. Они могут спокойно заниматься своей работой, потому что никакая беда не может случиться с их малышами: в детском саду занимаются с детьми много учительниц, которые с любовью берегут их. Смех и детский говор оглашают дом и сад. На первый взгляд может показаться, что в детском саду нет никакого порядка, но это только так кажется. В занятиях детей соблюдается строгий план. Дети поделены на группы, и каждая группа занята своим делом. В саду дети роют землю, поливают и полют грядки, в кухне чистят овощи, моют посуду, строгают, клеят, шьют, рисуют, поют, читают, играют. Всякая игра, всякое занятие учит чему-нибудь, а главное — ребенок приучается к порядку, к труду, приучается не ссориться с товарищами и уступать им без капризов и слез. Учительницы умеют занять и трех-четырехлетних малышей, вовремя накормить их, уложить спать. На полу расстилаются широкие тюфяки, и детвора лежит рядком, прикрываясь одним общим одеялом. Как не похоже это времяпрепровождение в детском саду на то бесцельное скитание из угла в гол, на которое обречены дома дети, с которыми некогда заняться! «Не мешай! Не лезь! Отвяжись!» — слышат дома дети постоянные окрики. Впрочем, надо оговориться, что хороших детских садов в настоящее время очень мало и в Западной Европе. Мы привели описание детского сада лишь для того, чтобы показать, что воспитание детей может начинаться с очень раннего возраста и что в общественном детском саду дети могут проводить время с громадной пользой для себя и гораздо веселее, чем дома. Если хорошие детские сады возможны и в настоящее время, то они будут гораздо лучше в социалистическом обществе. Так как в детских садах будут воспитываться дети всех членов общества, то все будут заинтересованы в том, чтобы сады были устроены как можно лучше. Из детского сада дети будут переходить в школу. Школа в социалистическом обществе, конечно, не будет похожа на теперешнюю школу. В будущей школе ученики будут приобретать гораздо больше знаний, они будут в то же время приучаться в школе и к производственному труду, а главное, школа будет не только учить, она будет развивать в них все силы, духовные и физические, будет воспитывать из них полезных, энергичных граждан».

Но в детском саду хорошо, а дома — лучше!

Летом Каролина Шмурло отвезла ребенка в белорусское местечко Клецк, где жил брат ее мужа Мариан Мушкат со своей женой Юлией. Мариан Мушкат был терапевт. Его семья окружила малыша заботой. Ясик стал поправляться. «Увезла в Клецк Ясика моя мачеха, за что я ей была бесконечно благодарна». Вернувшись из ссылки, Софья Мушкат забрала своего сына, который к тому времени уже успел ее забыть.

До 1918 года Мушкат с сыном жила в Швейцарии. А потом, в разгар Красного террора, состоялась встреча после долгой разлуки.

«Тяжелые переживания и непрерывная работа днем и ночью очень истощили силы Феликса. Здоровье его уже давно было подорвано тюрьмой и напряженным трудом. В то время ему, естественно, было не до того, чтобы писать письма. Поэтому целый месяц я не имела от него никаких вестей. Только в начале октября получила я от Феликса письмо от 24 сентября 1918 года. От него веет большой усталостью: «Тихо сегодня как-то у нас в здании, — писал он в этом письме, — на душе какой-то осадок, печаль, воспоминания о прошлом, тоска. Сегодня — усталость, может быть — не хочется думать о делах, хотелось бы быть далеко отсюда и ни о чем, ни о чем не думать, только чувствовать жизнь и близких около себя... Так солдат видит сон наяву в далекой и чужой стране... Так тихо и пусто здесь в моей комнате — и чувствую тут близость с вами. Как когда-то там, в тюрьме. Я сейчас все тот же. Мечтаю. Хотелось бы стать поэтом, чтобы пропеть вам гимн жизни и любви... Может, мне удастся приехать к вам на несколько дней, мне необходимо немного передохнуть, дать телу и мыслям отдых и вас увидеть и обнять. Итак, может быть, мы встретимся скоро, вдали от водоворота жизни после стольких лет, после стольких переживаний. Найдет ли наша тоска то, к чему стремилась.

А здесь танец жизни и смерти — момент поистине кровавой борьбы, титанических усилий...»

1 февраля 1919 года, в субботу, семья Дзержинского прибыла в Москву. На Александровском вокзале (ныне Белорусский) их встречал Феликс вместе со своим помощником чекистом Абрамом Яковлевичем Беленьким. Софья Мушкат вспоминала: «В течение всего 1919 года Феликс Эдмундович работал целыми днями и ночами в своем кабинете на Большой Лубянке, 11, заходя лишь наскоро пообедать, и то не всегда, в кремлевскую столовую и заглядывая на минутку к нам. Мы с ним мало виделись. Раза два я была у Феликса в кабинете на Лубянке. Это была небольшая комната с одним окном, выходящим во двор. Большой письменный стол стоял прямо против входа. На небольшой этажерке стояла в деревянной рамке фотография 5-летнего Ясика с грустным, задумчивым личиком. Эту фотографию я послала Феликсу в тюрьму. Она всегда была с ним и стояла у него в кабинете до последней минуты его жизни. Старая большевичка М. Л. Сулимова говорила мне, что, зайдя однажды по делу к Феликсу Эдмундовичу, она увидела эту фотографию и стала ее рассматривать. Феликс, заметив это, объяснил: «Я так мало бываю дома, так редко вижу сына».

После определения Ясика в детский сад я начала работать в Народном комиссариате просвещения сначала инструктором в школьном отделе, а потом в отделе национальных меньшинств в качестве заведующей польским подотделом.

Вскоре после приезда в Москву я вступила в группу СДКПиЛ при Московском комитете РКП(б).

По решению VIII Всероссийской конференции РКП(б), состоявшейся 2—4 декабря 1919 года, были организованы из коммунистов части особого назначения (ЧОН). Все коммунисты и комсомольцы были обязаны входить в ЧОН для того, чтобы обучиться владеть оружием.

Мы, члены партийной организации, в которую я входила, мужчины и женщины, собирались 2—3 раза в неделю на военные занятия на Страстном бульваре. Там нас знакомили с устройством винтовки и проводили с нами строевые занятия».

И Феликс Дзержинский, и его жена Софья Мушкат в детстве были очень впечатлительны и религиозны. Феликс даже собирался стать ксендзом. Сохрани они свою религиозность, и жизнь сложилась бы иначе. Но пришло время — и они разочаровались в религии, отошли от семьи, стали на собственный путь. Но человеческая психика не меняется, и с уходом религии что-то должно занять ее место. Еще основатель психоанализа Фрейд с ужасом предсказывает появление в XX веке новых культов, когда на место призрачного христианского исполнения желаний и мечты о загробном счастье придут реальные формы мечты о Царстве Божьем на Земле.

Они отошли от тех норм, которые прививались им в детстве родителями, но что они получили взамен? Обрели ли желанную свободу? Их свобода обернулась рабством, и самое страшное, что не только для них.

В работе «Психология масс и анализ человеческого Я» Фрейд исследует один из важнейших механизмов массовой психологии — истероидную идентификацию, а на основе его идей немецкие психоаналитики В.Райх и Э.Фромм дали глубокий анализ синдрома «бегства от свободы» как питательной среды фашизма, коммунизма и всех тоталитаристских тенденций в обществе.

Бежавший на Запад секретарь Сталина, уже живя в Париже, писал о Дзержинском следующее: «Старый польский революционер, ставший во главе ЧК с самого ее возникновения, он продолжал формально ее возглавлять до самой своей смерти, хотя практически мало принимал участия в ее работе, став после смерти Ленина председателем Высшего Совета Народного Хозяйства (вместо Рыкова, ставшего председателем Совнаркома). На первом же заседании Политбюро, где я его увидел, он меня дезориентировал и своим видом, и манерой говорить. У него была наружность Дон-Кихота, манеры говорить — человека убежденного и идейного. Поразила меня его старая гимнастерка с заплатанными локтями. Было совершенно ясно, что этот человек не пользуется своим положением, чтобы искать каких-либо житейских благ для себя лично. Поразила меня вначале и его горячность в выступлениях — впечатление было такое, что он принимает очень близко к сердцу и остро переживает вопрос партийной и государственной жизни. Эта горячность контрастировала с некоторым холодным цинизмом членов Политбюро. Но в дальнейшем мне все же пришлось несколько изменить мое мнение о Дзержинском.

В это время внутри партии была свобода, которой не было в стране: каждый член партии имел возможность защищать и отстаивать свою точку зрения. Так же свободно происходило обсуждение всяких проблем на Политбюро. Не говоря уже об оппозиционерах, таких как Троцкий и Пятаков, которые не стеснялись резко противопоставлять свою точку зрения мнению большинства, среди самого большинства обсуждение всякого принципиального или делового вопроса происходило в спорах. Сколько раз Сокольников, проводивший денежную реформу, восставал против разных решений Политбюро по вопросам народного хозяйства, говоря: «Вы мне срываете денежную реформу; если вы примете это решение, освободите меня от обязанностей Наркома финансов». А по вопросам внешней политики и внешней торговли Красин, бывший Наркомом внешней торговли, прямо обвинял на Политбюро его членов, что они ничего не понимают в трактуемых вопросах, и читал нечто вроде лекций.

Но что очень скоро мне бросилось в глаза, это то, что Дзержинский всегда шел за держателями власти, и если отстаивал что-либо с горячностью, то только то, что было принято большинством. При этом его горячность принималась членами Политбюро как нечто деланное и поэтому неприличное. При его горячих выступлениях члены Политбюро смотрели в стороны, в бумаги, и царило впечатление неловкости. А один раз председательствовавший Каменев сухо сказал: «Феликс, ты здесь не на митинге, а на заседании Политбюро». И, о чудо! Вместо того, чтобы оправдать свою горячность («принимаю, мол, очень близко к сердцу дела партии и революции»), Феликс в течение одной секунды от горячего взволнованного тона вдруг перешел к самому простому, прозаическому и спокойному. А на заседании тройки, когда зашел разговор о Дзержинском, Зиновьев сказал: «У него, конечно, грудная жаба; но он что-то уж очень для эффекта ею злоупотребляет». Надо добавить, что, когда Сталин совершил свой переворот, Дзержинский с такой же горячностью стал защищать сталинские позиции, с какой он поддерживал вчера позиции Зиновьева и Каменева (когда они были у власти).

Впечатление у меня в общем получилось такое. Дзержинский никогда ни на иоту не уклоняется от принятой большинством линии (а между тем, иногда можно было бы иметь и личное мнение), это выгодно; а когда он горячо и задыхаясь защищает эту ортодоксальную линию, то не прав ли Зиновьев, что он использует внешние эффекты своей грудной жабы?»

Не думаю, что Дзержинский так уже сильно использовал внешние эффекты, ведь, в конце концов, именно от приступа грудной жабы он и умер.

Бабушки не принимали участия в воспитании сына Дзержинского — Ясика. Мать Дзержинского умерла задолго до рождения внука, а теща перепоручила его воспитание родственникам. Ясь Дзержиский рос ослабленным (его постоянно мучили сильнейшие мигрени), но очень принципиальным мальчиком. Его мать описала один характерный случай. Один раз, когда мигрень у Ясика не проходила несколько дней, врач посоветовал давать ему чай с коньком. Ясик с возмущением отказался, напомнив всем о пионерском законе, запрещающем юным ленинцам пить вино и прочие спиртные напитки. Феликс сказал: «Пусть он честно выполняет свой пионерский долг. Нельзя приучать мальчика к сделкам со своей совестью», — таким образом он поддержал своего сына.

Отец Софьи Мушкат умер, а след ее мачехи, Каролины Шмурло, затерялся во мраке неизвестности. Большевики опустили «железный занавес», и Польша стала очень далека от России, а все связи с ней — опасными.

СВЕТЛОВОЛОСАЯ, ИЗЯЩНАЯ И ЛОВКАЯ ЖЕНЩИНА — ТЕЩА ДИКТАТОРА

Такая черта, как патологическая ревность, для Сталина была, пожалуй, характерна. Хотя ни первая, ни вторая жена поводов не давали. Высказанные в одном литературном сочинении суждения о связи Н. Аллилуевой со своим пасынком Яковом — старшим сыном Сталина, ни на чем не основаны, кроме близости их возраста и того, что Сталин был старше своей жены на два десятка лет. Якобы младший сын Сталина Василий застал свою мать с пасынком и «настучал» отцу. Потому, мол, Аллилуева и погибла от ревнивой руки Сталина.

Все это, скорее, похоже на вымыслы. Те, кто знал Аллилуеву, характеризовали ее как прямодушную, честную, не способную на обман. Не исключено, что она дружески и с сочувствием относилась к своему пасынку, которого отец обижал и третировал. Такое ее отношение к нелюбимому сыну могло раздражать Сталина. Но не менее мог раздражать независимый нрав жены. Она укоряла его в репрессиях, в том числе ее сокурсников по Промакадемии.

Тем не менее, Сталин вполне мог подозревать свою жену в неверности. Хотя бы на основании того, что «яблочко от яблони недалеко падает»: ведь Сталин хорошо знал свою тещу, Ольгу Аллилуеву. А она в свои молодые годы полностью игнорировала такую добродетель, как супружеская верность. Ее муж, Сергей Яковлевич Аллилуев — молодой ясноглазый слесарь, был бунтарем по натуре, он постоянно сидел в тюрьмах. А будущая теща Сталина бунтовала на свой манер — изменяла мужу со всеми, кто ей казался достойным того.

Сильные умы обладают и сильными страстями, которые придают особенную живость всем их идеям; если у некоторых из них многие страсти и бледнеют, как бы замирают со временем, то это лишь потому, что мало-помалу их заглушает преобладающая страсть к славе или к науке.

Но именно эта слишком сильная впечатлительность даровитых людей является в громадном большинстве случаев причиной их несчастий как действительных, так и воображаемых.

Болезненная впечатлительность порождает также и непомерное тщеславие, которым отличаются не только люди гениальные, но и вообще ученые, начиная с древнейших времен; в этом отношении те и другие представляют большое сходство со страдающими помешательством.

Широко известна литературная легенда о том, что Надежда Аллилуева (жена Сталина) была на самом деле его дочерью. Эта версия построена на том, что в молодые годы Сталин иногда останавливался на квартире Аллилуевых. А зная характер его жены Ольги, все остальное легко можно домыслить. Хотя чужая душа — потемки. Может быть, молодой Сталин не понравился Ольге Аллилуевой, или наоборот — она не привлекла его внимание. Ведь если мужчина и женщина ночуют под одной крышей, это совсем не значит, что у них должны родиться дети.

Отец Надежды Аллилуевой, Сергей Яковлевич Аллилуев, вспоминал:

«В тысяча восемьсот девяносто третьем году я женился; в июле следующего года уже родился сын Павел, а еще через два год родилась дочь Анна.

Жена моя, Ольга Евгеньевна, с первых дней замужества примкнула к революционному движению. Постоянно выполняя поручения подпольной организации, она на всем протяжении моего революционного пути всегда оставалась моим верным спутником и помощником.

Я обжился в Тифлисе. С каждым днем моя собственная судьба все теснее переплеталась с судьбой огромного рабочего коллектива мастерских, моя жизнь становилась частицей его жизни.

Итак, я в одиночной камере Метехского замка. Едва меня втолкнули в камеру, я свалился на койку и заснул. Мои нервы были порядочно расшатаны, усталость необычайно велика.

Внезапно до меня донесся какой-то шум. Я открыл глаза. Сквозь большое, покрытое грязью окно пробивался слабый свет. У изголовья койки стоял столик. Посредине тяжелой мрачной двери виднелся маленький глазок. Стены были грязные, закопченные, с потолка свисала паутина...

Шум усилился. Это открывали двери камер. Я чувствовал — приближается надзиратель. Наконец загремел засов и моей камеры. Двери раскрылись, и ко мне вошел старший надзиратель. Он осмотрел камеру и, ничего не говоря, удалился. Вновь загремел засов.

Приход надзирателя сразу восстановил в моей памяти все, что произошло ночью. Я шел с конспиративного собрания. Ночь стояла тихая. Жара спала, и воздух был необыкновенно свежий. Над городом распростерлось огромное небо, усеянное звездами. На улице было пустынно и тихо. Лишь изредка, торопясь, проходили одинокие прохожие. Вдруг сразу, с двух сторон, появились полицейские. Они окружили меня, и я понял, что арест неизбежен. Среди полицейских я заметил пристава.

— Аллилуев? — полувопросительно произнес пристав и, не дожидаясь ответа, приказал полицейским:

— Взять!

...Я начал ходить по камере. Три шага туда, три обратно. Мало. Я уменьшил шаги — получилось четыре. Раз, два, три, четыре... Может быть, пять получится? Надо еще уменьшить шаги. Раз, два, три, четыре, пять...

Вновь загремел засов. Мне принесли жидкий чай и кусок черного хлеба. Я поел. Что дальше делать? Спать? Не хочу. Ходить? Негде. Я снова стал осматривать камеру. В углу я увидел большого паука. Неторопливо и удивительно спокойно, не чувствуя опасности, плел он свои сети. Беспокоиться ему действительно было нечего. Его никто не трогал. Ни один заключенный не согласился бы лишить себя единственного удовольствия наблюдать за деятельностью живого существа.

У стола, на табурете, лежала тряпка. Зачем она здесь? Может быть, почистить камеру? Я влез на подоконник и начал протирать стекло. Давно не мытое стекло поддавалось с трудом. Но вот одна клеточка протерта, вторая, третья... В камере стало светлее.

— Что делаешь? — услышал я сердитый голос. Я взглянул на дверь. Кто-то смотрел в глазок.

— Навожу чистоту... грязно здесь.

— Ну, убирай. Это можно, — сказал тот же голос. Глазок закрылся.

На воле у меня оставались жена и трое детей. Свидания с семьей я еще не имел. Как они живут, что поделывают — неизвестно. Как-то я получил передачу — продукты. Развернув посылку, я обнаружил в ней записку. Жена коротко сообщала о событиях последних дней, о ребятах. Она писала, что у нее и других жен арестованных неплохое настроение, что они стараются не падать духом.

После месячного пребывания под стражей нам, наконец, дали свидание с родными. Двадцатиминутная беседа с семьей доставила мне большую радость. Мой старший сын, шестилетний Павлуша, прильнул ко мне и без конца повторял:

— Пойдем домой...

Я смеялся, обещал скоро вернуться. Но сынок не отставал:

— Нет, пойдем сейчас с нами!

В это время надзиратель, присутствовавший при свидании, объявил, что время истекло и свидание закончено. Жена взяла за руки ребят и, понурив голову, медленно тронулась. Дети заплакали.

— Идем с нами! — сквозь слезы кричал Павлуша. — Идем домой!..

Сердце сжималось от боли.

Прошло шесть недель. Как всегда, рано утром загремел железный засов, двери открылись, и в камеру вошел парашник. Он налил кружку чая, положил на стол кусок хлеба и сказал:

— Куда-то нынче водят вашего брата.

Вскоре вновь загремел засов.

— Одеваться! — сурово бросил старший надзиратель, остановившись в полуоткрытых дверях. — Ну, живей!

Меня повели по узким лабиринтам тюремных коридоров. Спустившись по лестнице вниз и миновав служебные помещения, я, наконец, оказался в большой, ярко освещенной солнцем комнате. За письменным столом, покрытым зеленым сукном, сидел жандармский ротмистр Лавров и что-то писал. Не поднимая головы, он произнес:

— Садитесь.

Я сел.

Прокурор, пришедший во время допроса и долго молчавший, вдруг спросил:

— У вас семья есть?

Я ответил, что у меня есть жена и трое детей.

Прокурор пожал плечами и удивленно произнес:

— Вы человек взрослый, культурный и так варварски относитесь к семье. Непостижимо! — воскликнул он. — Ваше молчание может печально отразиться на семье. Вы это должны понять... — Затем, понизив голос, прокурор продолжал: — Никто ничего не узнает. Вы назовете организаторов, и мы оставим вас в покое.

Слова прокурора возмутили меня, но я сдержал себя и продолжал молчать. Ротмистр Лавров протянул мне протокол и сквозь зубы процедил:

— Ничего, вы заговорите... В одиночку! — приказал он вызванному жандарму.

Я вновь оказался в камере. Нервы не выдержали. Меня охватила тоска.

В конце июня ко мне приехала семья. А в сентябре жена родила четвертого ребенка, дочку Надежду. Моя семья, таким образом, округлилась до шести душ. По этому случаю пришло время, как мне кое-кто советовал, «взяться за ум», утихомириться и сократиться в своих порывах. Но я, видимо, был слишком упрям, чтобы последовать «доброму» совету и думать лишь о своей семье. По укоренившейся уже в плоти и крови привычке, я по-прежнему продолжал оставаться бунтарем».

Вот именно потому, что Сергей Аллилуев не мог «сократиться в своих порывах», не считала нужным «сокращать своих порывов» его жена Ольга.

Когда Сергей Аллилуев писал свои воспоминания, он был уже стар, жизнь была прожита. Все результаты были налицо.

Еще в 1925 году Царицын был переименован в Сталинград (в отместку Л. Троцкому, именем которого была названа только Гатчина — городок под Санкт-Петербургом, где под руководством Троцкого были разбиты белогвардейские войска Юденича). Но в 30-х годах к Сталинграду присоединились Сталинск (Новокузнецк), Сталино (Донецк), Сталинобад (Душанбе), Сталиниси в Грузии, Сталинири (Цхинвали). Почему из всех автономных областей и республик только столица Южной Осетии удостоилась такой чести? Не потому ли, что Сталин по отцу действительно был осетином? Высочайшая гора в стране на Памире была названа пиком Сталина. Рядом появился и пик Ленина, но он был на 400 метров пониже.

Приближенные Сталина, кто из страха, кто из угодничества, изрядно потрудились в сотворении кумира. На XVII съезде Н. Бухарин называет Сталина «воплощением ума и воли партии». Г. Зиновьев первым строит цепочку «Маркс — Энгельс — Ленин — Сталин», Л. Каменев сказал, что эпоха Ленина сменилась эпохой Сталина, А. Рыков назвал Сталина «организатором побед», К. Радек — «зодчим социалистического общества», Л. Мехлис — «великим кормчим», К. Ворошилов — «другом и оруженосцем Ленина», Долорес Ибаррури и Бела Кун — «вождем мирового пролетариата», да и С. Киров доклад Сталина на XVII съезде назвал «самым ярким и самым полным документом, который нарисовал перед нами всю картину нашей великой социалистической стройки».

Восхвалять Сталина пытался и его тесть Сергей Яковлевич Аллилуев. Делал он это, несмотря на то, что, фактически, именно Сталин довел до самоубийства его дочь Надежду. Сергей Яковлевич старался припомнить те эпизоды из жизни молодого Сталина, которые должны были подчеркивать его ум и прозорливость. Иногда получалось смешно:

«Шел тысяча девятьсот первый год...

Сосо Джугашвили и Виктор Курнатовский готовили рабочий класс Тифлиса к первомайской демонстрации. Как ни конспиративно проводилась подготовка, о предстоящей маевке все же узнала полиция.

Нас предупредили: быть начеку! Мы чувствовали, что столкновений с полицией не избежать.

Настало воскресенье двадцать второго апреля. Утром я вышел на улицу. День выдался теплый, ярко сияло солнце. Я свернул на Кирочную улицу, миновал Верийский мост и поднялся к Головинскому проспекту. В конце проспекта, по направлению к району Веры, было много гуляющих. Среди них я узнал рабочих мастерских и депо.

Кое-кто из гуляющих был одет не по сезону: в теплые пальто и кавказские овчинные шапки. В таком же одеянии оказался и Вано Стуруа.

— Ты что, болен? — поразился я.

Вано приподнял шапку, улыбнулся.

— Здоров.

— Чего же ты оделся так?

— Сосо велел.

— Сосо? Зачем?!

Вано придвинулся ко мне и зашептал на ухо:

— Понимаешь, мне и другим товарищам предложено выступить во главе группы... Понимаешь? Значит, первые удары казачьих нагаек примем мы. Пальто и папаха смягчат удар. Понял?

— Понял.

— То-то же, умно ведь?

Это было придумано действительно умно, потому что полиция уже появилась. В каждом дворе Головинского проспекта и Дворцовой улицы были расставлены полицейские наряды».

Дети Аллилуевых принимали самое непосредственное участие в борьбе с режимом, об этом вспоминал их отец: «Вечером десятого января 1905 года у меня в квартире состоялось небольшое собрание бутырского районного актива социал-демократической организации. Обсуждался вопрос о выпуске и распространении прокламаций, посвященных кровавым событиям в Питере. Собрание поручило мне подыскать кого-нибудь из сочувствующих нам жильцов, чтобы принять на некоторое время прокламации и затем передать их по назначению. С помощью Софьи Липинской я договорился со студентами, мужем и женой Блюм, жившими в нашем доме, в том же подъезде, где и я. Они согласились по условленному паролю принять листовки. Достав-

93

ка листовок была поручена рабочему Сергею Александровичу Чукаеву. Его предупредили, чтобы он ни в коем случае не заходил в мою квартиру.

На следующий день по делу организации выехала в Тулу моя жена, Ольга Евгеньевна. А ночью ко мне нагрянул наряд полиции во главе с помощником пристава и жандармским ротмистром. По-видимому, они ожидали сопротивления, потому что, когда я на стук открыл дверь, в квартиру ворвались два дюжих дворника, которые схватили меня. Лишь после этого вошли городовые, а вслед за ними — помощник пристава, жандармский ротмистр и кто-то в штатском из охранки. Убедившись, что я не собираюсь оказывать сопротивления, жандармский ротмистр приказал дворникам отпустить меня.

Обыск, продолжавшийся до утра, ничего не дал, — только и обнаружили они две старые прокламации, оказавшиеся на кухне, в кармане жакета жены.

Положение мое было не из легких. Я был уверен, что они не ограничатся моим арестом, а оставят в квартире засаду. Жена должна была вернуться из Тулы с уличающим нас обоих материалом. Как быть? Я решил использовать своих детей, спавших в маленькой комнате. Как только я вошел в их комнату, дети проснулись. Я успел сообщить старшей дочке Нюре, что необходимо предупредить мать, потому что мне и ей угрожает опасность. Дети — их было четверо — прижались ко мне, чуя недоброе. Младшая, Надя, вскочила ко мне на руки, обвила ручонками мою шею.

Я заявил полицейским, что не уйду из этой комнаты до тех пор, пока кто-нибудь из детей не будет отпущен к нашей близкой знакомой, Софье Липинской, и я не узнаю, что она возьмет моих детей на свое попечение. Они сначала было не соглашались, но я настаивал на своем. Дети еще крепче прижались ко мне, дрожа от волнения и холода, — они все были в одном белье. Жандармский ротмистр куда-то уходил звонить по телефону. Вернувшись, он отпустил старшую дочку. Я не сомневался в том, что о детях позаботятся, но мне важно было предупредить своевременно жену, — Липинская знала, куда она выехала. Вскоре дочь вернулась, по ее лицу я догадался, что все будет сделано». Трудно упрекать Ольгу Аллилуеву в супружеской неверности, ведь ее муж постоянно находился в тюрьме. К тому же свидания, даже краткострочные, разрешали не всегда. Я думаю, что это понимал даже ее муж. Ведь его воспоминания изобилуют эпизодами, связанными с разлукой с семьей. Как и каждый нормальный человек, Сергей Аллилуев болезненно воспринимал эти разлуки. Вот один из таких эпизодов: «Со дня моего ареста прошло почти полтора месяца, а я не имел никаких сведений о жене и детях. О том же, что происходило на воле, мы были осведомлены через вновь арестованных товарищей, прибывших в арестный дом.

Однажды в последних числах февраля надзиратель сообщил мне, что на свидание пришла моя жена с детьми. Больше часа ожидал я вызова, затем стал беспокоиться. В четыре часа явил-

95

ся тот же надзиратель и объявил, что мое свидание с женой и детьми не состоится, потому что жандармский ротмистр, присутствие которого при свидании необходимо, отсутствует.

— Почему он не явился?

Надзиратель, улыбаясь, ответил:

— Сегодня ведь пятница, последние дни масляной недели. Ну, их благородие, как это водится, покушали сытно блинков по-московски — с икоркой и семгушкой, выпили рюмку-другую, — поэтому сладко заснули.

Меня такое спокойное философское рассуждение надзирателя взбесило, и я раздраженно крикнул:

— Тогда я разбужу его, сладко уснувшего!

Надзиратель, успокаивая меня, сказал, что попусту горячиться не надо, а жену и детей можно увидеть через форточку окна камеры — они скоро пройдут по двору, от конторы к выходной калитке. Тогда я взобрался на подоконник и действительно увидел понуро шедших жену и детей.

Я окликнул их, а они в ответ радостно замахали руками. Жена крикнула, что они ждали с двенадцати часов дня и больше ждать не в состоянии.

Я схватил в ярости табурет и побил все стекла окна. Поднялся переполох, товарищи по заключению стучали во все двери камер, требуя начальника, чтобы выяснить причину моего поведения.

Вскоре явился начальник. Он стал кричать на меня, грозить. Я лег на койку, чтобы немного успокоиться. Я был зол, и вид мой не предвещал, по-видимому, ничего хорошего. Начальник осмотрел окно. Убедившись, что многие стекла побиты, не сказав больше ни слова, начальник ушел.

Товарищи продолжали волноваться, сгорая от желания скорее выяснить причины моего возбуждения. Вскоре, оправившись от волнения, я через форточку передал им, что произошло. Тогда они вторично вызвали начальника и потребовали от него перевода меня в другую камеру, ибо в моей можно было простудиться. После долгих препирательств меня на ночь перевели в другую камеру. Утром явился прокурор. Остановившись в дверях камеры, он сказал:

— Я сожалею, что у вас не состоялось свидание с родными. Жаль, очень жаль! Однако я должен вам напомнить, что вы находитесь в российской тюрьме и не имеете права совершать необдуманные поступки. За битье стекол, за скандал вы будете отвечать по всей строгости закона.

Я ответил ему, что меня спровоцировали на такой необдуманный поступок жандармские власти, заставившие мою семью напрасно прождать в тюрьме целый день.

— Вам следует знать, — отчетливо произнес прокурор, — что отдельное лицо еще не является властью и отвечает за свои поступки само. Да, само... — повторил прокурор. Потом, уходя, добавил: — Я думаю, что тюремная администрация исправит ошибку ротмистра и предоставит вам возможность повидаться с семьей.

Действительно, назавтра мне дали свидание с женой и детьми».

В своих воспоминаниях Сергей Аллилуев стремился как можно чаще вспоминать о своем зяте (в то время будущем). Делал он это временами ни к месту. А цель была одна — показать, что уже в те далекие времена он во всем советовался с Кобой. А Коба уже тогда заботился о семье Аллилуевых и маленькой Наде, которой было суждено стать его женой. Впрочем, у Кобы в ту пору была совем другая жена, о чем Сергей Аллилуев не скрывает в своих мемуарах:

«В конце июля, по совету товарищей, я направился к Кобе. Коба с женой жил в небольшом одноэтажном домике. Я застал его за книгой. Он оторвался от книги, встал со стула и приветливо сказал:

— Пожалуйста, заходи.

Я сказал Кобе о своем решении выехать в Питер и об обстоятельствах, вынуждающих меня предпринять этот шаг.

— Да, надо ехать, — произнес Коба. — Житья тебе Шубинский не даст.

Внезапно Коба вышел в другую комнату. Через минуту-две он вернулся и протянул мне деньги. Видя мою растерянность, он улыбнулся.

— Бери, бери, — произнес он, — попадешь в новый город, знакомых почти нет. Пригодятся... Да и семья у тебя большая. — Потом, пожимая мне руку, Коба добавил:

— Счастливого пути, Сергей!

Через несколько дней, в первых числах августа, я уже сидел в душном вагоне. Пробил третий звонок. Медленно и плавно тронулся поезд.

Что-то ждет меня в Питере?»

А в Питере его ждали такие события, которых он даже представить не мог. Продолжались там уже ставшие привычными измены жены (тещи Сталина), дети учились, и потихоньку приближался день октябрьского переворота. Приближалась революцию, которой ждал Срегей Аллилуев. Но знал ли он, что именно сбывшаяся мечта сделает его одним из самых несчастных отцов, а его жену — несчастной матерью?

СЕМЕЙНОЕ ПРОКЛЯТЬЕ

Почему люди не могут жить спокойно? Почему не могут не усложнять жизнь себе и окружающим? Почему люди приносят боль своим ближним?

Почему происходят войны и революции? Почему разрушаются семьи? Почему родители не находят общего языка с детьми?

Один из классиков философии XX века Эрих Фромм провел исчерпывающий анализ феномена разрушительности. Он опроверг идею врожденной деструктивности, то есть то, что агрессивность человека ничем не отличается от агрессивности животного. «Если бы человеческая агрессивность находилась на таком же уровне, как у других млекопитающих (например, у шимпанзе), то человеческое общество было бы сравнительно миролюбивым, — говорит Фромм. — Но это не так. История человечества дает картину невероятной жестокости и разрушительности, которая явно во много раз превосходит агрессивность наших предков. Можно смело утверждать, что в противоположность большинству животных человек является настоящим «убийцей».

Фромм ставит цель объяснить происхождение этой деструктивности, считая, что у нее есть специфические социальные корни... «Гиперагрессивность человека следует объяснять не более высоким потенциалом агрессии (по сравнению с животным), а тем, что условия, вызывающие агрессию, в человеческом обществе встречаются значительно чаще, чем у животных в естественной среде обитания».

Животные тоже иногда демонстрируют ярко выраженную деструктивность, например, в условиях тесноты (перенаселения). Но человек ведет себя деструктивно даже в таких ситуациях, когда никакого перенаселения нет и в помине. Бывает, что собственная жестокость и вид чужих страданий вызывают в человеке чувство настоящего удовольствия... У животных — все иначе, они не радуются боли и страданиям других животных и никогда не убивают «ни с того ни с сего».

Много лет отделяют нас от того рокового дня, когда пушка «Авроры» выстрелила по Зимнему дворцу. Чем дальше отступает от нас этот день, тем непонятнее становится: что же все-таки происходило тогда, кто виноват? Поэтому вполне понятен тот интерес, который вызывает история партии в тот период, когда шла подготовка переворота.

Наряду с документами ценным историческим источником являются воспоминания старых большевиков, написанные по личным впечатлениям.

В 1927 году в связи с подготовкой празднования 10-летия революции Историко-партийным отделом ЦК ВКП(б) (Истпартом) была составлена так называемая «Анкета участника Октябрьского переворота». Да, да, не удивляйтесь. На первых порах советские историки не боялись этого слова «переворот». Это было еще то время, когда научная объективность ценилась, а все вещи и явления можно было называть своими именами.

«Анкета участника Октябрьского переворота» содержала 25 пунктов, сгруппированных по трем основным разделам: работа с февраля по октябрь 1917 года, непосредственно во время переворота и в первые дни после установления власти Советов. Особым пунктом в анкете был выделен вопрос о встречах в этот период с Лениным.

Более 350 человек из числа получивших анкеты заполнили их и вернули в Истпарт. Среди них была и теща диктатора Аллилуева Ольга Евгеньевна (1877—1951).

Член КПСС с 1898 года. Работала в Тифлисской организации РСДРП. В 1905 году находилась в Москве. За распространение большевистских прокламаций была арестована и заключена в Таганскую тюрьму. С 1906 года снова работала в большевистской организации Тифлиса — участвовала в транспортировке оружия и нелегальной литературы. С 1907 года — в Петербурге: содержала конспиративную квартиру, организовывала материальную помощь ссыльным и т. д.

В июле 1917 года в квартире Аллилуевых скрывался В. И. Ленин, там же встречались члены ЦК партии. В октябрьские дни 1917 года. О. Е. Аллилуева выполняла ряд поручений ЦК по связи. После Великой Октябрьской социалистической революции работала во ВНИК. С 1928 года — персональный пенсионер.

На анкету Истпарта она ответила так:

«В 1917 г. я жила в Петрограде, работая операционной сестрой в городском лазарете №146 на Александровском проспекте на Петроградской стороне.

Начавшееся в июле выступление большевиков не давало мне возможности возвращаться с работы домой, и вообще я иногда по нескольку дней не бывала дома. Наконец, 5 июля меня потянуло домой. С утра не без риска для жизни я пробиралась по улицам, по которым перебегали толпы народа, разъезжали патрули. Отдельные группы начинали перестрелку, тогда я забегала в подъезды и дворы и, пробыв там некоторое время, опять выходила на улицу и брела дальше. К вечеру, наконец, совершенно уставшая, добралась я до 10-й Рождественской, где мы жили в доме №17. Дойдя до дома и зная, что дома никого нет, я решила пробраться к Полетаевым, которые жили недалеко от нас, на Болотной улице. Мне хотелось узнать от них подробности о событиях дня.

У Н. Г. Полетаева я застала Владимира Ильича, с которым была знакома и раньше, так как Владимир Ильич и прежде бывал у Полетаевых, приходя к ним обыкновенно с Демьяном Бедным. Владимир Ильич был бодр и спокоен. Он спросил меня в полушутливом тоне о возможности его переселения к нам. Я ответила, что ручаюсь за полную его «сохранность». Владимир Ильич заинтересовался, почему я так уверена. Я подробно объяснила, что у меня ему будет удобно, так как квартира наша совершенно изолирована, мы только что переехали в нее, и нас мало знают. Сыновья мои были на фронте, дочери — в отъезде, муж редко приходил домой, так что помещения будет достаточно и безопасно. Выслушав, Владимир Ильич сказал: «Так, значит решено».

Раненько утром, на другой день, пришел к нам Владимир Ильич. Поздоровался, спросил о здоровье, как живем. Он подробно осмотрел квартиру, заглянул даже на черный ход и кухню и, наконец, сказал: «Теперь гоните — не уйду, уж очень мне у вас понравилось». И он остался. Мы зажили новой жизнью. Несмотря на тревожное время, Владимир Ильич был всегда ровен и спокоен. Даже в мелочах повседневной жизни проявлял удивительное внимание и отзывчивость.

У всех товарищей, которые к нему приходили по делам, он никогда не забывал спросить об их здоровье, о том, как они живут, и пр. После того, как посетители уходили, он садился за работу, и для него не существовало ни отдыха, ни обеда. С большим трудом приходилось отрывать его от работы даже для того, чтобы ему поесть. На все мои уговоры и просьбы он обыкновенно отвечал: «Мне нужно работать, впереди много дела, а потом уже отдохнем».

Он был очень скромен, любил простоту в пище и в одежде. В общении с людьми был приветлив и чуток. За все время своего пребывания у нас Владимир Ильич не переставая работал не только днем, но и ночью, вел самую разнообразную работу: читал, писал, принимал товарищей, с которыми вел долгие деловые разговоры, давал поручения, советы и т. д. Связь со Смольным не прерывалась все время. По ночам к Ильичу приходили за директивами товарищи из Смольного, с которыми у него происходили заседания. Приходили И. В. Сталин, Н. К. Крупская, Мария Ильинична, В. П. Ногин, Е. Д. Стасова и другие.

Время было беспокойное, на улицах часто стреляли, с грохотом проезжали грузовики. Ленина искали упорно по всему Петрограду. Несмотря на грозившую опасность, В.И. Ленин был все время спокоен и своим спокойствием заражал и нас. Никакого страха он не испытывал, иногда со смехом вспоминал, как его встречали некоторые знакомые в то историческое время, когда он принужден был искать лично для себя безопасный приют, и как иногда у хозяев, у которых он появлялся неожиданным гостем, делались круглые глаза, которые постепенно расширялись от страха, глядя на него.

Очень рассмешил его рассказ моей дочери Нюры, которая неожиданно приехала домой из Левашева и, войдя в комнату, стала говорить, как в поезде, в котором она ехала по Финляндской железной дороге, пассажиры рассказывали о бегстве Ленина — «немецкого шпиона» и «зачинщика восстания» — в Германию не то на миноносце, не то на подводной лодке. Все ее сочувствие было на стороне «бежавшего», и в заключение она выразила мнение, что было бы хорошо, если бы он в самом деле сумел спрятаться вовремя. И когда кто-то из товарищей ответил, что Владимир Ильич, наверно, не будет дожидаться, пока его схватят, а будет сидеть спокойно в той квартире, в которой он в это время находится, она поняла, что перед ней стоит В. И. Ленин, и много радовалась этой встрече.

Эта ночь была особенно беспокойной, и Нюра нервничала. Владимир Ильич с большой чуткостью и вниманием отнесся к ней, пришел на кухню, куда я ее уложила, так как все комнаты были заняты, и успокаивал и ухаживал за ней с трогательной лаской. Тихо и спокойно прожили мы несколько дней, но уже 9-го начались сборы и приготовления к его отъезду. Мы придумывали различные способы, как бы сделать его неузнаваемым. Сначала он просил наложить ему хирургическую повязку-шлем на голову, что у меня вышло очень искусно. Наконец, решили ограничиться только бритьем головы и лица. Владимир Ильич вел долгие деловые разговоры с мужем по поводу переезда в Сестрорецк, в Новую Деревню. Владимир Ильич просил добыть ему план, чтобы наметить путь для перехода в Новую Деревню к Приморскому вокзалу. Когда мой муж ответил, что он хорошо знает без плана эту дорогу, Владимир Ильич все же просил план добыть. План через некоторое время достали.

Владимир Ильич был озабочен также вопросом о подходящей одежде для дороги. Было решено взять с собой два пальто; одно пальто было рыжеватого цвета, моего мужа, в нем Владимир Ильич, бритый и в кепи, походил на финского крестьянина или на немца-колониста. 11 июля Владимир Ильич в сопровождении моего мужа и И. В. Сталина уехал в Сестрорецк, сердечно поцеловав меня на прощание.

Я была счастлива, что у меня гостил В. И. Ленин и что я могла ему оказать в такой момент его жизни необходимую помощь. В то же время я сознавала, что и впереди В. И. Ленина могут ожидать новые опасности, и с болью в сердце смотрела на него, спускавшегося с шестого этажа по моей черной лестнице с И. В. Сталиным и С. Я. Аллилуевым в сумерки настороженной, овеянной шумом только что заглохших выстрелов улицы.

После отъезда В. И. Ленина к нам переехал жить И. В. Сталин. Владимир Ильич до своего отъезда в Москву бывал у него, заходил и к нам. При встречах всегда с самым теплым чувством относился ко мне. Когда Совнарком из Смольного стал переезжать в Москву, мы с мужем провожали их. Мои дочери поехали вместе с Лениным и Сталиным, предполагая работать в Москве. Не прекращалось наше знакомство и в Москве, когда В. И. Ленин жил в Кремле. При встречах он справлялся о нашей жизни, о всей семье, приглашал меня к себе, но я не решалась беспокоить его и отнимать у него такое дорогое для революции время».

В анкете много говорится о Ленине и мало о Сталине. Между тем отношения старой большевички Ольги Евгеньевны с зятем-тираном были далеко не простые. Да и разве могла она знать, отвечая на вопросы анкеты в 1927 году, о том, как сложится судьба ее семьи? Разве возможно предвидеть будущее? Разве не надеются люди на хорошее? Кошмар всегда непредсказуем.

По свидетельству биографов, в детстве Сталин — Сосо, так его тогда звали, был развитым мальчиком, энергичным, активным, живым.

Он охотно принимал участие в общих играх, пел в церковном хоре. Но был сдержан в проявлении чувств. Его никто не видел плачущим.

В те годы он был очень привязан к матери, отца же ненавидел, так как тот часто напивался и его избивал. На родине в Гори в духовном училище (вид начальной школы) он преуспевал, был лучшим, всегда хорошо подготовленным к урокам. Училище окончил с особой похвалой.

Веру в Бога он отбросил еще в 13 лет, самостоятельно прочитав об учении Ч. Дарвина. Был увлечен романом грузинского писателя А. Казбеги и восхищался его героем Кобой — немногословным бесстрашным мстителем. Впоследствии имя Коба взял как партийный псевдоним.

Кто мог представить, что Сталин уничтожит всю свою грузинскую родню, кроме матери. Свидетельствует дочь Сталина Светлана Аллилуева: «Я вспомнила, как в 1934 году Яшу, Василия и меня послали навестить бабушку в Тбилиси, — она болела тогда...

Возможно, что инициатором поездки был Берия — мы останавливались у него в доме. Около недели мы провели тогда в Тбилиси, — и полчаса были у бабушки... Она жила в каком-то старом, красивом дворце с парком; она занимала темную низкую комнатку с маленькими окнами во двор. В углу стояла железная кровать, ширма, в комнате было полно старух — все в черном, как полагается в Грузии. На кровати сидела старая женщина. Нас подвели к ней, она порывисто нас всех обнимала худыми, узловатыми руками, целовала и говорила что-то по-грузински... Понимал один Яша и отвечал ей, — а мы стояли молча.

Я заметила, что глаза у нее — светлые, на бледном лице, покрытом веснушками, и руки покрыты тоже сплошь веснушками. Голова была повязана платком, но я знала, — это говорил отец, — что бабушка была в молодости рыжей, что считается в Грузии красивым. Все старухи — бабушкины приятельницы, сидевшие в комнате, целовали нас по очереди и все говорили, что я очень похожа на бабушку. Она угощала нас леденцами на тарелочке, протягивая ее рукой, и по лицу ее текли слезы. Но общаться нам было невозможно — мы говорили на разных языках. С нами пришла жена Берия — Нина. Она сидела возле бабушки и о чем-то беседовала с ней, и обе они, должно быть, глубоко презирали одна другую...

В комнате было полно народу, лезшего полюбопытствовать; пахло какими-то травками, которые связочками лежали на подоконниках. Мы скоро ушли и больше не ходили во «дворец», — и я все удивлялась, почему бабушка так плохо живет? Такую страшную черную железную кровать я видела вообще впервые в жизни.

У бабушки были свои принципы — принципы религиозного человека, прожившего строгую, тяжелую, честную и достойную жизнь. Ее твердость, упрямство, ее строгость к себе, ее пуританская мораль, ее суровый мужественный характер — все это перешло к отцу.

Стоя у ее могилы, вспоминая всю ее жизнь, разве можно не думать о Боге, в которого она так верила?»

До конца жизни мать Сталина сожалела о том, что сын не стал священником. Могла ли эта религиозная женщина представить ту жестокую систему проверки на преданность, которую использовал ее сын? У В. Молотова и М. Калинина в лагерях сидели жены, у его личного секретаря А. Поскребышева жена была расстреляна (она была сестрой жены сына Троцкого, который, кстати, отвернулся от отца). У В. Куйбышева и Л. Кагановича были репрессированы и погибли их родные братья. Все приближенные безропотно перенесли удары. Только Молотов, когда его жену П. Жемчужину исключили из ЦК партии, при голосовании осмелился воздержаться. Могла ли представить мать Сталина все многочисленные жертвы своего сына? Могла, наверное, ведь его отец был очень жестоким человеком. Но родители всегда надеются на лучшее, поэтому стремятся дать своим детям достойное образование.

Вот внучка Ольги Евгеньевны Светлана Аллилуева говорит о том, что было: «Дедушка и бабушка считали, что их дети должны получить, по возможности, хорошее образование и поэтому, когда в Петербурге жизнь их несколько наладилась, дети были отданы в гимназии. На сохранившихся фотографиях тех лет поражает бабушкино лицо — она была очень хороша. Не только большие серые глаза, правильные черты лица, маленький изящный рот — у нее была удивительная манера держаться: прямо, гордо, открыто, «царственно», с необычайным чувством собственного достоинства. От этого как-то особенно открытыми были большие глаза, и вся ее маленькая фигура казалась больше. Бабушка была очень небольшого роста, светловолосая, складная, опрятная, изящная ловкая женщина, — и была, как говорят, невероятно соблазнительна, настолько, что от поклонников не было отбоя... Надо сказать, что ей было свойственно увлекаться, и порой она бросалась в авантюры то с каким-то поляком, то с венгром, то с болгарином, то даже с турком — она любила южан и утверждала иногда в сердцах, что «русские мужчины — хамы!» Дети, уже гимназисты, относились к этому как-то очень терпеливо; обычно все кончалось, и водворялась опять нормальная семейная жизнь.

В более поздние годы бабушка с дедушкой, слишком тяжело пережившие, каждый по своему, смерть мамы, все-таки стали жить врозь, на разных квартирах. Встречаясь у нас в Зубалове летом, за общим обеденным столом, они препирались по пустякам и, в особенности, дедушку раздражала ее мелочная придирчивость по всяким суетным домашним делам... Он как-то стал выше этого всего; его занимали мемуары, а докучливые сетования, ахи и охи, эти кавказские причитания о непорядках выводили его из равновесия. Поэтому каждый из них встретил старость, болезни и смерть в одиночестве, сам по себе и по-своему. Каждый остался верен себе, своему характеру, своим интересам. У каждого была своя гордость, свой склад, они не цеплялись друг за друга, как беспомощные старики, каждый любил свободу, — и хотя оба страдали от одиночества, но оба не желали поступаться своей свободой последних лет жизни. «Волю, волю я люблю, волю!» — любила восклицать бабушка, и при этом тайно и явно подразумевалось, что именно дедушка лишил ее этой самой воли и вообще «загубил» ее жизнь.

Дедушка наш, Сергей Яковлевич Аллилуев, интересно написал сам о своей жизни в книге мемуаров, вышедшей в 1946 году. Но вышла она тогда неполной, с большими сокращениями. Книгу переиздали в 1954 году, но еще больше сократили, и это издание совсем неинтересное.

Дедушка был из крестьян Воронежской губернии, но не чисто русский, а с очень сильной цыганской примесью — бабка его была цыганка. От цыган, наверное, пошли у всех Аллилуевых южный, несколько экзотический облик, черные глаза и ослепительные зубы, смуглая кожа, худощавость. Особенно эти черты отразились в мамином брате Павлуше (внешне настоящем индусе, похожем на молодого Неру) и в самой маме. Может быть, от цыган же была в дедушке неистребимая жажда свободы и страсть к перекочеванию с места на место.

Воронежский крестьянин, он вскоре занялся всевозможным ремеслом, и будучи очень способным ко всякой технике — у него были поистине золотые руки — стал слесарем и попал в железнодорожные мастерские Закавказья. Грузия, ее природа и солнечное изобилие на всю жизнь стали привязанностью деда, он любил экзотическую роскошь юга, хорошо знал и понимал характер грузин, армян, азербайджанцев. Жил он и в Тбилиси, и в Баку, и в Батуме. Там, в рабочих кружках, он встретился с социал-демократами, с М. И. Калининым, с И. Фиолетовым, и стал членом РСДРП уже в 1898 году. Все это очень интересно описано в его воспоминаниях — Грузия тех лет, влияние передовой русской интеллигенции на грузинское национально-освободительное движение и тот удивительный интернационализм, который был тогда свойствен закавказскому революционному движению (и который, к сожалению, иссяк позже).

Дедушка никогда не был ни теоретиком, ни сколько-нибудь значительным деятелем партии — он был ее солдатом и чернорабочим, одним из тех, без которых невозможно было бы поддерживать связи, вести будничную работу и осуществить самое революцию. Позже, в 900-х годах, он жил с семьей в Петербурге и работал тогда мастером в Обществе Электрического Освещения. Работал он всегда увлеченно, его ценили как превосходного техника и знатока своего дела. В Петербурге у дедушки с семьей была небольшая четырехкомнатная квартира — такие квартиры кажутся нашим теперешним профессорам пределом мечтаний... Дети его учились в Петербурге в гимназии и выросли настоящими русскими интеллигентами — такими застала их революция 1917 года. Обо всем этом я еще скажу позже.

После революции дедушка работал в области электрификации, строил Шатурскую ГЭС и долго жил там на месте, был одно время даже председателем общества Ленэнерго. Как старый большевик он был тесно связан со старой Революционной гвардией, знал всех — и его все знали и любили. Он обладал удивительной деликатностью, был приветлив, мягок, со всеми ладил, но вместе с тем — это у него соединялось воедино — был внутренне тверд, неподкупен и как-то очень гордо пронес до конца своих дней (он умер 79-ти лет в 1945 г.) свое «я», свою душу революционера-идеалиста прежних времен, чистоту, необыкновенную честность и порядочность. Отстаивая эти качества, он, человек мягкий, мог быть и тверд с теми, кому эти черты были непонятны и недоступны.

Высокого роста, и в старости худощавый, с длинными суховатыми руками и ногами, всегда опрятно, аккуратно и даже как-то изящно одетый — это уже петербургская выучка, — с бородкой клинышком и седыми усами, дедушка чем-то напоминал М. И. Калинина. Ему даже мальчишки на улице кричали «дедушка Калинин!» И в старости сохранился у него живой блеск черных, горячих, как угли, глаз и способность вдруг весело, заразительно расхохотаться.

Дедушка жил и у нас в Зубалове, где его обожали все его многочисленные внуки. В комнате его был верстак, всевозможные инструменты, множество каких-то чудесных железок, проволок — всего того добра, от которого мы, дети, замирали, и он всегда позволял нам рыться в этом хламе и брать, что захочется. Дедушка вечно что-нибудь мастерил, паял, точил, строгал, делал всякие необходимые для хозяйства починки, ремонтировал электросеть — к нему все бегали за помощью и за советом. Он любил ходить в далекие прогулки. К нам присоединялись дети дяди Павлуши, жившие в Зубалове-2 (там же, где жил А. И. Микоян), или сын Анны Сергеевны, маминой сестры. Дедушка любил развлекать внуков и ходить в лес за орехами или грибами. Я помню, как дедушка сажал меня к себе на плечи, когда я уставала, и тогда я была высоко-высоко над тропинкой, где брели остальные, и доставала руками до орехов на ветках.

Смерть мамы сломила его: он изменился, стал замкнутым, совсем тихим. Дедушка всегда был скромен и незаметен, он терпеть не мог привлекать к себе внимание — эта тихость, деликатность, мягкость были его природными качествами, а может быть, он и научился этому у той прекрасной русской интеллигенции, с которой связала его на всю жизнь революция. После 1932 года он совершенно ушел с себя, подолгу не выходил из своей комнаты, где что-то вытачивал или мастерил. Он стал еще более нежен с внуками. Жил он то у нас, то у дочери Анны, маминой сестры, но больше всего у нас в Зубалове. Потом начал болеть. Должно быть, скорее всего болела у него душа, и отсюда пошло все остальное, а вообще-то у него было железное здоровье.

В 1938 году умер Павлуша, мамин брат. Это был еще один удар. В 1937 году был арестован муж Анны Сергеевны — Станислав Реденс, а после войны, в 1948 году, попала в тюрьму и сама Анна Сергеевна. Дедушка, слава Богу, не дожил до того дня — он умер в июне 1945 года от рака желудка, обнаруженного слишком поздно. Да и болезни его были не болезнями старости, не телесными, а страдал он изнутри, но никогда не докучал никому ни своими страданиями, ни просьбами, ни претензиями.

Еще до войны он начал писать мемуары. Он вообще любил писать. Я получала от него тогда длинные письма с юга, с подробными описаниями южных красот, которые он так любил и понимал. У него был горьковский пышный слог — он очень любил Горького как писателя и был совершенно согласен с ним в том, что каждый человек должен описать свою жизнь. Писал он много и увлеченно, но, к сожалению, при жизни так и не увидел свою книгу изданной, хотя старый его друг М. И. Калинин очень рекомендовал к изданию рукопись «старейшего большевика и прирожденного бунтаря».

Что могу помнить я?.. Я помню только, что бабушка и дедушка жили постоянно у нас на даче в Зубалове, хотя их комнаты были всегда в противоположных концах дома. Они сидели за столом вместе с отцом, которого дедушка называл «Иосиф, ты», а бабушка «Иосиф, Вы», а он обращался к ним очень почтительно и называл их по имени и отчеству. Так было, я помню, и после смерти мамы. Родители страшно тяжело перенесли ее смерть, но они слишком хорошо понимали, как тяжело было это и для отца, и поэтому, как мне кажется и казалось, в их отношении к нему ничего не переменилось. Эта общая боль не обсуждалась никогда вслух, но незримо присутствовала между ними. Может быть, поэтому, когда весь дом наш развалился, отец все чаще уклонялся от встреч с бабушкой и дедушкой. До войны он еще виделся с ними в свои редкие приезды в наше бывшее гнездо, Зубалово. Это бывало обычно летом, и все собирались где-нибудь за столом в лесу, на свежем воздухе и обедали там. Но, по-видимому, отцу эти визиты были слишком болезненным напоминанием о прошлом. Он обычно уезжал мрачный, недовольный, иногда перессорившись с кем-нибудь из детей. Дедушка и бабушка всегда выходили повидать его.

Дедушка приходил и на нашу квартиру в Кремле и, бывало, подолгу сидел у меня в комнате, дожидаясь прихода отца к обеду. Обедали обычно часов в 7—8 вечера, когда отец приходил после рабочего дня из своего кабинета в ЦК или в Совете Министров (тогда еще — Совнаркоме). Обедал он всегда не один, и дедушке удавалось, в лучшем случае, посидеть вместе с ним за столом, молча... Иногда отец подтрунивал над его мемуарами, но все же из уважения к старику не позволял себе никаких грубых шуток по этому поводу. Иногда, когда с отцом приходило слишком много народу, дедушка вздыхал и говорил: «Ну, я пойду к себе. Зайду в другой раз». А другой раз представлялся ему через полгода или через год — раньше он не мог никак собраться, потому что это было для него, по-видимому, тяжелым испытанием. В силу своей деликатности и чрезмерной щепетильности, дедушка никогда не спрашивал отца о судьбе своего зятя Реденса, хотя судьба его собственной дочери, Анны, разбитая жизнь ее и ее сыновей его очень тревожили. Он только тихо и молча страдал от всего этого и насвистывал себе что-то под нос — такая у него появилась привычка.

Еще была тут и гордость — ничего не просить, ничего никогда не вымаливать, не выклянчивать... Люди без самолюбия, без чувства собственного достоинства этого понять не могут. Как! Рядом с таким человеком и ничего не выпросить?! Да, ничего...

Бабушка была в этом смысле проще, естественнее, примитивнее. Обычно у нее всегда накапливался запас каких-либо чисто бытовых жалоб и просьб, с которыми она обращалась в свое время в удобный момент еще к Владимиру Ильичу (хорошо знавшему и уважавшему всю семью), а позже к отцу. И хотя время разрухи и военного коммунизма давно прошло, бабушка в силу своей неприспособленности к «новому быту» часто оказывалась в затруднениях самых насущных. Мама стеснялась много помогать своим родным и «тащить все из дома» — тоже в силу всяких моральных преград, которые она умела перед собой воздвигать, и часто бабушка, совершенно растерянная, обращалась к отцу с такой, например, просьбой: «Ах, Иосиф, ну подумайте, я нигде не могу достать уксус!» Отец хохотал, мама ужасно сердилась, и все быстро улаживалось.

После маминой смерти бабушка чувствовала себя у нас в доме стесненно. Она жила или в Зубалове, или в Кремле, в своей маленькой чистенькой квартирке, одна среди старых фотографий и старых своих вещей, которые возила с собой по всем городам всю жизнь: потертые старинные кавказские коврики, неизменная кавказская тахта, покрытая ковром (с ковром же на стене, с подушками и мутаками), какие-то сундучки столетней давности, дешевые петербургские безделушки — и всюду чистота, порядок, аккуратность. Я любила заходить к ней — у нее было тихо, уютно, тепло, но бесконечно грустно. О чем же веселом могла она говорить?

Но здоровье и жизнелюбие ее были неистощимы. Уже за 70 лет она выглядела превосходно. Маленького роста, она всегда держала голову както очень прямо и гордо — от этого, казалось, прибавлялся рост. Всегда в чистом, опрятном платье, слепленном своими руками из какого-то своего старья, всегда с янтарными четками, намотанными на запястье левой руки, прибранная, причесанная, она была красива; никаких морщин, никаких следов дряхлости не было. Последние годы ее стала мучить стенокардия — результат душевных недугов и переживаний. Она мучительно думала и никак не могла понять — почему же, за что попала в тюрьму ее дочь Анна? Она писала письма отцу, давала их мне, потом забирала обратно... Она понимала, что это ни к чему не приведет. К несчастьям, валившимся на нашу семью одно за другим, она относилась как-то фаталистически, как будто иначе оно не могло бы и быть...

118

Умерла она в 1951 году, в самом начале весны, во время одного из стенокардических спазмов, — в общем, довольно неожиданно; ей было 76 лет.

Одинокие старики — и она и дедушка — никого не обременяли своими страданиями. Мало кто и знал о них — с окружающими они были приветливы и сдержанны. Именно про таких стариков и говорят испанцы: «Деревья умирают стоя».

У детей Ольги и Сергея Аллилуевых были страшные судьбы. А началось все с Федора, который сошел с ума. Довел его до потери разума большевистский боевик Камо. Об этом подробно вспоминает Анастас Микоян: «Специальная группа близких Камо людей, переодетая в форму белогвардейских солдат и офицеров, неожиданно напала где-то в лесу на его отряд во время учебных занятий. Бойцы отряда были разоружены и поставлены в один ряд — якобы для расстрела тех, кто из них окажется коммунистом. Тем же, кто «раскается» или объявит себя противником коммунистов, была обещана пощада.

Однако в отряде трусов не нашлось. Но зато один заявил, что является агентом Пилсудского, отпорол подкладку френча и вытащил оттуда соответствующий документ.

Камо был очень доволен, что ему удалось таким образом обнаружить предателя. Потом, рассказав, в чем дело, Камо стал обниматься с остальными людьми из отряда как с истинными друзьями. На одного из них вся эта «операция» так сильно психически подействовала, что он тяжело заболел, — это был Федор Аллилуев, сын видного большевика Сергея Аллилуева».

Всю оставшуюся жизнь Федор был умалишенным.

К чему стремилась чета Аллилуевых? Насколько желания этих людей совпадали с реальностью? Каждый человек имеет цели и причины, сообразно которым он поступает и может в любую минуту дать отчет о своем каждом отдельном поступке.

Для родителей профессиональных революционеров их маленькие дети сначала исчезли в водовороте конспиративной деятельности, а потом воскресли в образах вождей. Родители могли видеть портреты своих детей в газетах, на фасадах, их фотографии несли на демонстрациях по праздникам, вожди махали руками с Мавзолея... Получив власть, шли на крайние меры.

«КЛЕРХЕН, КОГДА ТЕБЯ НЕТ, Я МЕРЗНУ ДАЖЕ ЛЕТОМ»

У Кремлевской стены покоится прах Клары Цеткин, умершей в 1933 году.

Немногое известно из ее личных переживаний... Член Президиума Исполкома Коминтерна, член ЦК Коммунистической партии Германии, председатель Исполкома Международной организации помощи борцам революции (МОПР). А кроме того? Мать двоих сыновей, один из которых погиб на фронтах первой мировой войны.

На фронт Клара Цеткин провожала своего сына вместе со своей подругой и соратницей — Розой Люксембург, которая была любовницей ее сына. А, может быть, несмотря на разницу в возрасте, стала бы и невесткой. Ведь говорила же Александра Коллонтай: «Мы молоды, пока нас любят!»

Узнав о любовной связи своего сына с Розой Люксембург, Клара Цеткин сначала очень возмутилась, но потом ее сердце растаяло. Ведь она очень любила своего сына и Розу Люксембург тоже любила.

Роза отвечала взаимностью. Роза находила, что Германия — страна холодных людей, и говорила Кларе: «Клерхен, когда тебя нет, я мерзну даже летом».

Сын погиб на войне, а сама Клара за антивоенную деятельность была брошена кайзеровскими властями в тюрьму.

Из биографии Клары Цеткин мы знаем, что она первой приветствовала как революцию 1905 года, так и октябрьский переворот 1917 года. В 1905 году выступала в защиту русской революции, даже несмотря на запрещение партийного руководства.

Об отношении ее к Советскому Союзу хочется привести ее слова из писем. Летом 1923 года после трудного путешествия из Германии в Россию Клара писала, что сердце ее совершенно отказывается служить, но «большевистский воздух Петрограда поставил меня на ноги».

Вся жизнь Клары — сплошное испытание. В 1889 году после двух лет тяжелой болезни умирал муж Клары Осип Цеткин.

Насколько трудна и тяжела была жизнь Клары Цеткин в эмиграции, даже до заболевания ее мужа, может дать представление следующий случай. Цеткины зарабатывали в Париже на жизнь главным образом переводами и часто не в состоянии были вовремя вносить квартирную плату.

Однажды утром, когда Клара купала детей, к ним явилась полиция и конфисковала все имеющиеся вещи, так как Цеткины задолжали за квартиру.

Кларе только разрешили одеть ребят, а на себя накинуть широкую полупелерину, которую француженки называли «Cache-misere», т. е. прикрытие нужды.

До глубокого вечера просидела она с ребятами на скамейке одного из бульваров, пока Осип бегал и отыскивал новое жилье. Но и тут беда не кончилась: квартирохозяйка не пустила жильцов с детьми.

Их выручила одна русская эмигрантка, которая уступила им свою комнату на ночь, уйдя ночевать к кому-то из друзей. Можно поэтому представить себе, до чего трудно приходилось Кларе во время двухлетней болезни мужа, когда ей одной приходилось добывать средства существования для больного мужа и двух маленьких сыновей.

Вот как Клара в 1923 году писала о смерти своего мужа: «Никогда, никогда я не забуду того страшного дня. И тогда и теперь мне кажется, что этот день был без начала и без конца, был бесконечностью. Осип лежал почти два года парализованный в нижней части туловища. Врач подготовил меня к тому, что он приближается к концу, и, несмотря на это, я хваталась за надежду на чудо. И наступило ужасное 29 января. Я не спала всю ночь, работала, ухаживала за Осипом, давала ему лекарство. Около 5 часов утра я ясно почувствовала: смерть пришла за жизнью. Я была одна с умирающим и двумя маленькими мальчиками. Пришел врач. Осип был без сознания. Врач сказал, что можно вернуть Осипа к жизни на короткий срок, но что это причинит ему большие физические и психические страдания. Я отказалась».

В другом письме писала Елене Стасовой, что после смерти мужа она могла примириться с очень многим, кроме одного: «Мне казалось невозможным, непостижимым, что эта полноценная жизнь погасла в то время, как вокруг меня существовало весело и беззаботно так много ничтожеств». Но тут же Клара добавляла, что «океан массового страдания поглощает бурную реку личного горя» и выход из последнего можно найти только в борьбе. Она писала по этому поводу:

«Мы, которые так глубоко, так мучительно страдаем, мы счастливы, так как через работу и борьбу у нас вырастают крылья, которые уносят нас ввысь. А работа и борьба — это пульсация жизни».

И вот, потеряв самого близкого человека, который первым ввел ее в мир революционной борьбы и поэтому был ей особенно близок и дорог, Клара со всей страстностью своей пламенной натуры включается в подготовку I конгресса II Интернационала и в борьбу, которая тогда велась между гэдистами и поссибилистами. Из протоколов I конгресса мы узнаем, что Клара произнесла горячую и глубоко социалистически обоснованную речь о необходимости включения в законы о труде требования равноправия для женщин. Оппортунисты утверждали, что место женщин — только у домашнего очага. Клара с фактами в руках опровергла их, показав всю утопичность этого положения в условиях капитализма, которые ежечасно разрушают семью. Предложения Клары были приняты конгрессом.

В ноябре 1918 года волна революции смела монархию в Германии.

По всей Германии одна за другой слетали короны с голов королей и герцогов.

С балкона дворца кайзера Карл Либкнехт провозгласил социалистическую республику.

Массовое шествие докатилось до рейхстага. В толпе скандировали: «Долой кайзера!», «Долой войну!», «Да здравствует республика». Два лидера СДПГ — Эберт и Шейдеман в это время обедали в столовой. Депутаты, ворвавшись в столовую, стали упрашивать Эберта и Шейдемана выступить перед толпой, собравшейся у рейхстага. Эберт отказался выступать.

Шейдеман, подойдя к окну, воскликнул: «Народ победил по всей линии! Да здравствует Германская республика!»

Эберт пришел в негодование. Шейдеман писал в своих мемуарах: «Стукнув кулаком по столу, он закричал на меня: «Это правда?» Я ответил, что «это» не только правда, но, по-моему, само собой разумеющееся. Тогда Эберт устроил сцену, которая меня весьма озадачила.

«Ты не имеешь прав провозглашать республику! — кричал он. — Будет Германия республикой или чем-то еще, может решить только Учредительное собрание!»

Шейдеман «не хотел, чтобы лозунг «Республика» стал достоянием только крайне левых кругов».

Временный революционный комитет, в состав которого входил Карл Либкнехт, сыграл в истории германской революции жалкую роль. Временный революционный комитет был абсолютно недееспособым. Ему не подчинялись даже вооруженные отряды, занявшие редакции. Отдельные рабочие отряды действовали по собственной инициативе.

КПГ не предвидела январского восстания, которое было полностью стихийным. Рабочие, которые участвовали в январских событиях, были в основном социал-демократами, а не спартаковцами или коммунистами. 8 января в правлении КПГ Карла Либкнехта упрекали за самовольное участие в стихийных массовых выступлениях. Роза Люксембург воскликнула: «Карл, разве это наша программа?!»

Решаюшую роль на заключительном этапе революции играла армия, которая никогда не поддерживала крайне левых.

Носке был назначен главнокомандующим правительственными вооруженными силами. Носке сказал о своем назначении: «Пусть так. Кто-то ведь должен стать кровавой собакой».

Решающие события развернулись в дни с четверга 9 января по воскресенье 12 января 1919 года. В эти дни по приказу Эберта в Берлине была расстреляна революция.

Наиболее ожесточенный бой разгорелся в субботу 11 января за здание редакции «Форвертс». Здание было взято штурмом, триста человек взяты в плен.

15 января вся южная и западная часть Берлина были заняты частями «командования генерала Лютвица». Штаб дивизии расположился в отеле «Эден».

На стенах по всему Берлину были расклеены плакаты: «Гвардейская кавалерийская стрелковая дивизия вступила в Берлин. Берлинцы! Дивизия обещает вам не покидать столицу до тех пор, пока здесь не будет окончательно восстановлен порядок».

Принято считать, что Роза Люксембург и Карл Либкнехт были близкими людьми. Даже улицы, названные их именами в советских городах, находились обычно неподалеку.

На самом деле в жизни у Карла Либкнехта и Розы Люксембург было мало общего. Их объединила только смерть.

Редакция «Роте фане» в конце Вильгельмштрассе стала ненадежным местом. Правительственные войска врывались туда почти ежедневно. Одна из сотрудниц редакции, которую они приняли за Розу Люксембург, с трудом избежала смерти. Роза Люксембург несколько дней занималась работой по редактированию газеты в квартире одного врача на Галлешестор, а затем, когда ее присутствие стало тяготить хозяев, — в квартире рабочего в Нойкёльне. В воскресенье 12 января к ней присоединился Карл Либкнехт, однако через два дня, 14 января, они по телефону были предупреждены об опасности и ушли с этой квартиры (возможно, это был подстроенный звонок из центра, в котором планировалось убийство и из которого уже в течение нескольких дней велось наблюдение за их переездами, а может быть, и направлялись эти переезды). Они перебрались в свое последнее убежище — в Вильмерсдорф, неподалеку от Фербелиерплац по адресу: Мангеймерштрассе 53, у Маркуссона. Там утром 25 января они написали свои последние статьи для «Роте фане», которые, видимо, не случайно звучат как слова прощания.

Статья Розы Люксембург была озаглавлена «Порядок царит в Берлине». Она заканчивалась словами: «Вы, тупые палачи! Ваш «порядок» построен на песке. Уже завтра революция «с грохотом воспрянет» и к вашему ужасу протрубит в фанфары: я была, я есть, я буду!»

Статья Либкнехта («Несмотря ни на что!») заканчивалась так: «Потерпевшие поражение сегодня будут победителями завтрашнего дня. Будем ли мы тогда еще живы или нет, будет жить наша программа; она будет господствовать в мире освобожденного человечества. Несмотря ни на что!»

К вечеру, когда Роза Люксембург прилегла, почувствовав головную боль, а Вильгельм Пик приехал с гранками очередного номера «Роте фане», раздался звонок. У двери стоял трактирщик Меринг, пожелавший видеть г-на Либкнехта и г-жу Люксембург. Сначала оба велели сказать, что их нет, однако Меринг не уходил. По его зову появилась группа солдат под командованием лейтенанта Линднера. Они вошли в квартиру, обнаружили там тех, кого искали, и предложили им следовать за собой. Либкнехт и Люксембург собрали свои вещи и были доставлены в отель «Эден», в котором с утра этого дня размещался штаб гвардейской кавалерийской стрелковой дивизии. Там их уже ждали. Последующие события развивались очень быстро и могут быть изложены в нескольких словах.

В отеле «Эден» их встретили оскорблениями и побоями. Либкнехт, которому прикладом в двух местах разбили до крови голову, попросил бинт, чтобы перевязать раны, но ему отказали. Тогда он попросил разрешения умыться в туалете, но ему и этого не позволили. Затем обоих арестованных привели на первый этаж в номер к капитану Пабсту, который руководил операцией. О чем был разговор у Пабста, неизвестно. Имеется лишь заявление, сделанное Пабстом во время состоявшегося позднее судебного процесса, когда он был уличен во лжи по ряду пунктов. По его словам, он спросил у Розы Люксембург: «Вы г-жа Роза Люксембург?» — «Решайте, пожалуйста, сами». — «Судя по карточке, это вы». — «Ну, раз вы так считаете...»

Либкнехта, а несколько позже и Розу Люксембург повели или поволокли, подвергая избиениям, вниз по лестнице и передали уже стоявшему наготове отряду убийц. Тем временем Пабст сидел в своем кабинете и составлял подробное сообщение, появившееся на следующий день во всех газетах: Либкнехт был застрелен при попытке к бегству во время транспортировки в следственную тюрьму Моабит, Розу Люксембург захватила разъяренная людская толпа, смявшая охрану, и увела в неизвестном направлении.

В действительности улица у бокового выхода из отеля, через который Карла Либкнехта и Розу Люксембург вывели в их последний путь, была оцеплена и пуста. На посту у этого выхода стоял егерь Рунге. Ему было приказано размозжить голову прикладом тем, кого поведут через выход, — сначала Либкнехту, затем Розе Люксембург. Он так и сделал, однако оба страшных удара, нанесенных им, оказались несмертельными. Либкнехт, а через несколько минут и Роза Люксембург, оглушенные или полуоглушенные страшными ударами, были брошены в подъехавшие автомобили. Отрядом убийц Либкнехта командовал капитан-лейтенант Пфлюгк-Хартунг, а убийцами Розы Люксембург — лейтенант Фогель.

Обе машины с интервалом в несколько минут направились в Тиргартен. У Нойензее от Либкнехта потребовали выйти из машины; затем он был убит выстрелом из пистолета в затылок, а тело на той же машине доставлено в морг как «труп неизвестного мужчины».

Роза Люксембург сразу после отъезда от отеля «Эден» тут же в машине была убита выстрелом в висок и сброшена с Лихтенштейн-брюкке в Ландвераканал. Окончательно не установлено, что было причиной смерти — удары по голове, пуля или утопление. Вскрытие трупа, всплывшего через несколько месяцев, показало, что черепная коробка не была расколота, а пулевое ранение, возможно, не было смертельным.

В 1954 году либеральный юрист и историк Эрих Эйк писал: «Нельзя оправдывать убийства напоминанием старой пословицы «кто поднял меч, пусть от меча и погибнет». Слишком много кровавых преступлений было совершено единомышленниками Либкнехта и Люксембург, чтобы испытывать чересчур сильное возмущение постигшей их самих судьбой».

В 1962 году «Бюллетень ведомства прессы и информации правительства ФРГ» назвал эти убийства «расстрелом по законам военного времени».

Так в 1918 году Клара Цеткин потеряла близкого человека — Розу Люксембург. Напомню, что незадолго до этого погиб на фронте ее сын.

В 1924 году Кларе Цеткин было уже 67 лет (она родилась 5 июля 1857 года). Организм ее был подорван тяжелым заболеванием в 1923 году. У нее была гангрена пальца ноги, отмороженного в вагоне во время поездки из Германии в Советскую Россию. Эта болезнь привела к полному нервному истощению, серьезному заболеванию почек и сердца. Только что оправившись от него и приехав из Железноводска в Москву, Клара Цеткин жалуется, что ей предоставляют стенографистку только на три часа в день, что «при задачах, стоящих передо мною, и моей способности работать является не больше, чем груша при мучительной жажде».

Клара в это время руководила международным женским секретариатом и состояла членом Исполкома Коминтерна, который давал ей постоянно отдельные поручения. Международный женский секретариат выпускал журнал, и редакция журнала целиком лежала на К. Цеткин. В то время Клара писала свою замечательную книгу «В освобожденном Кавказе».

А в 1931 году, вновь направляясь в Советский Союз, она пишет, что хочет приехать не как инвалид для «дома Ильича» (Дом ветеранов революции), а для работы, так как поставила себе целью изучение положения женщин в наших среднеазиатских республиках. Она мечтала написать об этом такую же книгу, как ее книга «В освобожденном Кавказе».

Приехав в январе 1932 года в Москву, она пишет Елене Стасовой в записке: «Я не нахожу слов, чтобы выразить муку, которую я испытываю при моей бездеятельности». И это в то время, когда она писала и присылала воззвания, статьи, целые брошюры по вопросам войны и мира, борьбы с реакцией и фашизмом, участвовала в организации выступлений пролетариата всех стран против осуждения девяти негров из Скотсборо и за освобождение руководителей коммунистических партий и рабочего класса капиталистических стран.

В том же 1932 году Клара совершила подлинный подвиг, поехав в Германию и открыв на правах старейшего члена рейхстаг. Она пишет: «Поездка взяла у меня все силы. Напряжение и волнение за то, чтобы выполнить задачу, поставленную передо мной, сокрушили меня физически». И тут же она добавляет: «Несмотря на это, я все же попыталась написать для вас (МОПРа) статью».

13 июня 1933 года (т. е. за неделю до смерти) Клара Цеткин писала воззвание к трудящимся всего мира, призывая их бороться с реакцией, поднявшей голову в капиталистических странах.

От всей личности Клары веяло теплом и лаской. Она всегда хотела сделать людям что-либо приятное. Это проявлялось даже в мелочах. Так, например, живя в Советском Союзе в то время, когда снабжение было недостаточно налажено, Клара ни разу не воспользовалась автомобилем, чтобы не угостить шофера папиросами.

Между прочим, об этом тепле, излучавшемся от нее, очень хорошо сказала Роза Люксембург.

К революционному движению Клара Цеткин пришла через знакомство с русским революционным студенчеством, и это привело ее к любви к России, к какой-то внутренней связи с этой страной. Клара говорила об этом не раз.

«Что дала мне русская революция в труднейшие для меня времена, этого словами не передашь», — как-то сказала она.

А в 1931 году, рекомендуя одну из своих сотрудниц для работы в СССР, она добавляет: «Мое сердце вместе с нею летит к вам в страну и к людям моих надежд».

Живя в Москве в 1923 году, Клара Цеткин писала: «...каким бы тяжелым, сложным, даже трагическим ни казалось положение, мне кажется, что с Советской Россией ничто не может случиться, здесь уже прочно укоренился новый мир».

На полное волнения письмо Елены Стасовой о том, что она может устроить ей хорошую квартиру, в 1932 году Клара отвечала: «Где и как бы я ни жила у Вас, я везде буду чувствовать себя дома».

Надо сказать, что В. И. Ленин очень высоко ценил К. Цеткин. Один характерный в этом отношении случай произошел весной 1919 года. Через многие руки до Владимира Ильича дошла небольшая записочка К. Цеткин с сообщением о ее работе. Побывав во многих руках, записочка вся расплылась, но Владимиру Ильичу хотелось во что бы то ни стало прочитать ее, и он поручил Елене Стасовой заняться этим делом. Разобрать оказалось возможным только несколько слов.

В другой раз В. И. Ленин поручил Елене Стасовой собрать весь материал, который можно было тогда раздобыть, о положении женщин в 1919 году в Советской России и послать его Кларе, которая нуждалась в нем для своей работы среди женщин.

Совершенно исключительным было отношение Клары Цеткин к В. И. Ленину, о чем она так ярко и образно рассказывала в своих воспоминаниях о нем, которые вышли отдельным изданием. По поводу своих воспоминаний о В. И. Ленине Клара писала, что они «дословны», и выпустила она из них лишь то, что касалось лично ее самой или же современной тогда ситуации и лиц, игравших в то время ту или другую роль.

В частных беседах Клара не раз возвращалась к одному случаю из ее жизни, а именно к выходу ее из ЦК Германской Компартии, когда она была не согласна с линией ЦК. Было это в 1921 году. И вот Владимир Ильич резко осудил за это Клару, считая, что выход из ЦК есть нарушение партийной дисциплины, и взял с нее слово, — или, как она говорила, «я била ему на том руку», — что никогда в жизни она больше так не поступит. Она обещала ему, что в случае каких-либо крупных сомнений будет советоваться с ним или с «русскими друзьями». Этому своему слову Клара осталась верна до конца своей жизни.

Диапазон ее работы был огромный. Ведь Клара одновременно работала как член ЦК Компартии Германии, как бессменный секретарь и редактор журнала Международного женского секретариата, как член президиума Исполкома Коминтерна, а с 1927 года к этим многочисленным обязанностям прибавился еще пост председателя Международной организации помощи борцам революции (МОПР).

Конечно, только колоссальная работоспособность Цеткин давала ей возможность справляться со всеми этими задачами, и как справляться! Ведь Клара всегда искала корень вещи, старалась понять ее во всем объеме, во всей ее глубине. Огромную помощь в ее работе, конечно, оказывало ее великолепное знание, кроме родного немецкого языка, английского, французского и итальянского. Живя долго в Советском Союзе, Клара Цеткин неплохо овладела и русским языком.

Коммунистический Интернационал использовал знание К. Цеткин языков и ее прекрасное марксистское образование, чтобы делегировать ее с ответственными поручениями на конгресс Французской социалистической партии в Туре, на конгресс Итальянской социалистической партии в Ливорно. На этих конгрессах, как известно, образовались компартии Франции и Италии.

И в первом и во втором случае К. Цеткин пришлось присутствовать нелегально, но она прошла хорошую школу конспирации во время исключительных законов против социалистов в Германии. Недаром она была в свое время правой рукой германского «Красного почтмейстера» Моттелера.

Поражала ее необыкновенная память. Она с легкостью цитировала на любом языке, знакомом ей, наизусть отрывки из стихотворений, поэм или научных статей. И это делало язык ее выступлений, статей и писем образным, ярким и красивым. Оратором К. Цеткин была блестящим. Силе ее слова трудно было противостоять противникам — так ярок был сарказм ее разоблачений и меткость эпитетов.

Клара считала, что не всякий товарищ способен быть воспитателем молодежи, что для этого нужны специальные способности. Воспитатель юношества в революционном духе должен быть, по ее словам, всей душою революционером, а не более или менее ловким «граммофоном коммунистических партийцев». В одном из писем К. Цеткин высказывает мнение, что личность воспитателя играет огромную роль и что эта личность иной раз воспитывает больше, чем самые мудрые уроки. Она по этому поводу приводила даже стихи Гете:

Чего в нас нет, нам не поймать, мой милый!
Но из груди оно течет,
Откуда с первобытной силой
У слушателя к сердцу льнет.

А к вопросу о влиянии на молодежь Клара неоднократно возвращалась как в письмах, так и в личных беседах.

Соратники вспоминали ее несправедливые оценки отдельных людей. И нет в этом ничего удивительного, так как Клара была человеком, а, говоря словами римлян, — «я человек, и ничто человеческое мне не чуждо». Но Клара была необыкновенным человеком, она была страстным человеком в любви и ненависти, и это, конечно, заставляло ее делать ошибки, но, говоря ее словами, она была «таким человеком, какой мне нужен, чтобы быть твердым: человеком, в котором я могу любить всех людей и то, что освободит нас всех и сделает нас благороднее, — Революцию».

Клара Цеткин буквально горела в огне революции. Что же давало ей жизненные силы? Ведь ее энергия поражала.

Где мотив ее деятельности, что являлось источником ее активности? Фрейд первый начал научное исследование мотивации. Он задался целью найти первичный источник жизненной активности, источник всех мотивов, жизненную энергию. Для этого Фрейд обращается к глубинному анализу бессознательных мотивов, к детским переживаниям пациентов, ставшим причиной неврозов.

В результате многолетней клинической практики Фрейд показал, что в основе комплексов невротических симптомов лежат подавленные и вытесненные в бессознательное сексуальные устремления. Многие из форм человеческой деятельности, аспектов поведения, явлений культуры оказались формами символической реализации подавленных сексуальных устремлений.

Это открытие поразило воображение Фрейда не менее, чем потом поражало воображение всех его поклонников и недоброжелателей. Роль сексуальности в человеческой культуре оказалась несравненно большей, чем это можно было предполагать. Под впечатлением этого открытия Фрейд и построил первый вариант своей концепции жизненной активности.

По этой теории первичным источником жизненной активности вообще является сексуальный инстинкт, «сексуальная энергия», которой Фрейд дал название «либидо». Эта энергия стремится найти выход, реализоваться в каких-то сексуальных действиях. Однако система усвоенных человеком социальных запретов («сверх-Я»), реализуемая механизмом цензуры, не дает выхода этой энергии, которая подавляется, как бы сжимается в сгустки, «сублимируется». Эта сублимированная энергия находит выход, удовлетворение не в символической реализации, как в сновидениях, но через какие-то социальные действия. Так сублимация и инверсия сексуальной энергии оказывается главной пружиной, двигающей все многообразие человеческой деятельности.

Удивительно, но факт: Фрейд с симпатией отнесся к октябрьскому перевороту, в нем он увидел черты «громадного культурного эксперимента, который в настоящее время совершается на обширных пространствах между Европой и Азией».

НЕВЕСТКА ТРОЦКОГО
СТАЛА НЕВРОТИКОМ

Все, кто близко знал Троцкого, характеризовали его как хорошего семьянина. Его дети и жена очень сильно любили главу семейства, были преданы ему. Эту преданность не разделяла только его невестка Жанна — жена его сына Льва Седова. После загадочной смерти Льва Седова Жанна затеяла судебную тяжбу с родителями своего мужа.

Вот письмо Л.Троцкого министру юстиции Франции с просьбой разрешить приезд в Мексику его внука Всеволода Волкова, родившегося в Ялте 7 мая 1926 года. В.Волков, сын дочери Троцкого от первого брака и Платона Волкова, бывшего члена ЦК профсоюза работников просвещения, арестованного в 1928 году, приехал в Мексику за год до гибели Л.Троцкого в сопровождении активных членов французской секции IV Интернационала Альфреда Грио и его супруги. Жанна Молинье, воспитывавшая Всеволода в течение нескольких лет и очень привязанная к нему, опасаясь за его жизнь, противилась отъезду Всеволода к деду.

Койоакан, 7 февраля 1939 года.
Господин министр!
Если я позволяю себе отвлечь ваше внимание по личному делу, то не только, конечно, потому, что оно крайне важно для меня — этого было бы недостаточно, но и потому, что оно в вашей компетенции. Речь идет о моем внуке Всеволоде Волкове, мальчугане 13 лет, который сейчас живет в Париже и которого я хочу взять к себе в Мексику, где живу сейчас.

Вкратце история этого мальчугана такова. В 1931 году он уехал из Москвы со своей матерью, моей дочерью Зинаидой, по мужу Волковой, которая с разрешения советского правительства выехала за границу для лечения туберкулеза. В этот самый момент советские власти лишили меня, как и мою дочь, советского гражданства. Моя дочь вынуждена была забрать свой паспорт после визита в советское консульство в Берлине. Оторванная от других членов своей семьи, Зинаида Волкова покончила с собой в январе 1933 года. Всеволод остался в семье моего сына Льва Седова, который жил тогда в Берлине со своей подругой г. Жанной Молинье, француженкой по национальности. После прихода Гитлера к власти мой сын вынужден был эмигрировать в Париж с г. Жанной Молинье и мальчуганом. Как вы, г. министр, может быть, знаете, мой сын умер 16.II.38 г. в

139

Париже при обстоятельствах, которые продолжают оставаться для меня таинственными. С тех пор мальчик находится в руках г. Жанны Молинье.

Юридическая ситуация Всеволода Волкова следующая. Его мать, как я сказал, умерла. Его отец, который жил в СССР, исчез бесследно почти 5 лет назад. Так как он принимал в прошлом активное участие в деятельности оппозиции, не может быть сомнения, что он погиб во время одной из «чисток». Советские власти считают, конечно, Всеволода Волкова лишенным советского гражданства, ждать от них справок или каких-либо документов было бы абсолютной иллюзией. Я остаюсь, таким образом, единственным кровным родственником Всеволода, моего законного внука. Если в настоящих условиях нелегко доказать это официальными документами, можно без труда установить это (если какие-то уточнения необходимы) свидетельством десятка французских граждан, которые хорошо знают ситуацию моей семьи. В списке, приложенном к этому письму, я даю фамилии некоторых из них.

Всеволод Волков не имеет никаких родственных связей, прямых или косвенных, во Франции или в какой-то другой стране. Г.Жанна Молинье не имеет с ним никакой родственной связи ни по крови, ни по браку. Я предложил г.Жанне Молинье, в руках которой находится сейчас мальчуган, приехать с ним в Мексику. Из-за своего характера она отказалась. Не имея возможности самому поехать во Францию, я вынужден организовать отъезд внука через третьих лиц. Представитель моих интересов в этом вопросе г.Жерар Розенталь, судебный адвокат, Париж, д'Эдинбург, 15.

Чтобы облегчить необходимые расследования, я позволю себе указать, что французские власти 2 раза разрешали Всеволоду Волкову проживание во Франции, первый раз в конце 1932 года при отъезде из Константинополя, второй раз в 1934 году при отъезде из Вены. Оба раза Всеволод Волков получал разрешение как мой внук. Переписка по этому делу должна находиться в архивах МВД и дает надежное основание для того решения, о котором я ходатайствую. Мексиканское правительство уже передало инструкции своему консульству в Париже, чтобы Всеволоду Волкову был без всяких осложнений разрешен въезд в Мексику. Остальное зависит только от французских властей.

Очень простое и абсолютно вне всяких осложнений с материальной т. зр. дело может, учитывая все обстоятельства, указанные выше, показаться с юридической т. зр. крайне сложным, так как Всеволод Волков не имеет никаких бумаг, подтверждающих то, что я только что изложил. Если дело такого рода столкнется с бюрократией, оно может тянуться бесконечно. Ваше вмешательство, г. министр, может разрубить узел в течение 24 часов. Именно это вынуждает меня занять ваше внимание.

Прошу принять, г. министр, уверения в моих искренних чувствах.

Лев Троцкий

Это были нелегкие дни для кремлевского изгнанника (Троцкий жил в ту пору в Мексике). Но, как всегда в трудное время, поддержку Троцкому оказала его жена.

Жена Троцкого, Наталья Седова, была авторитетом для мужа. Кроме всего прочего, она тоже писала. Например, о высылке в Центральную Азию: «16 января 1928 г., с утра упаковка вещей. У меня повышена температура, кружится голова от жара и слабости — в хаосе только что перевезенных из Кремля вещей и вещей, которые укладываются для отправки с нами. Затор мебели, ящиков, белья, книг и бесконечных посетителей — друзей, приходивших проститься. Ф. А. Гетье, наш врач и друг, наивно советовал отсрочить отъезд ввиду моей простуды. Он себе неясно представлял, что означает наша поездка и что значит теперь отсрочка. Мы надеялись, что в вагоне я скорей оправлюсь, так как дома, в условиях «последних дней» перед отъездом, скоро не выздороветь. В глазах мелькают все новые и новые лица, много таких, которых я вижу первый раз. Обнимают, жмут руки, выражают сочувствие и пожелания... Хаос увеличивается приносимыми цветами, книгами, конфетами, теплой одеждой и пр. Последний день хлопот, напряжения, возбуждения подходит к концу. Вещи увезены на вокзал. Друзья отправились туда же. Сидим в столовой всей семьей, готовые к отъезду, ждем агентов ГПУ. Смотрим на часы... девять.. девять с половиной... Никого нет... Десять. Это время отхода поезда. Что случилось? Отменили? Звонок телефона. Из ГПУ сообщают, что отъезд наш отложен, причин не объясняют. «Надолго?» — спрашивает Л. Д. — «На два дня, — отвечают ему, — отъезд послезавтра». Через полчаса прибегают вестники с вокзала, сперва молодежь, затем Раковский и другие. На вокзале была огромная демонстрация. Ждали. Кричали: «Да здравствует Троцкий». Но Троцкого не видно. Где он? У вагона, назначенного для нас, бурная толпа. Молодые друзья выставили на крыше вагона большой портрет Л. Д. Его встретили восторженными «ура». Поезд дрогнул. Один, другой толчок... подался вперед и внезапно остановился. Демонстранты забегали вперед паровоза, цеплялись за вагоны и остановили поезд, требуя Троцкого. В толпе прошел слух, будто агенты ГПУ провели Л. Д. в вагон незаметно и препятствуют ему показаться провожающим. Волнение на вокзале было неописуемое. Пошли столкновения с милицией и агентами ГПУ, были пострадавшие с той и другой стороны, произведены были аресты. Поезд задержали часа на полтора. Через некоторое время с вокзала привезли обратно наш багаж. Долго еще раздавались телефонные звонки друзей, желавших убедиться, что мы дома, и сообщавшие о событиях на вокзале. Далеко за полночь мы отправились спать. После волнений последних дней проспали до 11 часов утра. Звонков не было. Все было тихо. Жена старшего сына ушла на службу: ведь еще два дня впереди. Но едва успели позавтракать, раздался звонок — пришла Ф. В. Белобородова... потом М. М. Иоффе. Еще звонок — и вся квартира заполнилась агентами ГПУ в штатском и в форме. Л. Д. вручили ордер об аресте и немедленной отправке под конвоем в Алма-Ату. А два дня, о которых ГПУ сообщило накануне? Опять обман! Эта военная хитрость была применена, чтоб избежать новой демонстрации при отправке. Звонки по телефону непрерывны. Но у телефона стоит агент и с довольно добродушным видом мешает отвечать. Лишь благодаря случайности удалось передать Белобородову, что у нас засада и что нас увозят силой. Позже нам сообщили, что «политическое руководство» отправкой Л. Д. возложено было на Бухарина. Это вполне в духе сталинских махинаций... Агенты заметно волновались. Л. Д. отказался добровольно ехать. Он воспользовался предлогом, чтоб внести в положение полную ясность. Дело в том, что Политбюро старалось придать ссылке по крайней мере наиболее видных оппозиционеров видимость добровольного соглашения. В этом духе ссылка изображалась перед рабочими. Надо было разбить эту легенду и показать то, что есть, притом в такой форме, чтоб нельзя было ни замолчать, ни исказить. Отсюда возникло решение Л. Д. заставить противников открыто применить насилие. Мы заперлись вместе с двумя нашими гостьями в одной комнате. С агентами ГПУ переговоры велись через запертую дверь. Они не знали, как быть, колебались, вступили в разговоры со своим начальством по телефону, затем получили инструкции и заявили, что будут ломать дверь, так как должны выполнить приказание. Л. Д. тем временем диктовал инструкцию о дальнейшем поведении оппозиции.

Мы не открывали. Раздался удар молотка, стекло двери превратилось в осколки, просунулась рука в форменном обшлаге. «Стреляйте в меня, т. Троцкий, стреляйте», — суетливо-взволнованно повторял Кишкин, бывший офицер, не раз сопровождавший Л.Д. в поездках по фронту. — «Не говорите вздора, Кишкин, — отвечал ему спокойно Л. Д., — никто в вас не собирается стрелять, делайте свое дело». Дверь отперли и вошли, взволнованные и растерянные. Увидя, что Л. Д. в комнатных туфлях, агенты разыскали его ботинки и стали надевать их ему на ноги. Отыскали шубу, шапку... надели. Л. Д. отказался идти. Они его взяли на руки. Мы поспешили за ними. Я накинула шубу, боты... Дверь за мной сразу захлопнулась. За дверью шум. Криком останавливаю конвой, несший Л. Д. по лестнице, и требую, чтоб пропустили сыновей: старший должен ехать с нами в ссылку. Дверь распахнулась, оттуда выскочили сыновья, а также обе наши гостьи, Белобородова и Иоффе. Все они прорвались силой. Сережа применил свои приемы спортсмена. Спускаясь с лестницы, Лева звонит во все двери и кричит: «Несут т. Троцкого». Испуганные лица мелькают в дверях квартир и по лестнице. В этом доме живут только видные советские работники. Автомобиль набили битком. С трудом вошли ноги Сережи. С нами и Белобородов. Едем по улицам Москвы. Сильный мороз. Сережа без шапки, не успел в спешке захватить ее, все без галош, без перчаток, ни одного чемодана, нет даже ручной сумки, все совсем налегке. Везут нас не на Казанский вок-

145

зал, а куда-то в другом направлении, — оказывается, на Ярославский. Сережа делает попытку выскочить из автомобиля, чтоб забежать на службу к невестке и сообщить ей, что нас увозят. Агенты крепко схватили Сережу за руки и обратились к Л. Д. с просьбой уговорить его не выскакивать из автомобиля. Прибыли на совершенно пустой вокзал. Агенты понесли Л. Д., как и из квартиры, на руках. Лева кричит одиноким железнодорожным рабочим: «Товарищи, смотрите, как несут т. Троцкого». Его схватил за воротник агент ГПУ, некогда сопровождавший Л. Д. во время охотничьих поездок. «Ишь, шпингалет», — воскликнул он нагло. Сережа ответил ему пощечиной опытного гимнаста. Мы в вагоне. У окон нашего купе и у дверей конвой. Остальные купе заняты агентами ГПУ. Куда едем? Не знаем. Вещей нам не доставили. Паровоз с одним нашим вагоном двинулся. Было 2 часа дня. Оказалось, что окружным путем мы направлялись к маленькой станции, где нас должны были прицепить к почтовому поезду, вышедшему из Москвы, с Казанского вокзала, на Ташкент. В пять часов мы простились с Сережей и Белобородовой, которые должны были со встречным поездом вернуться в Москву. Мы продолжали путь. Меня лихорадило. Л. Д. был настроен бодро, почти весело. Положение определилось. Общая атмосфера стала спокойней. Конвой предупредителен и вежлив. Нам было сообщено, что багаж наш идет со следующим поездом и что во Фрунзе (конец нашего железнодорожного пути) он нас нагонит — это зна-

146

чит на девятый день нашего путешествия. Едем без белья и без книг. А с каким вниманием и любовью Сермукс и Познанский укладывали книги, тщательно подбирая их — одни для дороги, другие для занятий на первое время, — как аккуратно Сермукс уложил письменные принадлежности для Л. Д., в качестве стенографа и секретаря. Л. Д. в дороге всегда работал с утроенной энергией, пользуясь отсутствием телефона и посетителей, и главная тяжесть этой работы ложилась сперва на Глазмана, потом на Сермукса. Мы оказались на этот раз в дальнем путешествии без единой книги, без карандаша и листа бумаги. Сережа перед отъездом достал для нас Семенова-Тян-Шанского — научный труд о Туркестанском крае, — в дороге мы собирались ознакомиться с нашим будущим местожительством, которое мы представляли себе лишь приблизительно. Но и Семенов-Тян-Шанский остался в чемодане вместе с другими вещами в Москве. Мы сидели в вагоне налегке, точно переезжали из одной части города в другую. К вечеру вытянулись на скамьях, опираясь головами на подлокотники. У приоткрытых дверей купе дежурили часовые.

Что нас ожидало дальше? Какой характер примет наше путешествие? А ссылка? В каких условиях мы там окажемся? Начало не предвещало ничего хорошего. Тем не менее мы чувствовали себя спокойно. Тихо покачивался вагон. Мы лежали, вытянувшись на скамьях. Приоткрытая дверь напоминала о тюремном положении. Мы устали от неожиданностей, неопределенности, напряжения последних дней и теперь отдыхали. В вагоне было тихо. Конвой молчал. Мне нездоровилось. Л. Д. всячески старался облегчить мое положение, но он ничем не располагал, кроме бодрого, ласкового настроения, которое сообщалось и мне. Мы перестали замечать окружающую обстановку и наслаждались покоем. Лева был в соседнем купе. В Москве он был полностью погружен в работу оппозиции. Теперь он отправился с нами в ссылку, чтоб облегчить наше положение, и не успел даже проститься с женой. С этих пор он стал нашей единственной связью с внешним миром. В вагоне было почти темно, стеариновые свечи горели тускло над дверью. Мы продвигались на восток».

Лев Троцкий безумно любил свою вторую жену Наталью Ивановну Седову. «Твоя верная собака», — так подписался он под одним из писем к ней. В дневниках Троцкого многие страницы посвящены Наталье.

Вот запись, которая относится к 1935 году:

«Сегодня гуляли — поднимались в гору... Н. устала и неожиданно села, побледневшая, на сухие листья (земля еще сыровата). Она прекрасно ходит и сейчас еще, — не уставая, и походка у нее совсем молодая, как и вся фигура. Но за последние месяцы сердце иногда дает себя знать, она слишком много работает, со страстью (как все, что она делает), и сегодня это сказалось при крутом подъеме в гору. Н. села сразу, видно, что дальше не могла, и улыбнулась виноватой улыбкой. Как мне стало жаль молодости, ее молодости... Из парижской оперы ночью мы бежали, держась за руки, к себе на rue Gassendi, 46, au pas

148

gymnastique...это было в 1903 году... нам было вдвоем 46 лет, — Н. была, пожалуй, неутомимее. Однажды мы целой группой гуляли где-то на окраине Парижа, подошли к мосту. Крутой цементный бык спускался с большой высоты. Два небольших мальчика перелезли на быка через парапет моста и смотрели сверху на прохожих. Н. неожиданно подошла к ним по крутому и гладкому скату быка. Я обомлел. Мне казалось, что подняться невозможно. Но она шла на высоких каблуках своей гармоничной походкой, с улыбкой на лице, обращенном к мальчикам. Те с интересом ждали ее. Мы все остановились в волнении. Не глядя на нас, Н. поднялась вверх, поговорила с детьми и так же спустилась, не сделав, на вид, ни одного лишнего усилия и ни одного неверного движения... Была весна и так же ярко светило солнце, как и сегодня, когда Н. неожиданно села в траву...

«Против этого нет сейчас никаких средств», — писал Энгельс о старости и смерти. По этой неумолимой дуге, меж рождением и могилой, располагаются все события и переживания жизни. Эта дуга и составляет жизнь. Без этой дуги не было бы не только старости, но и юности. Старость «нужна», потому что в ней опыт и мудрость. Молодость, в конце концов, потому так и прекрасна, что есть старость и смерть».

«Политика вообще быстро изнашивает людей, а революция тем более», — утверждал Троцкий.

Лев Троцкий (Лейба Бронштейн) родился в 1879 году в семье одного из очень немногих в России еврейских помещиков.

В своих воспоминаниях Лев Троцкий часто обращался к впечатлениям своего детства:

«Я лежал с перевязанным горлом, и мне дали в утешение Диккенса «Оливер Твист». Первая же фраза доктора в родильном доме насчет того, что у женщины нет на руке кольца, поставила меня в тупик. «Что это значит? — спрашивал я Моисея Филипповича. — При чем тут кольцо?» — «А это, — ответил он мне замявшись, — когда не венчанные, тогда нет кольца». И судьба Оливера Твиста развертывалась в моем воображении из кольца, из того кольца, которого не было. Запретный мир человеческих отношений толчками врывался в мое сознание через книги, и многое, уже слышанное в случайной, чаще всего грубой и непристойной форме, теперь через литературу обобщалось и облагораживалось, поднимаясь в какую-то более высокую область».

Троцкий объяснял, что выбрал партийный псевдоним Троцкий по имени того жандарма, который его допрашивал.

Самые различные легенды существуют относительно роли Троцкого в практической организации октябрьского переворота. «В этот период, — писал в 1965 году профессор И.Дашковский, — имена Ленина и Троцкого неизменно шли рядом и олицетворяли собой Октябрьскую революцию не только на знаменах, плакатах и лозунгах Октября, но и в прочном сознании партии, народа страны...»

По мере развития болезни Ленина значительная часть большевиков начала воспринимать Троцкого как наиболее вероятного преемника вождя партии и государства. Но Троцкий проиграл во внутриполитической борьбе. Так говорят историки.

Лев Троцкий придумал слова «нарком», «Совнарком», но отказался от поста Председателя Совнаркома: «Стоит ли давать в руки врагам такое дополнительное оружие, как мое еврейство».

На московском «открытом» судебном процессе в августе 1936 года был заочно приговорен к смертной казни. В это время он жил еще в Норвегии. Узнав первые подробности о московском процессе, Троцкий сразу же нарушил запрет: делал заявления для печати, направлял телеграммы в Лигу Наций, посылал обращения к различным митингам. Правительство Норвегии немедленно предложило Троцкому покинуть страну. Однако ни одна страна Запада не хотела пускать его. Только Мексика дала соглашение предоставить Троцкому политическое убежище. Он прибыл туда 9 января.

В Мексике Троцкий развернул политическую деятельность. Когда в Москве завершился последний большой «открытый процесс», Сталин поставил перед НКВД задачу — уничтожить Троцкого. Для убийства Троцкого в системе НКВД был создан специальный отдел. В 1938 году в одной из французских больниц после успешно проведенной операции аппендицита при странных обстоятельствах умер сын Троцкого Лев Седов. Был арестован и вскоре погиб его второй сын, Сергей, который был далек от политики и отказывался выехать с отцом за границу. В это же время по всем лагерям прошли массовые расстрелы троцкистов.

Первым доступ к архиву Троцкого получил (с согласия вдовы) бывший троцкист Исаак Дойчер. Он и стал главным из его биографов. Исаак Дойчер писал трилогию о Троцком десять лет. Первый том — «Вооруженный пророк» был издан в Лондоне в 1954 году, второй — «Разоруженный пророк» — в 1959. Последняя часть трилогии — «Пророк в изгнании» была издана в 1963 году и рассказывала не только о последних днях «пророка», но и о его семейном клане.

«Троцкий прекрасно сознавал, что жизнь Левы в опасности. Он неустанно призывал Леву к бдительности, требовал избегать любых контактов с людьми, «которых ГПУ способно держать в руках», особенно из числа мучающихся ностальгией русских эмигрантов. Как раз накануне убийства Рейсса он писал: «В случае покушения на тебя или на меня обвинят Сталина, но ведь ему нечего терять — во всяком случае, в смысле чести». Тем не менее Троцкий не поощрял предложений об отъезде Левы из Франции. Когда Лева настаивал на том, что он «незаменим в Париже» и обещал, что в целях безопасности будет жить инкогнито (как Троцкий в Барбизоне), отец ответил, что отъезд Левы из Франции ничего не даст: в США его вряд ли впустят, а в Мексике его безопасность будет обеспечена куда хуже, чем во Франции. Он не хочет, чтобы сын запер себя в «полутюрьме» Койоакана.

Разлад между отцом и сыном тоже, видимо, сыграл роль в том, что ни тот, ни другой не слишком стремились увидеться. Последнее письмо Троцкого на эту тему завершается скупо и натянуто: «Вот так, малыш, вот и все, что я могу тебе сказать. Немного. Но... это все... Что сумеешь получить от издателей, оставляй теперь себе. Понадобится. Обнимаю тебя, твой старик». Было в этом письме (за которое Троцкий так горько упрекал себя несколькими месяцами спустя) что-то от послания бойцу, удерживавшему обреченный аванпост без малейшей надежды на помощь. Но у Троцкого были основания считать, что в Мексике Лева не найдет большей безопасности, чем во Франции.

В Мексике осело множество агентов ГПУ, часто под видом беженцев из Испании, а кампания за высылку из страны Троцкого принимала все более широкий характер. К концу года в Мехико все стены были обклеены плакатами, обвинявшими Троцкого в том, что он в сговоре с реакционно настроенными генералами готовится свергнуть президента Карденаса и установить в стране фашистскую диктатуру. Предсказать, куда заведут подобные нападки, было невозможно.

Мрак, сгущавшийся все эти месяцы, лишь один раз прорезал светлый луч — когда в сентябре Комиссия Дьюи завершила контрпроцесс и вынесла вердикт, недвусмысленно гласящий: «На основании всех рассмотренных доказательств... мы признаем (московские) процессы августа 1936-го и января 1937-го фальсифицированными... Мы признаем Льва Троцкого и Льва Седова невиновными». Троцкий встретил вердикт радостно. Но если он и имел какой-то эффект, то самый небольшой. Голос Дьюи привлек определенное внимание в США, но не был услышан в

Европе, занятой драматическими событиями года, последнего года перед Мюнхеном, Народным фронтом во Франции и превратностями гражданской войны в Испании. Вновь Троцкого постигло разочарование. Когда же случилась задержка с изданием номера «Бюллетеня», в котором был напечатан текст вердикта, он настолько разгневался, что обрушился на Леву за это, как он его назвал, «преступление» и за «политическую слепоту». «Я крайне неудовлетворен, — писал он Леве 21 января 1938 года, — тем, как издается «Бюллетень», и вынужден вновь поставить вопрос о его переводе в Нью-Йорк».

К этому моменту у Левы уже иссякали силы. Он вел, выражаясь словами Сержа, «адскую жизнь». Нищету и личные горести переносил куда легче, чем удары, наносимые его гордости и вере. Еще раз процитируем Сержа: «Не единожды, пробродивши всю ночь до рассвета по Монпарнасу, мы вместе пытались распутать клубок московских процессов. То и дело останавливаясь под уличным фонарем, один из нас восклицал: «Это просто какой-то безумный лабиринт». Усталый, без единого су в кармане, вечно озабоченный судьбой отца, Лева жил в этом лабиринте постоянно, повторяя, как эхо, за отцом его мысли. Но каждый новый процесс что-то надламывал в его душе. С людьми, оказавшимися на скамье подсудимых, были связаны лучшие воспоминания его детства и юности: Каменев был его дядей, Бухарин — чуть ли не товарищем по играм; Раковский, Смирнов, Муралов, многие другие — старшие друзья и товарищи, все пылко любимые им за революционные достоинства и отвагу.

Мучительно размышляя над их падением, Лева не мог смириться с ним. Как же удалось сломить каждого из них и заставить ползать в луже грязи и крови? Неужели хотя бы один из них не встанет в зале суда, не откажется от вырванного признания, не порвет в клочья лживые и ужасные обвинения? Тщетно ждал этого Лева. Сообщение о том, что процессы поддержала вдова Ленина, вызвало шок и боль. В который раз повторял он, что сталинская бюрократия, стремящаяся стать новым имущим классом, в конечном счете предала революцию, но и это объяснение не давало ответа на вопрос: почему столько крови? Да, безумный лабиринт — под силу ли найти из него выход даже гению отца?

Душевная усталость, отчаяние, лихорадка, бессонница. Не желая оставлять свой пост, он все откладывал операцию аппендицита, несмотря на повторяющиеся острые приступы. Ел мало, стал очень нервен, ходил понурив голову. Тем не менее в начале февраля выпустил наконец номер «Бюллетеня» с текстом вердикта Комиссии Дьюи, радостно сообщил об этом в Койоакан, приложив гранки и обрисовав планы работы на будущее, ни словом не обмолвившись о своем здоровье. Это было его последнее письмо родителям.

8 февраля он все еще работал, но целый день ничего не ел и провел много времени с Этьеном. Вечером снова приступ, самый тяжелый из всех. Больше откладывать операцию нельзя, и Лева написал письмо, которое, запечатав, отдал жене, пре-

155

дупредив, что вскрыть его надлежит только в том случае, если с ним что-нибудь случится. Затем снова разговаривал с Этьеном и больше видеть никого не хотел. Они решили, что Леве не стоит ложиться во французскую больницу под собственным именем, потому что тогда ГПУ легко узнает, где он. Леве надлежало обратиться в небольшую частную клинику русских врачей-эмигрантов под именем мосье Мартена, французского инженера, и говорить там только по-французски. Никто из французских товарищей, однако, не должен был знать, где он, и не должен был его навещать. Обговорив детали, Этьен вызвал «скорую».

Даже на самый поверхностный взгляд все это казалось полным абсурдом. Уж где-где, но только не в среде русских эмигрантов Лева мог сойти за француза. Тем более, что он вполне мог заговорить по-русски в лихорадке или под наркозом. И просто невероятно, чтобы во всем Париже для него нельзя было подыскать другой больницы, кроме той, где весь персонал укомплектован людьми, которых после убийства Рейсса он сторонился как чумы. И однако он сразу же согласился лечь туда, хотя, когда жена и Этьен доставили его в больницу, он не был ни в бреду, ни в забытьи». Видно, у него притупился инстинкт самосохранения и способность критически осмысливать происходящее.

Оперировали его в тот же вечер. Следующие несколько дней он, казалось, быстро шел на поправку. Кроме жены его навещал один лишь Этьен. Его визиты ободряли Леву. Они говорили о политике, об организационных делах. Лева неизменно просил Этьена зайти к нему еще раз как можно скорее. Когда некоторые французские троцкисты выражали желание навестить Леву, Этьен с видом заговорщика объяснял, что это невозможно и что для того, чтобы утаить адрес больницы от ГПУ, приходится утаивать его и от них. Когда один французский товарищ выразил обеспокоенность столь избыточной секретностью, Этьен обещал переговорить с Левой, но к больному так никого и не пустили.

Прошло четыре дня. У больного внезапно наступило ухудшение. Начались приступы боли, он потерял сознание. В ночь на 13 февраля его видели шагающего полуголым в лихорадочном состоянии по коридорам и палатам, почему-то оставленным без охраны и присмотра, и бредившим по-русски. Следующим утром оперировавший его врач был настолько изумлен его состоянием, что спросил у Жанны, не мог ли ее муж покушаться на самоубийство, не было ли у него в недавнее время подобных настроений. Расплакавшись, Жанна отвергла предположения врача и заявила, что Леву, наверное, отравили агенты ГПУ. Леву срочно прооперировали заново, но улучшения не последовало. Больной испытывал страшные муки, постоянные переливания крови не помогли. 16 февраля 1938 года в возрасте тридцати двух лет Лева скончался.

Погиб ли он, как уверяла его вдова, от рук ГПУ? Многие косвенные свидетельства подтверждают это. На московских процессах его клеймили как активнейшего помощника отца, как начальника штаба троцкистско-зиновьевского заговора. «Молодой работает хорошо, без него Старику было бы трудно», — часто говорили в здании ГПУ в Москве, согласно свидетельству Рейсса и Кривицкого. Лишить Троцкого помощи Левы было в интересах ГПУ, тем паче, что это, безусловно, удовлетворило бы мстительность Сталина. ГПУ держало подле Левы надежного информатора и агента, доставившего его туда, где он должен был принять смерть. У ГПУ были все основания надеяться, что, убрав с дороги Леву, этот агент займет его место в русской «секции» троцкистской организации и выйдет непосредственно на самого Троцкого. В клинике не только врачи и сестры, но даже повара и швейцары были из русских эмигрантов, и некоторые из них состояли в Обществе содействия возвращению на Родину. Ничто не могло быть проще для ГПУ, чем найти среди них агента, способного дать пациенту яд. Имея столько убийств на совести, остановилось бы ГПУ перед еще одним?

И все-таки ничего достоверного на сей счет мы не знаем. Дознание, проведенное по настоянию Жанны, следов умышленного отравления не обнаружило. Полиция и врачи категорически отрицали, что на Леву кто-то покушался. Причины смерти назывались следующие: послеоперационное осложнение (непроходимость кишечника), сердечная недостаточность, низкая сопротивляемость организма. Известный врач, друг семьи Троцких, согласился с их мнением. С другой стороны, Троцкий и его невестка поставили ряд уместных вопросов, так и оставшихся без ответа. Случайно ли Лева оказался в русской клинике? (Троцкий не знал, что Этьен уведомил об этом ГПУ, как только вызвал «скорую», в чем позже сознался сам.) Персонал клиники заявил, что не имел представления о национальности и личности Левы. Но свидетели подтверждают, что слышали, как Лева бредил и даже спорил по-русски с кем-то о политике. Почему лечащий врач Левы был склонен объяснить ухудшение его состояния попыткой самоубийства, а не естественными причинами? По свидетельству Левиной вдовы, этот врач, как только разразился скандал, перепугался и набрал в рот воды, сославшись на то, что обязан-де хранить профессиональную тайну.

Тщетно пыталась Жанна обратить внимание следователя на темные обстоятельства дела, тщетно напоминал Троцкий, что рутинное дознание не учитывает того, что ГПУ может применять какие-то особенные, «усовершенствованные и таинственные» методы убийства. Замяла ли французская полиция это дело, как предполагал Троцкий, чтобы скрыть собственную некомпетентность? Или внутри Народного фронта сработал механизм могущественных политических влияний, предотвративший тщательное расследование? Семье не оставалось ничего иного, как требовать нового дознания.

Когда новость достигла Мексики, Троцкого не было в Койоакане. Несколькими днями ранее Ривера засек неизвестных людей, шатающихся вокруг Голубого Дома и ведущих слежку за его обитателями с оборудованного поблизости наблюдательного пункта. Встревожившись, он договорился со своим другом, старым революционером

Антонио Идальго, что Троцкий поживет некоторое время у него близ парка Чапультепек. Там 16 февраля Троцкий работал над эссе «Их мораль и наша», когда впервые газеты сообщили о смерти Левы. Прочитав об этом, Ривера позвонил в Париж в надежде услышать опровержение и затем отправился к Троцкому в Чапультепек. Троцкий отказывался верить, кричал на Риверу, указал ему на дверь; но затем отправился с ним в Койоакан, чтобы сказать обо всем Наталье.

«Я просто... разбирала наши старые фотографии, фотографии наших детей, — писала она. — Позвонили в дверь, и я с удивлением увидела входящего в дом Льва Давыдовича и пошла ему навстречу. Он склонил голову. Я никогда не видела его таким — внезапно постаревшим, с пепельно-серым лицом.

— Что случилось? — спросила я тревожно. — Ты заболел?

— Заболел Лева, — ответил он. — Наш маленький Лева».

В течение многих дней Троцкий и Наталья оставались взаперти, окаменевшие от горя, не в состоянии работать с секретарями, принимать друзей, отвечать на соболезнования. «Никто не сказал ему ни слова, видя, сколь велико его горе». Когда Троцкий вышел из комнаты через восемь дней, глаза его опухли, борода была нестрижена, он не мог выдавить ни слова. Несколько недель спустя он писал Жанне: «Наталья... все еще не в состоянии ответить Вам. Она читает и перечитывает Ваши письма и плачет, плачет. Все время, когда я не работаю... я плачу вместе с ней».

С горем смешивались угрызения совести за резкие попреки, которыми он осыпал сына весь последний год, и за совет остаться в Париже. Вот уже третий раз он оплакивал свое дитя и каждый раз испытывал все большее раскаяние. После смерти Зины он упрекал себя за то, что не смог ее утешить и даже вовсе не писал ей в последние недели. Зина отдалилась от него, а потом покончила с собой. И вот теперь Лева принял смерть на посту, который он приказал ему удерживать. Из его детей никто не участвовал в такой мере в его жизни и борьбе, как Лева, ни одна другая утрата не причинила ему такой боли.

В эти траурные дни он написал некролог, своего рода погребальную песнь, уникальную в мировой литературе:

«Сейчас, когда мы вместе с матерью Льва Седова пишем эти строки... мы все еще не можем поверить в его смерть. Не только потому, что он был нашим сыном, верным, преданным и любящим... Но потому, что он, как никто другой, вошел в нашу жизнь и врос в нее всеми своими корнями...

Старшее поколение, с которым мы вступили когда-то на путь революции.. сметено со сцены. Чего не смогли сделать царская тюрьма и каторга, тяготы жизни в ссылке, гражданская война, лишения и болезни, сумел за несколько лет сделать Сталин, злейший бич революции... Лучшая часть среднего поколения, те... кого разбудил 1917 год, кто получил закалку в рядах двадцати четырех армий, сражавшихся на фронтах революции, также подверглись истреблению.

Раздавлена и перебита... и лучшая часть молодого поколения, ровесники Левы... За годы ссылки мы обрели немало новых друзей, некоторые из них стали... для нас как бы членами семьи. Но мы встретились с ними... уже на пороге старости. Один лишь Лева знал нас молодыми. Он был частью нашей жизни с тех пор, как помнил себя. Оставаясь молодым, он стал почти что нашим современником...»

Просто и нежно описал он короткую жизнь Левы. Вот ребенок, что смело дерется с тюремщиками отца, носит в тюрьму передачи и книги, дружит с революционными матросами, прячется под скамьей в зале заседаний Советского правительства, чтобы подсмотреть, «как Ленин руководит революцией». Вот подросток, «в великие и голодные годы» гражданской войны приносящий домой в рукаве драной куртки буханку свежего хлеба, подаренную подмастерьями булочной, где он вел агитационную работу; подросток, презирающий бюрократические привилегии, отказывающийся ездить в машине отца, переселившийся из родительского дома в Кремле в общежитие пролетарских студентов, вместе со всеми чистящий на субботниках снег, разгружающий паровозы и участвующий в ликвидации безграмотности.

Вот юноша, оппозиционер, «без малейшего колебания» оставивший жену и ребенка, чтобы отправиться с родителями в изгнание; обеспечивающий отцу связь с внешним миром в Алма-Ате, где они жили, окруженные ГПУ, где Лева часто ночью, в дождь, встречался с товарищами то в лесу за городом, то в толпе на базаре, то в библиотеке, а то и в бане. «Каждый раз он возвращался счастливый и оживленный, с воинственным огоньком в глазах, с ценным трофеем под полой». «Как хорошо понимал он людей — он знал куда больше оппозиционеров, чем я... Его революционный инстинкт позволял ему безошибочно отличать настоящее от фальшивого... Глаза его матери — а она знала сына куда лучше, чем я, — светились гордостью».

Здесь нашло выход отцовское чувство раскаяния. Он вспоминал о своей требовательности в отношении к Леве, объясняя ее собственными «педантичными привычками в работе» и склонностью требовать наибольших усилий от самых близких людей — а кто был ближе Левы? Может показаться, что «наши отношения характеризовались известной отчужденностью и суровостью. Но под ними... жила глубокая, горячая взаимная привязанность, основанная на чем-то неизмеримо большем, нежели просто кровное родство, — на общности взглядов, общности симпатий и антипатий, на вместе пережитых радостях и горестях, на общих великих надеждах».

Кое-кто видел в Леве всего лишь «сыночка великого отца». Но они заблуждались, как и те, кто долгое время подобным образом воспринимал Карла Либкнехта. Лишь обстоятельства не позволили Леве проявить себя в полную силу. Здесь дается чересчур, пожалуй, щедрая оценка вклада Левы в литературную работу отца: «По справедливости, почти на всех моих книгах, написанных с 1929 года, его имя должно было стоять рядом с моим». С каким чувством радости и облегчения интернированные в Норвегию родители Левы получили экземпляр его «Красной книги», «первого сокрушительного удара по клеветникам в Кремле!» Как были правы сотрудники ГПУ, утверждавшие, «что без юнца Старику было бы куда тяжелее», — и насколько же тяжелее ему будет теперь!

Снова и снова вспоминал Троцкий об испытаниях, выпавших на долю этого «чувствительного и тончайшего человека»: бесконечный поток лжи и клеветнических измышлений; дезертирство и капитулянтство со стороны многих бывших друзей и товарищей; самоубийство Зины и, наконец, процессы, «глубоко потрясшие его душу». Какова ни была бы истинная причина Левиной смерти, умер ли он, не перенеся всех этих тягот, или был отравлен ГПУ, в любом случае «в его смерти повинны они (и их хозяин)».

Поминальный плач заканчивался на той же ноте, на которой начался:

«Его мать, бывшая ближе всех на свете к нему, и я, переживающие эти страшные минуты, вспоминаем одну его черту за другой, отказываясь верить, что его больше нет; и плачем, потому что не верить невозможно... Он был частью нас, нашей молодой частью... С нашим мальчиком умерло все, что оставалось в нас молодого... Ни твоя мать, ни я не думали, не гадали, что судьба вытянет нам такой жребий... что нам придется писать твой некролог... Но спасти тебя мы не сумели».

К тому времени было уже почти ясно, что Сергей тоже погиб, хотя никакой официальной информации о его судьбе не поступало — и не поступит даже двадцать пять лет спустя. Однако мы располагаем следующими сведениями от политического заключенного, сидевшего с ним в одной камере московских Бутырок в начале 1937 года: на протяжении нескольких месяцев 1936 года ГПУ обрабатывало Сергея с целью добиться публичного осуждения отца и всех его взглядов. Сергей получил пять лет каторги в концлагере и был этапирован в Воркуту, куда к концу года свезли троцкистов из многих лагерей. Там, за колючей проволокой, Сергей впервые близко познакомился с ними и, хотя по-прежнему отказывался считать себя троцкистом, отзывался о сторонниках отца с глубокой признательностью и уважением, особенно о тех, кто держались, не капитулируя, уже почти десять лет. Сергей принял участие в объявленной ими голодовке, продолжавшейся более трех месяцев, после которой едва остался жив.

В начале 1937 года его этапировали обратно в Москву для новых допросов. (Тогда-то с ним и познакомился заключенный, предоставивший эти сведения.) Сергей не надеялся на освобождение или облегчение своей участи, ибо был убежден, что всех сторонников отца — и его вместе с ними — ждет казнь. Однако держался со стоическим спокойствием, черпая силы в недрах своего духа.

«Говоря о методах следствия, применявшихся ГПУ, Сергей высказал мнение, что любой образованный человек... должен быть способен их раскусить, и вспомнил, что Бальзак очень точно описал все эти приемы и методы еще век назад, а с тех пор ровным счетом ничего не изменилось... Сергей смотрел в будущее совершенно спокойно и ни разу не проронил ни слова, которое могло хоть в малейшей степени скомпрометировать либо его самого, либо кого-то другого».

Сергей, совершенно очевидно, решил держаться до конца; будь это не так — если бы ГПУ преуспело и выбило бы из него любое признание, — об этом раззвонили бы на весь свет. Сергей догадывался об опасениях родителей, что у него, их «аполитичного» сына, может не хватить мужества и убеждений вынести выпавшие на его долю испытания, и «он больше всего сожалел о том, что никто никогда не расскажет им, особенно матери, о перемене, которая с ним произошла, потому что не верил, что кто-либо из встреченных им в заключении доживет, чтобы обо всем рассказать». Автор этих сведений вскоре потерял Сергея из виду, но прослышал о его казни от других заключенных. Много позже, в 1939 году, Троцкий получил сомнительной достоверности сведения через американского журналиста, согласно которым Сергей в конце 1938-го был еще жив, но после этого никаких иных сообщений о нем не поступало.

За пределами СССР из потомков Троцкого оставался в живых лишь двенадцатилетний сын Зины. Об остальных внуках Троцкого ничего не известно. Севу воспитывали Лева и Жанна, которая, не имея собственных детей, заменила ему мать и горячо к нему привязалась. В первом же письме после Левиной смерти Троцкий пригласил ее с ребенком в Мексику. «Я очень люблю Вас, Жанна, — писал он, — а для Натальи Вы не только нежно любимая дочь, но часть Левы, того, что осталось самого сокровенного из его жизни...» Троцкий и Наталья хотели лишь одного — чтобы Жанна и Сева жили с ними в Мексике. Но если это не совпадает с желаниями Жанны, пусть она хотя бы приедет погостить, «если же Вам трудно сейчас расстаться с Севой, мы поймем Ваши чувства».

Здесь, однако, печальное повествование переходит в гротеск из-за дрязг и склок, раздирающих троцкистские секты в Париже. Лева и Жанна принадлежали к разным группировкам: он к «ортодоксальным троцкистам», она — к группе Молинье. В письме, оставленном Левой вместо завещания, он писал, что, несмотря на различия во взглядах (и, добавим, несмотря на их неудавшуюся семейную жизнь), он глубоко уважал Жанну и беспредельно ей доверял. Однако яростное соперничество враждующих сект не прекратилось даже над могилой Левы. Теперь его предметом стал мальчик-сирота. Троцкий оказался в дурацком положении. Жанна, отчаянно пытаясь добиться нового расследования причин смерти Левы, поручила представлять интересы семьи во французском суде и полиции адвокату, состоящему в группе Молинье. «Ортодоксальные троцкисты» (и Жерар Розенталь, адвокат Троцкого) заявили, что Жанна не имеет права этого делать и что говорить от имени семьи правомочны лишь родители Левы. Благодаря этому конфликту суд и полиция легко смогли оставить требование нового дознания без внимания.

Следующая ссора вспыхнула из-за архива Троцкого. После Левиной смерти он остался в руках Жанны и, следовательно, косвенно в руках группы Молинье. Троцкий просил вернуть ему этот архив через одного из своих «ортодоксальных» французских сторонников. Жанна ответила на просьбу отказом. Отношения между ней и родителями Левы резко охладели, даже стали враждебными. Архив Троцкий в конце концов получил, но только тогда, когда послал за ним в Париж одного из своих американских приверженцев.

Несмотря на все настойчивые приглашения, Жанна отказывалась ехать в Мексику или отправлять туда ребенка. Жанна была невротиком; теперь ее психика была уже окончательно расстроена, и расставаться с подопечным ребенком даже на время она не соглашалась. Соперничающие фракции сцепились также и по этому поводу; они сделали невозможным любое соглашение, как ни старался Троцкий умиротворить невестку. То ли потому, что, потеряв всех детей, Троцкий жаждал забрать к себе внука — единственного, которого он мог к себе забрать, то ли потому, что боялся оставить сироту на попечении, как он выразился, «недоверчивого и неуравновешенного человека», то ли по обеим причинам сразу, он решил апеллировать к закону. Последовала непристойная судебная тяжба, затянувшаяся на год и лившая воду на мельницу бульварных газет и сектантских листков.

Придя в отчаяние при мысли о возможной разлуке с ребенком, Жанна решила нейтрализовать иск Троцкого заявлением, что он не регистрировал формально ни первый, ни второй свои браки; Троцкому пришлось это заявление опровергать. Но даже несмотря на поступок Жанны, он выразил (в письме суду) понимание ее затруднений и чувств, признавал ее моральное, хотя и не юридическое, право на ребенка и возобновил приглашение, предлагая оплатить стоимость ее проезда в Мексику. Троцкий даже изъявил готовность рассмотреть возможность возвращения ей Севы, но не ранее чем повидается с ним. Суд дважды решил дело в пользу Троцкого и назначал доверенных лиц, которым надлежало проследить за возвращением внука деду, но Жанна отказалась выполнять решение суда, увезла мальчика из Парижа и спрятала его. Лишь в результате долгих поисков и «зимней экспедиции» в Вогезы Маргарита Розмер сумела найти ребенка и вырвать его из рук тетки. Но и на этом дело не кончилось, ибо друзья Жанны предприняли попытку похитить мальчика, и лишь в октябре 1939 года Розмеры доставили его наконец в Койоакан.

В патетическом письме Троцкий пытался объяснить Севе, почему он настаивал на его переезде в Мексику. Избегая каких-либо обидных для Жанны замечаний, он не мог объяснить ребенку истинной причины, поэтому объяснение вышло неуклюжим и неубедительным.

В конце концов Сева прибыл в Мексику к деду. Нельзя сказать, что опасения Жанны Молинье были совсем безосновательны. Она опасалась за жизнь мальчика. Кстати говоря, Сева пострадал во время первого покушения на Троцкого. Тогда пули убийц пробили матрац в спальне Троцкого и ранили внука. Троцкий пришел в ужас от пронзительного детского крика, звавшего на помощь деда.

Все родные и близкие Троцкого постоянно находились в смертельной опасности. Погибли дети и соратники... А после ранения внука Троцкий серьезно начал готовиться к собственной смерти. 27 февраля 1940 года Троцкий написал завещание, чтобы Наталья могла унаследовать доходы от публикации его книг.

Документ был его настоящей последней волей. Каждая строка здесь пронизана ощущением приближающегося конца: «Я сохраняю активность и работоспособность. Но конец, очевидно, близок».

Завершил завещание Троцкий следующими словами: «Жизнь прекрасна. Пусть грядущие поколения очистят ее от всего зла, угнетения и насилия и наслаждаются ею сполна».

В дополнение он завещал Наталье права на свои литературные произведения. Следующий абзац начинался такими словами: «Если умрем мы оба...». Но не дописал и оставил прочерк.

РОДИТЕЛЬСКАЯ КЛЕТКА

Мертвые живы воспоминаниями... Только воспоминания способны оживить давно погасшие чувства умерших людей.

Вспоминая людей, которые давно умерли, мы стремимся воскресить свое утраченное прошлое.

И приходят к нам из прошлого поразительные истории.

Воскресают чувства, которые многим из нас уже не дано понять.

Потрясающей, поразительной и трагической была любовная история между профессиональным убийцей-чекистом Агабековым и англичанкой Изабел Стритер. Страсть эта привела Агабекова к решению порвать с ОГПУ, а тем самым — и со своей родиной.

За свою любовь Агабеков боролся со всей ожесточенностью, на которую способен профессиональный киллер.

В этой борьбе Агабеков более всего опасался не своих чекистов, готовивших ему страшную смерть, а своей тещи, которая стремилась всеми силами разлучить его с Изабел.

Агабеков был одним из самых известных перебежчиков, который, занимая высокое положение (возглавлял действовавшую в Стамбуле сеть ОГПУ), как это ни покажется невероятным, бежал на Запад, так как, подобно мальчишке, влюбился в совсем еще юную англичанку. В свою очередь и она, несмотря на значительную разницу в возрасте, происхождение и политические взгляды, столь же безумно влюбилась в советского резидента. Еще более удивительно, что внешность резидента была столь же непривлекательна, как и его профессия.

Изабел, происходившая из семьи английского чиновника, работавшего в Стамбуле, до своего знакомства со своим возлюбленным производила впечатление приятной, скромной девушки. Встреча с Агабековым круто изменила ее характер. Когда родители пытались разрушить эту связь, она проявила удивительную стойкость. Роман, начинавшийся как легкий флирт между учительницей и учеником (Изабел учила Агабекова английскому языку), вскоре сделался единственным смыслом жизни.

Фрэнсис Бэкон считал: «Нельзя представить себе лучшего состояния души, чем то, когда она находится во власти какой-нибудь великой страсти. Пусть всякий разумный человек ищет себе предмет любви, ибо, если человек не стремится к чему-то всеми силами, все представляется ему простым и скучным».

Вскоре резидент обращается к английским властям в Стамбуле с просьбой предоставить ему политическое убежище, ведь он обещал Изабел, что, если она останется с ним, он уедет на Запад, женится на ней и, порвав с Москвой, начнет новую жизнь.

Достоверные и многочисленные свидетельства этого небыкновенного романа сохранились не где-нибудь, а в государственных архивах ряда стран. «По причинам личного характера я не намерен возвращаться в Россию. Обращаясь к вам, я снова подтверждаю, что готов выехать в Лондон или в любое другое место, которое вы установите, для окончательных переговоров. Если же в конечном счете выяснится, что вы не заинтересованы в моих услугах, я буду просить только оплатить мне расходы по переезду. Остаюсь в ожидании ответа.

Н. Овсепян» (фамилия, под которой в Стамбуле он был зарегистрирован; настоящая — Арутюнов; в Персии он жил под фамилией Агабеков).

Хотя Агабеков в своем письме сотруднику английского консульства в Стамбуле даже не упомянул имени Изабел Стритер, англичане узнали об этой связи и сделали поверхностный, а значит, ложный вывод. Исключая заранее всякую возможность действительной любви, они решили, что Агабеков ухаживает за Изабел лишь для того, чтобы получить доступ к секретным документам, с которыми она и ее сестра ежедневно имели дело в английском посольстве.

Миновали зима и весна, наступило лето. Лондон не проявлял к Агабекову ни малейшего интереса, и тот оказался в весьма затруднительном положении. Задуманный влюбленными план явно шел насмарку. Едва ли Агабеков мог начать новую жизнь с Изабел, если его самого Англия не принимала всерьез. Что до самой Изабел, то семья начала охранять ее с той тщательностью, с какой могли охраняться лишь драгоценности короны. Ее даже запирали иногда в квартире, никуда не выпускали — вообще делалось все, чтобы разрушить эту странную связь. Пока что Изабел держалась стойко, но можно ли было положиться на молодую неопытную девушку? Можно ли было рассчитывать, что она выдержит все это и впредь? В отчаянии Агабеков решил попытаться бежать не на Запад, а... на Дальний Восток. Он задумал отправиться в это опасное путешествие с фальшивым персидским паспортом, прихватив с собой свою возлюбленную.

Однако семья Стритер опередила его. Родители Изабел, полагая, что роман прервется сам собой, если услать дочь куда-нибудь подальше, решили отправить ее к старшей сестре, во Францию. Джойс была замужем за неким Чарльзом Ли, жила в Сен-Жермене под Парижем и была рада помочь в разрешении семейного кризиса. Младшую сестру ожидали в Париже в воскресенье 22 июня 1930 года.

Но родители недооценили чувства, связывающие их дочь и Агабекова. Они и понятия не имели, что влюбленным удавалось поддерживать связь друг с другом, несмотря на строжайшие меры предосторожности, принятые семьей Стритер. Как только Изабел сообщила Агабекову о своем вынужденном отъезде во Францию, он тотчас перестроил и свои планы.

Теперь Агабеков готов был поселиться там навсегда и начать новую жизнь с Изабел во Франции. А там пусть англичане хоть навсегда забудут о нем!

В вагоне восточного экспресса Изабел Стритер тайно увозила с собой в Париж рукопись мемуаров Агабекова, которые он рассчитывал там опубликовать. Он снабдил ее также приличной суммой денег — 200 фунтов стерлингов, вырученных, по его словам, от продажи велосипедов и пишущих машинок (официально работал в фирме управляющим). Сам Агабеков отбыл из Стамбула морем в тот же день, когда Изабел уехала поездом. Он прибыл в Париж — через Марсель — спустя четыре дня после нее и немедленно направился в дом ее сестры на улице Лорен в Сен-Жерменском предместье.

В течение июля борьба между семьей, окопавшейся на улице Лорен, и Агабековым, поселившимся неподалеку, в отеле «Англетер», велась на расстоянии. К концу месяца стало ясно, что на этом этапе семья Изабел вроде бы выиграла баталию. Протестующую и измученную Изабел отправили обратно в Стамбул, в родительскую клетку, — ей еще не исполнился двадцать один год, и по тем временам она считалась несовершеннолетней.

Затем, в начале августа 1930 года, Агабеков был выслан из Франции в Бельгию. Ему пришлось поселиться в Брюсселе, так что расстояние между влюбленными еще более увеличилось. Возможно, Агабеков был выслан потому, что французская контрразведка, начавшая было допрашивать его, обнаружила, что он не особенно склонен к сотрудничеству. (В дальнейшем французы поделились этим впечатлением со своими английскими коллегами.)

Но все-таки главной причиной, побудившей французские власти выслать Агабекова, было давление со стороны семьи Стритер. В официальном французском сообщении, направленном в Лондон 18 августа, было так и сказано, что Агабеков выслан «в основном по требованию английского генерального консула в Париже, который вмешался в это дело по просьбе матери мисс Стритер».

Однако британское правительство вскоре резко изменило отношение к Агабекову, и дело приняло совершенно другой оборот.

26 августа в интервью, данном парижскому бюро газеты «Чикаго трибюн», Агабеков подроб-

но рассказал о себе и обрисовал свое положение бездомного скитальца, бежавшего от большевизма, не принятого Англией, высланного из Франции и имеющего лишь трехмесячную визу на пребывание в Бельгии. Такое отношение, говорил Агабеков, только отпугивает других крупных агентов ОГПУ, которые могли бы последовать его примеру и дезертировать, прихватив с собой секретную информацию. Он заявил, что ему известны по меньшей мере три агента, которые хотели бы переметнуться на Запад при условии, что они найдут здесь моральную поддержку.

На следующий же день заявление Агабекова было подхвачено английской прессой и дошло до Уайтхолла. Расчет оправдался: всего сутки спустя Лондон предпринял первые шаги для организации обстоятельного допроса перебежчика. Долгожданная встреча состоялась 17 сентября в здании бельгийской секретной службы в Брюсселе. Она не разочаровала ни ту, ни другую сторону.

Англичане полагали, что взамен раскрываемых секретов Агабеков потребует денег, и притом, конечно же, крупную сумму. Соответственно и английский офицер, который был назначен для ведения переговоров и представился по-французски «капитан Деки», сразу же перешел к делу: «Сколько?»

Ответ Агабекова поразил его. Оказывается, Агабеков ничего не станет делать за деньги, независимо от предложенной суммы. Даже 100 тысяч фунтов стерлингов не изменят его позиции. Он готов рассказать англичанам все, что знает, а также консультировать их в будущем, но при единственном условии: они должны помочь ему соединить свою судьбу с Изабел Стритер.

Сотрудники «Интеллидженс сервис», собравшись с мыслями, принялись обсуждать эту возможность. Агабекову заявили, что они попытаются убедить бельгийские власти разрешить ему постоянное проживание в Бельгии и выдать визу мисс Стритер, чтобы она могла сюда приехать и выйти за него замуж.

Хотя Агабеков и отверг предложение оплатить его информацию, англичане настаивали на том, что такое вознаграждение само собой будет ему выплачено. С другой стороны, если он откажется сотрудничать — на всякий случай намекнули ему, — то его вышлют из Бельгии, а мисс Стритер будет отказано в визе. Агабеков решительно отмел эти угрозы и вновь повторил, что деньги для него ничего не значат. Перспектива быть высланным из Бельгии, пока он один, мало его беспокоила. Что касается Изабел, то бельгийская виза и для нее мало что решала. Главная сложность заключалась в другом: как ее вызволить из Турции, и в этом смысле, безусловно, могло бы оказаться полезным вмешательство британского консула в Стамбуле. Пусть он убедит ее отца вернуть ей паспорт либо выдаст ей новый. Агабеков пустил в ход еще один аргумент. Изабел Стритер только что исполнился двадцать один год, и семья уже более не имела права держать ее под домашним арестом.

«Капитан Дени», видимо, был настоящим профессионалом, он вскоре выработал весьма эффективный план действий. Он решил, что следует

177

установить тщательное негласное наблюдение за всеми передвижениями мисс Стритер, с одной стороны, и тактично нажать на британское посольство в Стамбуле — с другой. Дени даже чувствовал, что необходимо немедленно подготовить подробный вопросник, чтобы начать допрос Агабекова сразу же, как только мисс Стритер покинет Стамбул, и закончить его, прежде чем она появится в Брюсселе. Все еще находясь под впечатлением бурной страсти, переживаемой Агабековым, он отчетливо понимал, что Агабеков, возможно, будет потерян как информатор с того момента, когда снова встретится с Изабел.

Наконец Агабекова удалось убедить, что дело немедленно передается на рассмотрение в самые высокие инстанции, и в ответ бывший советский агент письменно сформулировал условия договора о сотрудничестве. Этот «договор», датированный сентябрем 1930 года, является, должно быть, самым странным из всех документов, когда-либо появлявшихся в мире шпионажа.

Вот что там было сказано:

«Настоящим я, Г. Агабеков-Арутюнов, обязуюсь, если моя невеста выедет из Стамбула в Брюссель до 1 октября 1930 года, раскрыть предъявителю этого документа следующее:

1. Каким образом, где и через кого большевики получают документы Форин оффиса (сообщу все подробности, а в случае необходимости окажу личную помощь).

2. Обязуюсь ответить на все вопросы, которые мне будут заданы и в которых я считаю себя компетентным».

Уязвимым пунктом этого документа было назначение столь жесткого срока. До 1 октября оставалось всего десять дней, и за это время англичане должны были сломать решетку семейной клетки в Стамбуле и обеспечить Изабел безопасный проезд в Брюссель. Сотрудник «Интеллидженс сервис» допустил здесь явный промах. Будь он чуть большим бюрократом, ему было бы ясно, что такая сложная и деликатная операция, особенно при отсутствии прецедента, священного в подобных случаях для британского правительства, займет гораздо больше времени, чем несколько дней. Так и произошло. Октябрь начался, а Изабел все еще вынуждена была оставаться в Стамбуле.

2 октября «капитан Дени» прибыл в Брюссель, чтобы попросить у Агабекова отсрочки и уговорить его набраться терпения. Это оказалось нелегкой задачей. Как только бывший советский агент появился в комнате, отведенной для них в здании бельгийской контрразведки, англичанин заметил, что за прошедшие две недели тот еще больше похудел и был на пределе сил из-за постоянного напряжения и неуверенности. Почти как врач, увещевающий больного, офицер «Интеллидженс сервис» заверил безутешного Агабекова, что дело движется, что высшие инстанции предпринимают все возможное, чтобы воссоединить влюбленных, «не нарушая при этом законодательства Британской империи». Увы, первые попытки оказались безуспешными, но «нужно надеяться, что рано или поздно будет принято благоприятное решение».

179

Агабеков был признателен за участие, но сказал, что он лично теряет всякую надежду. Его отчаяние усугубляется совершенно безумными посланиями, приходящими от Изабел. Впервые вера в лучшее будущее начала покидать ее, она помышляет о самоубийстве. По-видимому, для него нет другого выхода, кроме как самому вернуться в Стамбул и попытаться каким-то образом вырвать ее из рук семьи. Он отчетливо представляет все трудности и опасности, подстерегающие его при этом. У него почти нет денег, нет легального паспорта, он едва ли может рассчитывать на сочувствие турецкой полиции, не говоря уже о семье Стритер. Вдобавок Турция находится рядом с Советским Союзом, что еще более увеличивает опасность такого предприятия. Но ничего другого ему не остается. Смогут ли англичане по крайней мере помочь ему с проездом на каком-нибудь из английских судов и обеспечить, насколько это возможно, его безопасность в дороге?

Чтобы отговорить Агабекова от такой безумной затеи, на помощь был призван барон Ферхюльст, глава бельгийской контрразведки. К этому моменту барон и сам уже был заинтересован в услугах бывшего советского агента, которые тот может оказать Западу, и потому пришел на помощь своему английскому коллеге. Переговоры кончились тем, что Агабеков согласился подождать еще две недели и ничего не предпринимать на свой страх и риск до 15 октября, заручившись обещанием, что его партнеры по переговорам сделают все возможное, чтобы Изабел как можно скорее выехала в Брюссель. Его также заверили, что, если ему срочно понадобятся деньги, он может без всяких колебаний получить их через бельгийскую службу контрразведки.

Однако и новый срок, согласованный с Агабековым в Брюсселе, прошел, а дело, похоже, не сдвинулось с места. Агабеков дал англичанам еще неделю, но когда и эта отсрочка не принесла ничего путного, он начал осуществлять собственный, давно выношенный им план спасения Изабел. Это предприятие еще раз продемонстрировало чисто профессиональную хватку бывшего агента. Подтвердилось также, что Агабеков, по внешности далеко не Ромео, обладал даром воздействовать на женщин, особенно когда речь шла о столь романтической истории. Он убедил свою квартирную хозяйку мадам Банкой и ее приемную дочь Сильвию принять участие в спасении Изабел. В случае провала им грозило тюремное заключение, чего они, быть может, и не сознавали. С другой стороны, надежду на успех внушало то обстоятельство, что Сильвия и Изабел были несколько похожи внешне и одного возраста.

23 октября мадам Банкой с дочерью выехали в Стамбул. Надо полагать, их путешествие было оплачено Агабековым. Замысел был таков: по прибытии на место связаться с Изабел и вручить ей паспорт Сильвии. Изабел отправится в Брюссель под именем мадемуазель Банкой, в сопровождении своей «приемной матери», в то время как Сильвия, задержавшись в Стамбуле, заявит, что она потеряла паспорт, ей выдадут новый в бельгийском консульстве, и она тоже вернется назад.

181

Прибыв 27 октября в Стамбул, заговорщицы, однако, поняли, что едва ли им удастся даже повидать Изабел. Больше того, они сами тут же попали под надзор турецкой полиции. Мистер Стритер был не менее упрям, чем его дочь, он сообщил турецкой полиции, что Изабел, возможно, была завербована Советами. Поэтому всякий, кто пытался с ней связаться, тут же удостаивался внимания турецких органов безопасности. Нервы мадам Банкой вскоре сдали (возможно, у нее неожиданно быстро кончились деньги, или же обе причины «сработали» одновременно), и после двух суток пребывания в Стамбуле она отправилась домой. Сильвия упорно продолжала крутиться поблизости от дома Стритеров, надеясь, что в крайнем случае сможет без труда выпутаться из этой авантюры. К тому же подобных романтических приключений в ее жизни еще не бывало. Будет что вспомнить!

Тем временем зашевелились и британские власти, стараясь «вызволить» Изабел — по своему обыкновению — деликатно, не поднимая шума. Пока мадам Банкой и ее дочь размышляли, как им поступить, Агабекова, оставшегося в Брюсселе, неожиданно известили, что британский генеральный консул в Стамбуле получил официальное распоряжение либо отобрать паспорт мисс Стритер у ее отца, либо выдать ей новый.

2 ноября 1930 года Агабеков наконец получил долгожданную телеграмму, текст которой был предельно простым: «Все хорошо. Счастлива. Изабел». В тот же день по настоянию бри-

танских и бельгийских властей он отозвал упрямую Сильвию из Стамбула. (Хотя молодая бельгийка и была рада благополучному исходу, ее явно огорчало, что все произошло помимо ее прямого участия.)

Неизвестно, присутствовали ли при встрече влюбленных «капитан Дени» и барон Ферхюльст. Разумеется, никаких сведений об этом не сохранилось в архивах, не вспоминает о них и Агабеков. То же относится и к свадьбе, которая последовала вскоре после приезда Изабел. Достоверно известно лишь, что на этой церемонии присутствовали мадам Банкой и ее приемная дочь и, конечно же, отсутствовали мистер и миссис Стритер. Их дочь как бы перестала для них существовать на долгие годы — точно так же, как ее муж перестал существовать для своей страны, по-видимому навсегда. Родители Изабел считали, что ее покарают небеса. Хозяева Агабекова в Москве вынашивали в отношении «предателя» куда более зловещие планы.

На таком мрачном фоне мсье и мадам Арутюновы начали новую жизнь в Брюсселе, на Гранд Рю-о-Буа, 188. Вскоре, увы, суждено было сбыться самым дурным предвидениям.

Агабеков был первым, кто дезертировал непосредственно из ОГПУ, причем с высокого поста. Его начальство наверняка горело желанием лично отомстить ему, но не менее важным было и такое государственное соображение: если ему удастся остаться невредимым, трудно даже представить себе, сколько еще агентов захотят последовать его примеру.

Ликвидация же Агабекова была необходима для того, чтобы не обрушить сваи, на которых держалось все здание советской разведки. Поэтому операция по ликвидации Агабекова не должна была свестись к «рядовому случаю», то есть нельзя было просто пристрелить его на улице какой-нибудь из европейских столиц. Ему уготовили расправу, достойную организации, которую он предал. Заманчивая возможность расправы предоставилась почти сразу же, как только супруги «Арутюнофф» поселились в своей квартире в Брюсселе. Это основательно спланированное мероприятие вошло в историю под звучным названием «Дело «Филомены».

План расправы с Агабековым, разработанный в Москве, в общих чертах выглядел так. Агабекова следовало посвятить в семейную драму Филия и предложить ему как бывшему опытному агенту ОГПУ устроить побег двух женщин из СССР — разумеется, за приличную сумму.

Сама по себе операция должна была представляться столь классному агенту вполне осуществимой. Так как дело не упиралось в деньги, проще всего было переправить обеих женщин из Советской России морем. Можно было даже зафрахтовать какое-нибудь иностранное судно с единственной целью — доставить госпожу Филия и ее дочь в ближайший иностранный порт, например, в болгарскую Варну. Это вряд ли представляло трудность для такого человека, как Агабеков, — ведь он, должно быть, сохранил немало связей на Черном море еще с тех времен, когда был шефом разведки в Стамбуле.

Проблема, однако, заключалась в том, как преподнести этот вариант столь искушенному профессионалу! Надо, чтобы, прельстившись деньгами, он в то же время ни в коем случае не заподозрил ловушку. Не важно, доставит ли пароход женщин в Варну или нет, основной задачей было заманить Агабекова на борт и затем вернуться с ним — предпочтительно с живым — в Одессу... Этот план провалился.

Но «Дело «Филомены» имело и неприятные для Агабекова последствия. Вскоре после возвращения в Брюссель полиция известила его, что располагает информацией о попытке похитить двух гражданок Советского Союза и об участии Агабекова в этом сомнительном предприятии. Участие в такого рода действиях идет вразрез со статусом, на основании которого ему было предоставлено временное убежище в Бельгии. Таким образом, ему придется немедленно покинуть страну. Впрочем, в дальнейшем это решение может быть пересмотрено и жене его в ожидании пересмотра разрешено остаться жить в Бельгии.

Барон Ферхюльст сделал все от него зависящее, чтобы высылка Агабекова была отменена, но его вмешательство не имело успеха. Итак, несчастной Изабел уже не в первый раз предстояло переживать разлуку с мужем.

Но сам Агабеков не унывал. Ему удалось обзавестись кое-какими знакомствами в Германии, пока он вел там переговоры относительно издания своих мемуаров. Теперь он решил временно переселиться в Берлин. Но на кого он станет там работать? И на какие средства будет жить

Изабел? «Капитан Дени» — или кто-то из его коллег-англичан — в этот трудный момент снова пришел на помощь Агабекову. На встрече, которую Ферхюльст организовал накануне его отъезда, было достигнуто соглашение, которое фактически делало Агабекова агентом британской секретной службы.

Изабел, не в силах более выносить такую жизнь, в апреле 1936 года разошлась с Агабековым и уехала в Англию. В знак того, что ее решение бесповоротно, она вернула себе девичью фамилию. Окончив в Лондоне шестимесячные курсы секретарш, двадцатисемилетняя Изабел начала жизнь сначала.

Агабеков в этот период уже отчаянно нуждался в деньгах. Теперь, когда он не нес ответственности за Изабел, его планы раздобыть денег и снова «выйти в люди» становились все более рискованными. Словом, складывалась как раз та ситуация, какой терпеливо дожидалось ОГПУ. В 1937 году была подготовлена вторая попытка разделаться с Агабековым.

В Испании уже бушевала гражданская война. Оказывая поддержку республиканцам, Сталин считал, что их надо заставить хоть как-то оплатить «братскую помощь».

Операция, в которую дал себя вовлечь Агабеков, была весьма выгодной. Речь шла о похищении сокровищ испанского искусства. Советы помогли организовать такую систему: как только республиканские части захватывали очередную церковь, монастырь, дворец или замок — все картины, статуи и драгоценности, которые могли найти покупателя на международном рынке, вывозились и затем продавались перекупщикам в Париже, Брюсселе и других местах. Агент ОГПУ Зелинский руководил этой акцией в Бельгии, и в начале 1937 года ему пришло в голову (возможно, по подсказке из Москвы), что выгодная коммерция вполне может сочетаться с давно задуманной местью.

Агабекову через посредников предложили принять участие в так называемом «Брюссельском синдикате» и гарантировали определенную часть прибыли. Понимая всю опасность этого предложения, он поставил условие: он не должен ни при каких обстоятельствах пересекать испанскую границу (республиканская Испания в те годы кишела агентами ОГПУ). Однако он согласился следить за перемещением награбленных ценностей по эту сторону границы, то есть на французской территории. Ему обещали десять тысяч франков ежемесячно и заплатили за несколько месяцев вперед. В начале июля 1937 года, добыв фальшивый французский паспорт, он прибыл к испанской границе.

Согласно одной из версий, ему дважды позволили остаться на французской стороне границы и получить свою долю за сравнительно простую и безопасную работу: он отправлял отсюда грузы в Париж и другие перевалочные центры. Но на третий раз то ли его подозрительность притупилась, то ли взяла верх тяга к деньгам, но так или иначе он, чтобы передать товар, отправился в горы сам. Здесь в дикой местности, где линия границы условна, то есть, возможно, уже на территории Испании, на него напали «разбойники» — люди, специально подобранные для этой цели, — которые растерзали его и останки сбросили в пропасть.

Согласно другой версии, осторожность никогда не изменяла Агабекову. С самого начала подозревая ловушку и считая, что ему дадут возможность сделать только один рейс (который послужит приманкой), а во второй — прикончат, он решил оставить всех в дураках. Его план был прост: выбрать одну действительно стоящую картину и тут же исчезнуть с нею, чтобы начать жизнь сначала где-нибудь в Южной Америке.

В конце августа, по этой версии, он был убит где-то неподалеку от границы советскими агентами. Убийство было обставлено как часть кампании против дезертиров, на которых республиканцы регулярно устраивали свирепые облавы. Тело убитого полиции опознать не удалось, поскольку документы были фальшивыми. Какая из этих версий верна, неизвестно. Но точно известно, что Агабеков погиб.

Жизнь Изабел, насколько можно судить, продолжала оставаться унылой. Спустя пять лет, проведенных в Англии, она восстановила британское гражданство. Почти сразу же после этого — шла уже вторая мировая война — Изабел вступила в женский вспомогательный корпус Военно-воздушных сил и окончила войну в звании капрала. После войны она работала в ООН в Комиссии по расследованию нацистских преступлений. Наконец, в 1949 году колесо ее жизни сделало полный оборот: Изабел вернулась на ту должность, с которой ушла двадцать лет назад из-за встречи с Агабековым, — должность секретаря в министерстве иностранных дел.

В 50-е годы она работала стенографисткой то в парламенте, то в британских посольствах за границей — в Лиссабоне, Сайгоне, Мехико, Токио, достигнув в какой-то момент положения личного секретаря посла. Ее ценили как добросовестного и умелого сотрудника, но с годами она становилась все более замкнутой, все больше уходила в себя.

Друзья по дипломатической работе отмечали одну ее странность. Куда бы ее ни назначали, она отправлялась в путь с единственным небольшим чемоданом, где умещалось все ее имущество — одежда и личные вещи. Она отказывала себе в приобретении каких бы то ни было предметов искусства или хотя бы сувениров в странах, где ей случалось работать. Когда ее спрашивали об этом, она обычно пожимала плечами и отвечала, что не хочет таскать с собой все это барахло.

Эта ее черта была столь же необычной, сколь и знаменательной. Она вышла из своей пресной английской среды в экзотический иностранный мир единственный раз в жизни — и это кончилось катастрофой. Изабел никогда не упоминала об этом эпизоде своей молодости, никогда не высказывала своего мнения о конфликте между Западом и Востоком, который, безусловно, чувствовался в каждом посольстве, где ей приходилось работать. Она как бы отгородилась от внешнего мира и его проблем.

«Чтобы до конца осознать всю суетность человека, надо уяснить себе причины и следствия

189

любви. Причина ее — «неведомо что» (Корнель), а следствия ужасны. И это «неведомо что», эта малость, которую и определить-то невозможно, сотрясает землю, движет монархиями, армиями, всем миром», — писал французский философ Блез Паскаль (1623—1662) в книге «Мысли».

«Неведомо что» сыграло в жизни советского резидента Георгия Агабекова решающую роль.

Вдова Георгия Агабекова умерла в возрасте шестидесяти двух лет. Смерть настигла ее 29 ноября 1971 года в Нью-Йорке, где она служила в английской миссии ООН.

МАТЬ АЛЕКСАНДРЫ КОЛЛОНТАЙ БЫЛА В ШОКЕ

В марте 1918 года в Саратове у здания биржи, где помещался клуб анархистов, собралась разъяренная толпа женщин, которые колотили в закрытую дверь.

Толпа взломала дверь и устремилась в клуб, анархисты еле успели убежать.

Причиной возмущения женщин стал расклеенный на домах и заборах «Декрет об отмене частного владения женщинами», изданный якобы «Свободной ассоциацией анархистов г. Саратова»...

«Декрет» был датирован 28 февраля 1918 года и по форме напоминал другие декреты Советской власти. Он включал в себя преамбулу и 19 параграфов.

В преамбуле излагались мотивы издания документа: вследствие социального неравенства и законных браков «все лучшие экземпляры прекрасного пола» находятся в собственности буржуазии, чем нарушается «правильное продолжение человеческого рода».

Согласно «декрету», с 1 мая 1918 года все женщины в возрасте от 17 до 32 лет (кроме имеющих более пяти детей) изымаются из частного владения и объявляются «достоянием (собственностью) народа».

«Декрет» определял правила регистрации женщин и порядок пользования «экземплярами народного достояния».

Мужчины имели право пользоваться одной женщиной «не чаще трех раз в неделю в течение трех часов». Для этого они должны были представить свидетельство от фабрично-заводского комитета, профсоюза или местного Совета о принадлежности к «трудовой семье». За бывшим мужем сохранялся внеочередной доступ к своей жене; в случае противодействия его лишали права на пользование женщиной.

Каждый «трудовой член», желающий пользоваться «экземпляром народного достояния», обязан был отчислять от своего заработка 9 процентов, а мужчина, не принадлежащий к «трудовой семье», — 100 рублей в месяц, что составляло от 2 до 40 процентов среднемесячной заработной платы рабочего. Из этих отчислений создавался фонд «Народного поколения», за счет которого выплачивались вспомоществования национализированным женщинам в размере 232 рублей, пособие забеременевшим, содержание на родившихся у них детей (их предполагалось воспитывать до 17 лет в приютах «Народные ясли»), а также пенсии женщинам, потерявшим здоровье.

«Декрет об отмене частного владения женщинами» был написан владельцем саратовской чайной Михаилом Уваровым, который хотел высмеять нигилизм новой власти в вопросах семьи и брака.

Михаил Уваров был убит группой анархистов, которые даже выпустили по этому поводу прокламацию. В ней говорилось, что убийство Уварова — «акт мести и справедливого протеста» за издание от имени анархистов порнографического «Декрета о национализации женщин». Однако история с «декретом» не закончилась. Напротив, она только начиналась. С необычайной быстротой декрет стал распространяться по стране. Весной 1918 года он был перепечатан многими газетами.

Одни редакторы публиковали его с целью повеселить читателей; другие — с целью показать истинное лицо анархистов, а значит — советской власти (анархисты участвовали тогда вместе с большевиками в работе Советов).

Публикации такого рода вызвали широкий общественный резонанс.

Представители всех партий, стоявших на советской платформе, — большевики, левые эсеры, максималисты, анархисты — резко осудили публикацию декрета.

В годы гражданской войны «Декрет об отмене частного владения женщинами» взяли на вооружение участники белого движения. При аресте в январе 1920 года Колчака у него в кармане мундира обнаружили текст этого «декрета»!

«Декрет об отмене частного владения женщинами» получил широкую известность и за рубежом.

Легко было поверить в подлинность декрета, ведь большевики на самом деле были разрушителями традиционной семьи и брака.

Новые веяния совпали с развертыванием бурных дискуссий по половым вопросам, активнейшее участие в которых приняли многие большевистские теоретики. Тон задавала А. Коллонтай, отстаивавшая свою теорию «Эроса крылатого» — отношений между мужчиной и женщиной, свободных от формальных уз.

Присущая до 1917 года социальным низам вольность нравов отныне возводилась на теоретическую основу.

Очень модно было в ту пору рассуждать и о формах семьи в настоящем и будущем, и о морали нового общества, и о проблеме детей.

Александра Михайловна Коллонтай любила заводить спор о том, какой будет форма семьи при коммунизме.

Сама Коллонтай была убеждена, что при коммунизме никакой семьи не будет, поскольку отпадут не только все хозяйственно-бытовые заботы, но и заботы о детях, об их воспитании. Она поэтому решительно заявляла:

— Можно логически вывести, что брак при коммунизме не будет носить формы длительного союза.

Крупская утверждала, что вопрос о форме семьи при коммунизме — вопрос будущего, о котором сейчас можно только гадать, ибо все зависит «от многих, нам в данное время еще неизвестных слагаемых».

Надо заметить, что теория Коллонтай быстро нашла своих сторонников и стала весьма модной. Александра Михайловна начала все чаще выступать со статьями, докладами, брошюрами под названием «Любовь пчел трудовых», «Дорогу крылатому Эросу» и т. п., где воспевалась полная свобода половой любви, основанной только на сексуальном чувстве.

В свою очередь, Крупская выступила в журнале «Коммунистка» с большой статьей, посвященной первому революционному кодексу о браке — «Брачное и семейное право в Советской республике», где утверждала, что никакой свободной любви нет при советской власти, и при коммунизме тоже не будет.

Александра Коллонтай излагала свой взгляд на отношения матери и детей так: дети должны воспитываться вдали от родителей.

«Мать с наибольшей нежностью относится к детям, когда они малы, — писала она. — Уже когда ребенку 6—7 лет и он начинает формироваться в личность, он ее уже раздражает каждый раз, когда в нем она улавливает его индивидуальность, «Я»... Конечно, она по-своему любит и усатого Ваню и седенькую Наденьку, ей болезненно жалко, когда им плохо, она им многое отдает. Но когда она искренна до глубины души с собой, она понимает, что органическая связь, скрепы существовали между ней и Ванечкой или Надей лишь тогда, когда те малолетки забирались к ней на колени, когда они были частью ее самой. Этому нисколько не противоречит явление, что матери могут чахнуть и умирать с горя, если у них погибает взрослый сын или дочь».

Откуда у Александры Коллонтай взялись такие радикальные взгляды на семью и брак? Сама-то она росла в очень хорошей традиционной семье. А может быть, именно счастливое, безоблачное детство толкнуло Александру на поиски новизны и нетрадиционных форм отношений.

«Девятнадцатого марта 1872 года в Санкт-Петербурге на Средне-Подъяческой улице в доме-особняке номер 5, во втором этаже в семье офицера интенданта Михаила Алексеевича Домонтовича родилась девочка, голубоглазая, как ее мать Александра Александровна. Девочку хотели назвать Марией, потом передумали и назвали Шурой.

Эта девочка — я».

А прочитаем письмо, отправленное подруге из Санкт-Петербурга со Средне-Подъяческой улицы из дома номер 5 в Гельсингфорс в 1890 году: «Дорогая Эльна! Я неплохо развлекаюсь. В январе я была представлена императрице и побывала на двух придворных балах. Большой бал, на котором было более трех тысяч приглашенных, мне не очень понравился, хотя там все было пышно и элегантно. Малый бал, бал-концерт, отличался большим блеском. На нем присутствовало четыреста человек. Я встретила там много знакомых, танцевала и веселилась вовсю.

Самым примечательным на балу-концерте был ужин. В трех больших залах дворца, обрамленных цветущими деревьями, благоухало море цветов. Я ужинала за одним столом с наследником царя (то есть с будущим императором Николаем II — В.К). Да, я забыла тебе сказать, что мама обещала мне купить верховую лошадь. В Куузе, куда, я надеюсь, ты скоро приедешь, мы будем вместе совершать верховые прогулки и веселиться».

Автор этого письма — «девочка Шура» — Александра Михайловна Домонтович (по первому мужу — Коллонтай).

В марте 1938 года, через несколько дней после своего возвращения из Женевы, где посол Советского Союза Александра Михайловна Коллонтай участвовала, как член советской делегации, в заседаниях Лиги Наций, она продолжила делать записи о своей жизни «Какой я была в детстве».

Она с большой достоверностью восстанавливает историю своего детства и атмосферу той поры. Вот строки из этих записей: «Отец высокий красивый украинец из Черниговской губернии родом. С черными баками... с умными живыми глазами и выразительными черными бровями. Худощавый и холеный. По характеру мягкий и до болезненности не терпящий вида страданий ничьих. Михаилу Алексеевичу сорок лет с небольшим. Матери Александре Александровне тридцать пять. Это ее второй брак: от первого трое детей — сын Александр — Саня, пятнадцати лет, дочь Адель десяти и дочь Женя восьми. Первый муж поляк, Мравинскнй, военный инженер. Развод затянулся.

Александра Александровна крепкая, здоровая, с пышным, гармонически прекрасным телом. Сердечная и упрямая, и волевая. Дочь финского крестьянина Масалина, пришедшего будто бы «босиком» из Нюслотской губернии и нажившего на поставках «целое состояние» и имение Кууза в Выборгской губернии.

Когда — так рассказывали приживалки в доме — приехали с ревизией в богадельню, где Масалин уже был смотрителем, Масалин «побагровел» и тут же на улице умер от удара.

Двух дочерей — Сашу и Надю бабушка Александра Федоровна, рожденная Крылова и родом из остзейских провинций (ее мать была француженка Лилие), выдала замуж на скорую руку. Надю — больную эпилепсией — за недворянина архитектора Афанасьева, Сашеньку — красавицу — за инженера Мравинского.

А сама бабушка вышла замуж вторично. Но бабушка умерла до рождения «девочки Шуры».

В родовитой дворянской семье у очень красивой девочки с голубыми глазами было ничем не омраченное детство с нянями, прислугами, кучерами, поварами, лучшими в Санкт-Петербурге педагогами, которые обучали Шуру английскому, французскому и немецкому языкам.

В августе 1889 года генерал Домонтович принял приглашение своего бывшего начальника по службе в Софии князя Дондукова и, взяв с собой младшую дочь, выехал в Ялту в его поместье.

Поездка была предпринята не только с целью

197

отдыха. Шуре уже семнадцать лет — возраст, когда девушка вполне на выданье.

В Ялту приехали погостить молодые офицеры Генерального штаба. Там находится его превосходительство генерал Тутолмин, адъютант императора Александра III.

Он еще в Петербурге дал понять, что имеет вполне серьезные намерения. Сватовство в Ялте не состоялось. Шура решительно отвергла этот вариант замужества.

«— Папа, что ты придумал? Неужели ты хочешь продать меня этому старику?

— Но Тутолмин вовсе не стар. Он самый молодой генерал.

— Мне это безразлично, папа. Мне безразлично его положение. Я выйду замуж за человека, которого полюблю». — Это строки из семейной хроники.

После отказа Шуры князю Тутолмину отец запретил ей поездки в горы в сопровождении молодых офицеров.

Жизнь Шуры Домонтович шла по проторенной колее: в поместье князя Дондукова — балы, приемы, танцевальные вечера, пикники.

Когда дочь вернулась из Ялты, мать была недовольна ее поступком.

Супруги Домонтович еще, конечно, не знали, какой сюрприз Шура им скоро преподнесет.

В семье Домонтовичей все шло, как и раньше. Зимой Царская семья дает балы для приближенных, и генерал Домонтович посещает Зимний дворец вместе с супругой и старшими дочерьми. Своей подруге Шура пишет об этом с гордостью:

«*30 декабря 1889 года.*

С Новым годом, дорогая Эльна. Пусть этот год будет добрым и счастливым для тебя и твоей семьи. Желаю тебе от всей души веселья, счастья, хорошо провести праздники, много танцевать и чтобы у вас все были здоровы. Как поживает твоя сестра? Надеюсь, она уже поправилась. Мы тоже все здоровы... Наш любительский спектакль состоялся. Мы сыграли две небольших комедии, они прошли с большим успехом. Присутствовало шестьдесят человек, и нам дружно аплодировали. Потом мы устроили танцы и вовсю веселились. Представляешь себе, в самый патетический момент спектакля я начала хохотать, ибо забыла слова своей роли. Суфлер тоже хохотал. Но я, славу богу, вспомнила слова, и сцена закончилась благополучно. Я была на балу и там тоже много танцевала. Еще не знаю, что мы будем делать на праздники. Моя сестра Евгения в прошлое воскресенье была приглашена императором во дворец и там пела. Все с ней были очень любезны. Сама императрица беседовала с ней, и ее удостоил разговора сам император. Сегодня снова концерт во дворце, и Евгения снова приглашена. Мы каждый день ходим на каток, погода прекрасная, лед отличный. Приятно на катке встретиться со старыми друзьями и завязывать новые знакомства...

Крепко тебя целую.

Твоя Шура».

Шура Домонтович была приглашена во дворец и представлена императрице. В балах, выездах, посещениях императорских театров протекали девичьи годы Шуры Домонтович.

В гимназии она не училась, получила домашнее образование.

Родители замечали ту страстность и сексуальность, которой наградила их дочь природа. Родители видели только один способ для того, чтобы дать выход энергии Александры, — удачное замужество.

В свою очередь, Александра сама не знала, чего ей хочется. Хотелось не просто любви, и даже не страсти, а чего-то такого, что трудно выразить словами.

Она не хотела бороться со своими желаниями и подчиняться воле родителей. Иногда бывает, что стремления не реализуются по причинам, не зависящим от человека. Часто их подавляет сам человек.

Механизм подавления стремлений Фрейд назвал цензурой. Цензура — главное орудие «Я» в его борьбе с бессознательным, но орудие обоюдоострое. Все, что не соответствует морали общества, не допускается до сознания. Цензура вытесняет в бессознательное все естественные животные мотивы, которые запрещены общественной моралью и приходят в противоречие с усвоенными идеологическими стереотипами. Человек не знает о существовании этих устремлений. Он думает, что в нем есть только то, что доступно его сознанию.

Фрейд показал, что постепенно в общении с людьми, прежде всего родителями, путем идентификации и некритического восприятия и усвоения норм, запретов, мифов формируется «сверх-Я» — средоточие социального в человеке, его мораль.

Но подавленные стремления никуда не исчезают. Они живут своей собственной жизнью, пытаются реализоваться, вырваться наружу, пробив стену психологической защиты — цензуру. И пробиваются — в виде оговорок, описок, комплексов, невротических симптомов. Это состояние Фрейд назвал ущемлением аффекта.

Отец Александры мечтал выдать ее замуж за богатого человека.

Но она сама распорядилась своей судьбой, сама выбрала своего первого мужчину.

В 1891 году Шура в Тифлисе знакомится со своим кузеном Владимиром Коллонтаем, чувство симпатии перерастает в любовь.

Отец в ужасе... Мать шокирована намерением дочери связать свою судьбу с бедным офицером, сыном поляка, участника восстания 1863 года, сосланного затем в Сибирь и оказавшегося по воле властей в Тифлисе.

По приезде Владимира Коллонтая в Санкт-Петербург для учебы в военном училище встречи влюбленных становятся еще более частыми, но заканчиваются драматически: молодые люди в своих отношениях переходят все моральные барьеры, установленные обществом.

Коллонтаю запрещают посещать дом Домонтовичей. Шуру отправляют в Париж, веря, что любовное увлечение пройдет.

Сексуальный инстинкт — лишь одно из проявлений более широкого инстинкта жизни. Он обеспечивает и удовлетворение жизненных потребностей, и продолжение рода. Это источник жизненной активности. У ребенка инстинкт жизни вызывает влечение к матери — источнику жизненных благ. У более взрослого человека влечение к матери пропадает. Начинается поиск полового партнера.

Мать Шуры Домонтович надеялась, что ее дочь забудет Владимира Коллонтая и найдет себе более подходящий объект. Но этим надеждам не суждено было сбыться. После возвращения из Франции Шура объявила родителям о своем твердом решении выйти замуж за Владимира Коллонтая — первое проявление воли, самостоятельности и упорства в достижении цели. Созван семейный совет. Капитулирует Михаил Алексеевич, затем сдается и Александра Александровна, но с одним условием: свадьба состоится через год — может быть, Шура «остынет». А пока о помолвке никому не надо говорить.

«Хельсинкские письма» рассказывают о переживаниях Шуры Домонтович. «Дорогая Эльна! — пишет она. — Извини, что я так долго не отвечала на твое письмо... Часто ли ты видишь свою симпатию? Как я тебя понимаю, дорогая подружка! Ведь это большая радость жить в одном городе с любимым человеком. А когда это невозможно, то страдаешь. Я вижусь с ним редко. Единственное утешение, что это продлится всего лишь год, а будущей осенью можно будет объявить о нашей свадьбе. Ведь остается одна зима до того дня, когда меня будут называть «мадам». Я понимаю, дорогая Эльна, что ты тоже ждешь с нетерпением этого дня. Но мы обе должны набраться терпения, ведь мы молоды и вся наша жизнь впереди. И потом, так приятно сознавать, что ты любима человеком, который для тебя все в жизни...

Твоя Шура.

Очень прошу тебя уничтожить это письмо».

Мечты генерала Домонтовича и его супруги породниться с адъютантом его величества генералом Тутолминым растаяли окончательно.

Мать дала разрешение на свадьбу с Владимиром Коллонтаем, но не сразу.

18 декабря Шура Домонтович писала своей подруге Эльне: «Дорогая, очень прошу тебя в твоих письмах ко мне не упоминать о моем женихе. Если это письмо попадет в руки моим родным, то они будут недовольны, что я рассказала о своей тайне».

Только в наступившем 1893 году Шура Домонтович стала «мадам Коллонтай». Через год родился сын, Михаил.

Александра Михайловна рассказала о своем приезде в Тифлис после свадьбы к матери Владимира Прасковье Ильиничне.

Прасковья Ильинична с дочерью и внуками жила в двух небольших комнатах и примыкавшей к ним веранде. Жили бедно на крошечную пенсию и жалкое учительское жалованье. Педагог по образованию, Прасковья Ильинична мечтала в юности отдать свои силы народному просвещению, но судьба не очень миловала ее, а вечная нужда отнимала последние силы.

Прасковья Ильинична, смущенно разводя руками, показала Александре крохотную комнату, сказала:

— Вот тут и будете жить.

Было нестерпимо жарко, душно и пыльно.

Наступил вечер. Рядом в комнате на полу улеглись ребятишки. Прасковья Ильинична с дочерью устроились вместе. Александра ушла в отведенную ей комнату, молча улеглась в кровать. Владимир смущенно топтался на месте, тронул Александру за плечо:

— Ты спишь?

Шура промолчала. Владимир не знал, как и о чем с ней говорить, потом сказал:

— Вот так и живем, Шурочка... но ты не волнуйся. Я скоро начну хорошо зарабатывать и у нас будет полный достаток.

Шура ничего не ответила. Что было делать. Она сама противилась воле матери и стремилась к замужеству с Коллонтаем. До этого Шура знала только безбедную жизнь. Она привыкла жить собственными страстями и желаньями. Променяв генерала Тутолмина на Владимира, к которому влекла ее страсть, она только сейчас поняла, что никакая любовь не возместит утерянного комфорта и привычной светской жизни.

Мать была права, когда противилась этому браку. Мать знала жизнь, а Шура просто не представляла, на что шла.

Но теперь все — поздно. Шура была беременна (поэтому родители и разрешили этот брак). Страшно болела голова, тошнило. Она вечерами плакала, уткнувшись в подушку, и, наконец, забывалась в тяжелом полусне.

Мама была далеко. Она не могла помочь. Да и как она могла помочь, если дочь игнорировала все советы матери.

На новом месте жительства Александра ежедневно просыпалась от шума и грохота. Кто-то громко кричал на незнакомом языке, на улице орали ишаки, разносчики дикими голосами расхваливали свои товары.

К мужу пришли друзья с бурдюком вина. Сели пить, играть в карты. Александра не могла понять, что происходит и где она находится.

Для беременной мадам Коллонтай дни в Тифлисе тянулись мучительно медленно. Муж с утра уходил в проектную мастерскую. Александра скучала, не знала куда девать себя, решила написать давно задуманную повесть.

Но следует быть честным: Шура получила прекрасное образование, была грамотна, знала языки, но литературного таланта у нее не было. Ведь истинный талант — дар Божий.

Если мы обратимся теперь к решению вопроса — в чем именно состоит физиологическое отличие гениального человека от обыкновенного, то, на основании автобиографий и наблюдений, найдем, что по большей части вся разница между ними заключается в утонченной и почти болезненной впечатлительности первого. Дикарь или идиот мало чувствительны к физическим страданиям, страсти их немногочисленны, из ощущений же воспринимаются ими лишь те, которые непосредственно касаются их в смысле удовлетворения жизненных потребностей. По мере развития умственных способностей, впечатлительность растет и достигает наибольшей силы в гениальных личностях, являясь источником их страданий и славы. Эти избранные натуры более чувствительны в количественном и качественном отношении, чем простые смертные, а воспринимаемые ими впечатления отличаются глубиною, долго остаются в памяти и комбинируются различным образом. Мелочи, случайные обстоятельства, подробности, незаметные для обыкновенного человека, глубоко западают им в душу и перерабатываются на тысячу ладов, чтобы воспроизвести то, что обыкновенно называют творчеством.

И Шура Коллонтай начала писать повесть от скуки и безысходности, поэтому из этой затеи ничего не вышло, и она отложила замысел до возвращения в Петербург.

Каждую неделю свекровь Прасковья Ильинична и ее дочь Ольга устраивали уборку квартиры, переворачивали всю мебель. Это был для ребятишек радостный день. Они взбирались на столы и кровати, играли в баррикады.

Невестка не принимала участия в уборке. Ведь в ее родном доме этим делом занимались слуги.

В дни, когда в квартире Коллонтаев шла уборка, Александра старалась уйти из дома.

Она шла, куда глаза глядят, главное прочь из ненавистной квартиры. Один раз по узкой тропинке, карабкаясь и оступаясь, добралась до могилы Грибоедова под горой Давида. С горы Тифлис казался огромной зеленой чашей. Отчетливо просматривалась старая, азиатская часть города с кривыми улицами, плоскими крышами лачуг, а дальше — утопающий в зелени парков дворец царского наместника и богатые виллы.

Лето в тот год было особенно жарким. От нечего делать Александра часто уходила в парк, гуляла по аллеям, присаживалась отдохнуть. В какой уж раз перечитывала она книгу Бокля «История цивилизации в Англии» — единственную, что взяла с собой из Петербурга.

Шура не могла жить без чтения. Она часто спрашивала Владимира, почему он не интересуется литературой. Еще в Петербурге старалась пристрастить его к книгам, заставила прочитать своего любимого Добролюбова. Он вернул его, ничего не сказав. Скорее всего, так и не прочитал.

В доме Прасковьи Ильиничны книг было мало, да и к тем, что были, Владимир относился равнодушно.

Только по воскресеньям, когда за обедом собиралась вся семья, он читал местную тифлисскую газету.

Однажды вечером Александра начала читать вслух отрывок из книги Бокля, осуждавшего писателей, которые посвящали за большое вознаграждение свои произведения сиятельным невеждам. «Чем наглее была лесть, — писал Бокль, — тем больше была сумма вознаграждения писателю».

Муж, склонившись над чертежной доской, не слушал ее. Потом он стал насвистывать свою любимую арию.

Александра обиделась, замолчала, захлопнула книгу. В тот вечер Генри Бокль стал причиной первой размолвки молодых супругов.

В конце августа 1893 года Александра и Владимир Коллонтай возвратились в Санкт-Петербург.

Когда Александра Михайловна закончила свой рассказ о поездке в Тифлис, близкий друг спросил у нее:

— Это был для вас первый урок познания реальной жизни?

— Да, такой урок я получила впервые, — ответила Коллонтай.

Она признавалась: «Мое недовольство браком началось очень рано. Я бунтовала против «тирана», как я называла моего красивого и любимого мужа... мне все казалось, что это «счастье» меня как-то связывало, я хотела быть свободной».

В записях, которые спустя много лет Александра Михайловна посвятит своему прошлому, есть немало строк о ее муже.

Через призму времени их отношения казались идеальными. Может так оно и было. Ведь в будущем Александре Коллонтай придется пожинать все побочные плоды теории «свободной любви» — измены молодых любовников, горечь одиночества, сплетни и насмешки.

Время смягчило тона. В записях больше восторженности и тоски по ушедшей первой любви.

12 марта 1939 года в письме к Эми Лоренсон она вспоминает прошлое: «...нет ничего прекраснее в жизни, чем быть самим собой с другим человеком. Не считаться с условностями. Всегда верить, что другой поймет».

Она считала, что Владимир Коллонтай не сумел ее понять. Шура порывает с ним, забирает сына и переезжает на другую квартиру. О тех днях Александра писала подруге Эльне в Гельсингфорс: «Дорогой друг, наконец-то я выбрала свободную минуту, чтобы черкнуть тебе несколько строк. Я перешла на новую квартиру и вот уже две недели занята ее устройством. Теперь, слава богу, я все более или менее привела в порядок и могу заняться обычными делами, которые забросила.

Мой новый адрес: Знаменская, дом 39. Будь добра, дорогая Эльна, сообщить этот адрес господину Хьельту. Мне очень важно получить его совет относительно будущей работы (книги или статьи)...

Моя новая квартира светлая и уютная. Мы здесь будем жить вдвоем с Мишей. Мой маленький сын становится совсем взрослым. Мы с ним большие друзья и нежно любим друг друга. Большое счастье, что у меня есть сын, особенно сейчас, когда я так одинока...»

Недолго Александра Коллонтай остается в Петербурге. Она решает уехать в Швейцарию.

И вот признания из дневника. Поезд уносит ее все дальше и дальше, и она исповедуется перед подругой детства Зоей Шадурской: «Я решила написать Коллонтаю длинное и теплое письмо тут же в вагоне. Я уверяла в этом письме, как горячо и глубоко я его люблю».

Александра вскоре приехала из Швейцарии и, судя по письмам, возвратилась к мужу. Не надолго, но возвратилась. Вот ее письмо Эльне в Гельсингфорс от 2 января 1899 года:

«*Дорогой друг! Получила большое удовольствие, читая твое доброе письмо. Надежда увидеться с тобой наполняет мое сердце неизъяс-*

209

нимой радостью. Я часто думаю о тебе, дорогая Эльна. Много раз я собиралась написать, но всегда что-нибудь мешало, а последний год у меня было столько забот. Здоровье мужа не перестает меня волновать: у него были нарывы в горле, и его пришлось оперировать четыре раза. Только мой муж поправился, как заболела я... Осенью мне пришлось одной уехать за границу на лечение. Я чувствовала себя гораздо лучше и собиралась уже вернуться домой, как вдруг заболела бронхитом... Таким образом мой отъезд откладывался на три недели. Но, наконец, я дома, чувствую себя прилично, счастлива снова увидеть своего малыша, но опечалена болезнью мужа, снова нарывы. Но не хочу писать тебе о моих горестях, лучше сообщу о большой радости: мой очерк о воспитании, который я написала прошлой зимой, опубликован в журнале «Психология и воспитание». Я много работала над этим очерком и очень довольна, что мой труд увенчался успехом. Я получила около 120 рублей. Это первые деньги, которые я заработала своим трудом.

Мы живем, как и прежде, с моими родителями, в том же доме на Таврической улице, 23. Летом, как обычно, я жила в Куузе. Мама все нервничает, по-моему, она еще больше ослабела. Это нас очень беспокоит. Отец, слава богу, чувствует себя хорошо и занят своей работой. Сейчас он член Военного совета. Меня очень огорчают слухи о проектируемых в Финляндии реформах. В прошлом году в Петербурге вышла книга о Финляндии. В ней дается исчерпываю-

*щая картина жизни в стране, говорится о за-
конах, учреждениях и т. д. Я восхищаюсь Фин-
ляндией...*

*Поскольку меня интересует положение в
Финляндии, напиши мне, что там у вас произошло после седьмого января. Все новости мы
узнаем только из газет, а я не очень доверяю
этим публикациям...*

*Мы с мужем передаем большой привет всем
вам. Наилучшие пожелания твоим родителям,
братьям и сестре. Как она поживает?*

Не забывай меня.

Преданная тебе подруга Шура».

В жизни любого человека накапливаются мо-
тивационные конфликты — какие-то мотивы не
реализовались по внешним причинам, какие-
то — из-за столкновения разных влечений.

От Владимира Коллонтая Шура ушла навсегда. Об этом она еще пожалеет.

Формальное расторжение брака произошло
много позже. Владимир женился второй раз. Об
этом выписка из архива генерального штаба:
«Брак с Александрой Михайловной урожденной
Домонтович расторгнут определением святейшего
синода от 5 мая 1916 года №3142 с дозволением
(В. Л. Коллонтаю) вступить в новое супружество».

Сама Александра в ближайшее время не собиралась «вступать в новое супружество», только после октябрьского переворота она сочетает-
ся гражданским браком с Павлом Дыбенко.

Всю свою жизнь она будет жить по законам
«свободной любви».

В то время, когда Владимир Коллонтай вступает в новый брак, Александра Михайловна живет в Швейцарии, где совершенствует свои знания в Цюрихском университете в семинаре профессора Геркнера. По совету профессора она побывала в Англии, познакомилась с Сиднеем и Беатрисой Веббами — основателями Фабианского общества.

В это время умирает ее мать. 24 декабря 1900 года Шура пишет подруге Эльне в Гельсингфорс:

«Дорогой друг! Шлю тебе мои искренние поздравления и тысячу наилучших пожеланий к Новому году. Я желаю от всего сердца, чтобы он был счастливым для тебя и твоей семьи. Не удивляйся, дорогая, моему длительному молчанию. Прошедшая осень принесла нам много горя, так что я даже не могла писать тебе. Моя мать, после месяца ужасных страданий, обрела вечный покой. С тех пор я не отхожу от моего бедного отца. Он ужасно постарел и убит горем. Прости, что я не послала тебе обещанный мой труд о Финляндии. Причина состоит в том, что все, посланное тебе по почте, было конфисковано русской цензурой. Придется подождать оказии, с которой я тебе перешлю мою работу.

Как ты поживаешь, моя дорогая, что поделывают твои очаровательные дети? Мой Миша уже бегло говорит по-немецки и даже начинает понимать по-французски... Мой адрес тот же: Таврическая, 23.

Преданный тебе друг Шура».

«Новые формы» отношений в браке, которые пропагандировала Александра Коллонтай, были далеко не новыми. Они были старыми. Можно сказать, первобытными. Коллонтай отрицала все нормы морали, которые выработало человечество за долгие годы развития цивилизации. Александра Коллонтай предлагала вернуться к первобытным формам отношений.

На заре возникновения человечества семья имела совсем иные формы. Легенды и предания о тех временах существуют практически у всех народов мира. Известно, например, что «сначала люди ничем не отличались в своем образе жизни от остальных животных; женщины принадлежали всем мужчинам, вследствие чего дети никогда не знали своих отцов, а только матерей».

Человек перешел от смешанного (беспорядочного) полового сожития к моногамии не прямо, а через некоторые формы, рассматриваемые нами в настоящее время как преступления, а именно: полиандрию (союз одной женщины с несколькими мужчинами), кровосмешение, насилование и насильственное похищение женщин.

Итак, мы видим, что среди первобытных народов весьма распространено половое сожитие, подобно тому как оно существует в царстве животных. «Ископаемые чувства» отличаются прямолинейностью, лишены представлений о стыдливости, ревности.

Человек становится человеком в процессе совместной деятельности, совместного труда, общения. Такая деятельность возможна лишь тогда, когда члены группы подавляют в себе агрессию, мотивы, реализация которых приводит к распаду группы. Это означает, что возникают какие-то стереотипы, групповые формы поведения, то есть мораль, усвоенная всеми членами группы.

Очевидно, если эти аффекты остаются ущемленными, они приводят к невротизации и антиобщественному поведению, результатом чего может стать гибель группы.

Выживают лишь группы, создавшие систему ритуалов, которая надежно охраняла коллективные ценности и способствовала душевному здоровью членов общества.

Социальная функция культуры — охрана общественных ценностей.

И искусство, и верования, и религия (идеология) оказываются неотъемлемой частью человеческой цивилизации.

Человеческая цивилизация основана на все большем и большем подавлении животных инстинктов, вытеснении их в бессознательное.

Александра Коллонтай считала, что детей надо забирать от матерей (она имела в виду рабочую среду).

Об этом свидетельствуют ее дневниковые записи:

«Опыт жизни, «мудрость» поучает сердце не трепетать радостью — эмоция радости так часто (как и с резолюцией) бывает построена на ложном восприятии... Такие случаи «учат», но и делают душу пугливо-осторожной и недоверчивой...

Эти дни я особенно часто жалела детишек рабочих. Как жестоко то, что зовется сейчас воспитанием под родительским оком, в семье! Как все нерационально, глупо!.. И насколько более человечно отнять у этих глупых девчонок-матерей их малюток, чтобы воспитывать в яслях, в детских садах и т. д. Ну, если не отнять (это «жестоко», говорят они, по отношению к матерям, хотя большинство тяготится своим материнством), то по крайней мере напрячь все силы общества, чтобы дать матерям надлежащие сведения. И это мало! Условия! Условия жизни надо изменить! Но меня злит, когда матери отмахиваются «во имя материнства» от общественного воспитания, точно не видят, что малютки гибнут под их глупым материнским «заботливым оком»!.. Перекармливают, недокармливают... укладывают спать бестолково, держат без воздуха... Ах! Тошно вспоминать и думать!»

Может быть, в чем-то она была права. Ведь то воспитание, которое дала Шуре ее мать, было хорошим.

Коллонтай отправилась в свое дальнее странствие по дорогам Америки. Находясь в Америке, она поняла и ощутила с горечью, как плохо, когда слабеют узы, связывающие ее с собственным сыном.

Свои впечатления и раздумья записывала в дневник:

«5 ноября. Поезд Денвер — Солт-Лейк-Сити.

...Странно, до чего полосы природы похожи. Отчасти напоминает и Симферопольскую губернию, когда приближаешься к Крыму. Но сейчас — иное, и мне жалко, что спускаются сумерки и я больше не смогу любоваться пустыней.

Когда я вижу седого, благообразного старика с тонкими руками, как у папы, сердце сжимается.

До сих пор тоскую о папе, и душа заполняется нежностью к былому. А когда встречается юноша, похожий на Мишу, я быстро с ним дружусь. И смешно находить во всех них, «щенятах», общее!

Когда-то увижу моего Хохлю — любимого?!»

Через три дня после прибытия в Хольменколлен Коллонтай продолжила дневниковые записи.

«…Часто бываю в кафе «Фолькетсхус» для встреч. Настроение у меня продолжает быть безотчетно подавленным. Вспоминаю маму. Она тоже в последние годы своей жизни безотчетно тосковала, металась, впадала в нервную меланхолию. Может быть, вступаю в «критический возраст»? Нет, не вижу признаков, все нормально. Вдруг тоскую о близких. Завидую тем, у кого есть мать, сестры, муж. Нет, меньше всего верю, что муж может дать душевное тепло и не потребовать за это отказа от свободы. Муж нет, а друг может.

Но сейчас у меня нет здесь друга.»

«Я ДАЖЕ БАБУШКА, И ЭТО СЧИТАЕТСЯ ДОСТАТОЧНЫМ ПРИЗНАКОМ ЖЕНСТВЕННОСТИ...»

16 февраля 1889 года, когда семнадцатилетняя Александра Коллонтай уже вовсю флиртовала с молодыми офицерами, в деревне Людкове на Черниговщине, в очень бедной семье Ефима Васильевича и Анны Денисовны Дыбенко родился шестой ребенок. Лишний рот. Назвали Павлом.

Кто мог думать, что станет он революционным матросом и мужем стареющей мадам Коллонтай.

«Записью брака с Павлом Дыбенко, — говорила Александра Коллонтай, — была начата первая книга актов гражданского состояния в Советской стране».

Мать Павла Дыбенко зарабатывала тем, что стирала чужое белье. Отец занимался заготовкой дров.

Сам Павел Дыбенко начал работать с шести лет.

Потом родители Павла усышали где-то о том, что в Ригу приходят корабли со всего мира, и грузчики там очень много получают.

На последние деньги родители Павлу справили новую одежду, выхлопотали паспорт. Мать сшила дорожный мешок с лямками.

Балтийские грузчики говорили: «Парень здоровый, работать может».

Пришло время призыва. «Не пойду в армию!» — заявил Павел Дыбенко. Уклонился от явки на призывной участок. Долгое время его никто не трогал. А потом вызвали в полицию и по этапу отправили в Новозыбков, по месту жительства родителей.

Разрешили навестить родителей. Мать долго плакала.

В армию пришлось идти. Павлу все же повезло. Он был очень красив: высокий (рост два аршина, семь и четыре восьмых вершка), ладно сложенный, с черными вьющимися волосами. И поэтому, несмотря на политическую неблагонадежность, он попал на флот — во второй Балтийский экипаж в Кронштадте.

217

Он служил на корабле «Император Павел I». Матросская молва закрепила за этим кораблем славу матросской «тюрьмы», войдя в которую матрос немедленно терял все права, даже право считать себя человеком.

На этом корабле Павел Дыбенко прославился как непокорный одиночка, весьма далекий от политики. Тем не менее командование линейного корабля «Император Павел I» решило на всякий случай избавиться от дерзкого одиночки — Дыбенко был арестован, а затем угнан вместе с другими матросами-бунтовщиками на сухопутный флот в Прибалтику — в пехоту.

Матросы, отправленные на позиции в пехоту, как нежелательный для фронта элемент, вскоре были отправлены назад за разлагающее влияние на солдат.

После возвращения с фронта в Гельсингфорс Дыбенко на свой корабль уже не попал. Его назначили баталером на вспомогательное судно — транспорт «Ща», в команде которого Дыбенко пробыл до февральских событий.

Вокруг отношений Коллонтай с Павлом Дыбенко возникло много сплетен и слухов.

Как-то Коллонтай спросили: «Как вы решились связать свою жизнь с человеком, который был на семнадцать лет моложе вас?»

Александра Михайловна ответила: «Мы молоды, пока нас любят».

Уже после октябрьского переворота, отвечая на вопрос предложенной ей анкеты: «Типичная ли вы русская натура по характеру?» Коллонтай ответила: «Нет. Я скорее по складу своего

«Я» интернациональна по воспитанию, по умению понять психологию других народов, вернее, передовой их части — рабочих масс. Я делю мир не по национальностям, а по классовым признакам. Ни в одной из стран, где я жила, я не чувствовала себя «чужой», «иностранкой». И, напротив, я была одинока и очень несчастна в несозвучной среде русского барства...

Я любила немецких рабочих со всей страстью души и сердца в годы, когда работала с ними».

В Германии увлеченная политическими диспутами и отчаянными спорами везде, где встречались русские эмигранты, она порой забывала все на свете, даже сына Мишу, приехавшего к ней на каникулы из Петербурга. Расстроенный гимназист, вернувшись домой, поделился потом своими переживаниями с подругой матери Шадурской.

Зоя Шадурская написала об этом Александре: «Мишка жаловался на тебя, когда мы встретились. Ворчит, ворчит, ворчит.

— Дешевле стоило оставаться в России, я не видал ее все равно. Мамочка к себе на версту не подпускала... Только здоровались да прощались, да за обедом три часа сидели.

Я спросила:

— Почему ты не сказал прямо мамочке о твоих печалях?

— Как же скажешь... сердится мамочка — такая стала раздражительная, худая... и сердится.

— Что ты кислый?

— Будешь кислый, когда ее не видишь никогда».

Маму все это мало волнует. Она снова ездит по Европе: Лондон, Копенгаген, Париж, Стокгольм.

Иван Майский в своих воспоминаниях приводит один из эпизодов: «Однажды в воскресенье Коллонтай появилась на лужайках Парламентского холма, в южной части огромного парка Хэмпстед Хил, где русские эмигранты любили проводить свободное время. Все было, как обычно: дети бегали и резвились, взрослые отдыхали. Александра Михайловна и здесь очень быстро оказалась в центре внимания. Под вечер начались игры. Играли в горелки. Александра Михайловна была одной из первых.

И вот вышло так. Я сбежал со своей партнершей вниз и, поймав ее, остановился у подножия холма. По данному сигналу она побежала очень быстро, вся раскрасневшись и выбросив руки вперед и в стороны, точно крылья. Широкое платье развевалось, и лучи вечернего солнца, навстречу которому она неслась, обливали красноватым золотом ее фигуру, ее разметавшиеся волосы, ее распростертые руки-крылья. Картина была до того феерична, что стоявший рядом со мной товарищ-эмигрант воскликнул:

— Посмотри! Посмотри! Она вся пронизана солнцем!..»

Приходит время возвращаться в Россию.

В июне 1917 года Коллонтай арестовали и отправили в Выборгскую каторжную женскую тюрьму, где она провела тяжелые дни. Об этом она рассказала в своей книге «В тюрьме Керенского». Ее настроение, переживания выражены также в письме, переданном ею на волю подруге Зое Шадурской.

«Тюремная камера, 4 часа дня, 11 августа 1917 года.

Моя бесконечно любимая, дорогая, близкая моя! Ты только что ушла, только что кончился мой праздник, свидание с тобой. Но на душе както смутно, все кажется, что не сказала и половины того, что хотела, не дала тебе понять и почувствовать, как я рада тебя видеть, как много счастья в одном том, что ты здесь близко, в том же городе. Зоюшка, мой родной! Что бы я стала делать, если бы тебя здесь не было? Ведь я с первого дня ощущала твою заботу, и было чувство: кто-то свой, близкий заботится, думает, делает все, что может...

...Первые дни мне казалось, что я участвую в американском фильме, там в кинематографе часто изображается тюрьма... Первые дни я много спала, кажется, выспалась за все месяцы напряженной работы... Трудно передать свое душевное состояние. Кажется, преобладающая точка была в те тяжелые дни, ощущение, будто я не только отрезана, изолирована от мира, но и забыта».

Но не долго сидела она в тюрьме. Судьба дала ей возможность принять участие в октябрьском перевороте.

Коллонтай, как женщина получившая прекрасное воспитание, фиксирует все свои впечатления в дневнике. Так принято было в той среде, где она воспитывалась. Запись последних двух предоктябрьских дней:

«24 октября.

Серенький, осенний денек. В Смольном заседает ЦК. Приняты постановления: все члены ЦК обязуются находиться в Смольном безотлучно. Официально решено порвать с соглашательским ЦИКом. Усилить караул в Смольном, установить пулеметы, командировать Дзержинского на почту и телеграф, чтобы обеспечить за революцией эти важные пункты связи. Направить большевистский контроль на железные дороги. Организовать запасной штаб в Петропавловской крепости, на случай разгрома Смольного.

Таково положение дела. Оно ясно говорит о том, что вооруженное восстание за власть Советов — осязаемый факт».

«25 октября.

Ленин в Смольном. Ленин открыто идет в зал заседаний Петроградского Совета. Кто пережил, тому не забыть этих минут напряженного опасения за великого человека.

Вечер. Темный, октябрьский вечер. Близится ночь.

Комната в Смольном, окнами на Неву. В комнате тускло светит электрическая лампочка над небольшим квадратным столом. На полу, на газетах расположился больной Ян Берзин, старый большевик. За столом ЦК, избранный VI съездом, Ленин здесь. Ленин среди нас. Это дает бодрость и уверенность.

…Если меня спросят, какая была самая важная минута в моей жизни, ответ будет ясен: та ночь, когда русский пролетариат города и деревни голосами своих депутатов на Втором съезде заявил на всю Россию: Временное правительство низложено… Съезд постановляет: вся власть на местах переходит к Советам рабочих и крестьянских депутатов, которые должны обеспечить подлинный революционный порядок».

На второй день после переворота Ленин сказал Коллонтай: немедленно отправляйтесь в Министерство государственного призрения и занимайте его.

Коллонтай помчалась в министерство. Швейцар не пустил ее в здание. Она все же проникла туда.

И пишет приказы один за другим, пишет сама.

Вот еще один из них от 31 января 1918 года за номером 1247: «Два миллиона едва затеплившихся на земле младенческих жизней ежегодно гасли в России от темноты и несознательности угнетенного народа, от косности и равнодушия классового государства. Два миллиона страдалиц-матерей обливали ежегодно горькими слезами русскую землю, засыпая мозолистыми руками ранние могилки бессмысленно погибших невинных жертв уродливого государственного строя! Веками искавшая пути человеческая мысль выбилась наконец на простор лучезарной светлой эпохи свободного строительства руками самого рабочего класса тех форм охраны материнства, которые должны сохранить ребенку мать, а матери ребенка».

«…Воспитательные дома с их колоссальной детской скученностью и смертностью, с их отвратительными формами кормиличного и питомнического промыслов, с надругательствами над святыми чувствами обездоленной рабочей матери, превратившими гражданку-мать в тупое дойное животное, — все эти ужасы кошмарной ночи, к счастью России, при победе рабочих и крестьян погрузились в черный мрак прошлого. Настало утро чистое и светлое, как сами дети».

У Александры Коллонтай начинается новый период жизни. Она разворачивает бурную деятельность. Поле для этой деятельности широкое.

Пришло время смертоносного Эроса. Тот, кого любили сегодня, завтра мог умереть.

Александра Коллонтай отправилась на корабли к матросам. Там она искала новую любовь.

Давно известно, что кроме инстинкта жизни существует «инстинкт смерти» — агрессии, воли к власти.

Этот инстинкт представляет собой обратную сторону проявления сексуальности. Он лежит в основе деструктивного поведения, имеющего целью разрушать все «чуждое». Именно поэтому агрессии дано название «инстинкт смерти».

«Инстинкт агрессии, — писал Фрейд, — является отпрыском и главным представителем первичного позыва Смерти, разделяющего с Эросом господство над миром. И теперь, мне кажется, смысл развития культуры перестал быть для нас неясным. Оно должно показать нам борьбу между Эросом и Смертью, между инстинктом жизни и инстинктом разрушения, как она протекает в среде человечества. Эта борьба составляет существенное содержание жизни вообще, и поэтому развитие культуры можно было бы просто назвать борьбой человеческого рода за существование».

Фрейд так и не смог решить важный для него вопрос об относительной силе инстинктов. Сейчас доказано, что агрессия (оборонительный инстинкт) угасает позже сексуального и пищевого.

А теперь расскажем кратко об истории знакомства матроса Павла Дыбенко и мадам Коллонтай.

Впервые Коллонтай и Дыбенко встретились весной 1917 года. ЦК большевиков послал ее на линкор выступить перед матросами и склонить их к голосованию за большевистскую резолюцию.

Настороженно смотрели матросы на поднимавшуюся по трапу даму в длинном суконном платье и шляпке. Морская традиция гласит: женщина на борту — быть несчастью.

Лишь один человек подошел к ней, дружелюбно поздоровался, объяснил, что она первая женщина, вступившая на палубу линкора. Представился: рядовой матрос Дыбенко, председатель Центробалта.

Возникновению Центробалта предшествовала встреча матросов-балтийцев с Лениным, которая произошла 2(15) — 3(16) апреля 1917 г. в поезде на пути от шведской границы до Финляндского вокзала. В течение суток с лишним вагон с Лениным ехал в сопровождении караула из представителей боевых судов, посланных матросской секцией Гельсингфорсского Совета на шведскую границу специально для встречи и сопровождения вождя.

Во время поездки Ленин беседовал с матросами. После этого общие собрания команд кораблей и крепостных гарнизонов направили своих представителей в новую организацию, получившую название Центробалт.

Первым председателем Центробалта стал Павел Дыбенко. «Среди складно скроенных, ловких в движениях моряков Павел Дыбенко выделялся законченной солидностью: басистым голосом, спокойной уверенностью походки, спокойной выдержкой черных глаз и курчавистой бородкой — красавец парень и деловитый», — высказал свое первое впечатление о будущем соратнике представитель военной организации большевистской партии В.А.Антонов-Овсеенко.

Вот этот ловкий, хорошо сложенный красавец встретил на корабле мадам Коллонтай.

Прослушав речь Коллонтай, матросы проголосовали за большевистскую резолюцию.

Дыбенко сам отвез ее на катере, поднял на руки и отнес на берег.

Вот тут все и началось. Стареющая великосветкая дама, играющая в революцию, нашла новый предмет для своих любовных утех — красавца матроса. Следует отметить, что Павел Дыбенко обладал исключительным обаянием. «Вот как сейчас будто живой стоит передо мной этот статный рослый матрос лет двадцати восьми с живыми черными глазами и небольшой бородкой. Я слышу его голос, зычный и проникновенный, вижу его заразительную улыбку», — вспоминал П.Зайцев, бывший солдат 3-го Кронштадтского полка.

После переезда Советского правительства в Москву Коллонтай и Дыбенко соединили свои жизни гражданским браком и поселились в Первом Доме Советов — гостинице «Националь».

Позже она объяснила свое решение:

— Мы соединили свои судьбы первым гражданским браком в Советской России. Мы решили так поступить на тот случай, если Революция потерпит поражение, мы вместе взойдем на эшафот!

Шесть лет они были вместе, когда позволяла обстановка, но, кажется, лишь один раз не расставались несколько месяцев. Это было на Южном фронте. Затем они были вместе в редкие дни и недели, которые они провели в Кисловодске на отдыхе и потом в деревне, в гостях у родителей Дыбенко. Родители были очень удивлены, увидев свою невестку, — в бедной крестьянской семье вдруг появилась великосветская дама, которая своему мужу годилась в матери.

После смерти Инессы Арманд — она умерла от холеры в городе Нальчике — Коллонтай была назначена заведующей Отделом ЦК РКП(б) по работе среди женщин.

В июльские дни 1921 года Коллонтай в смятенном состоянии уезжает в Одессу. Она узнала, что Дыбенко ей неверен. Вся теория «свободной любви» отступила перед приступом ревности.

На одной из улиц этого города, в особняке, принадлежавшем изгнанному (или расстрелянному) «представителю старого мира», теперь поселился Дыбенко. После окончания Военной академии в Москве его назначили начальником Черноморского сектора военного округа. Дыбенко приехал в Одессу летом 1921 года.

Внешне отношения Дыбенко и Коллонтай оставались ровными и казались такими же, как в начале их совместной жизни. Но на самом деле это было не так.

Не очень уютно чувствовала себя Александра Михайловна в Одессе. Все знали, что муж изменяет ей.

Она очень удивилась и неприятно поразилась той роскоши, какой окружил себя Павел Ефимович: дорогая мебель, ковры, несколько выездов.

Александра сама выросла в роскоши и привыкла не придавать ей значения. Она сознательно отвергла ее. Пошла в революцию. Искала новых ощущений. Ей же ничего не нужно было, кроме письменного стола, стопки бумаги и книг.

Они пришли в революцию разными путями. Коллонтай — из богатого и комфортного дома, Дыбенко — из бедной многодетной семьи.

Коллонтай не могла понять, что Дыбенко вырос в грязной вонючей хижине. Он с детства мечтал о дорогой мебели, картинах, паркетах, машинах и молодых любовницах.

Он бунтовал именно потому, что в дореволюционном обществе никак не мог добиться всего, что ему хотелось, — социальное положение не позволяло.

Зато после октябрьского переворота все мечты сбылись! Ранее недоступные предметы роскоши и радости жизни принадлежали ему — только протяни руку.

Коллонтай не могла его понять. Она была убеждена, что коммунист не имеет права на лучшую жизнь, чем другие.

Дыбенко, выходец из бедной крестьянской семьи, не мог ей объяснить ничего. Когда она спросила его: «Зачем тебе все это?» — он ничего не ответил, только пожал плечами. Что он мог сказать, если и так все ясно?

Коллонтай не могла быть в Одессе просто женой Дыбенко. Тем более, что Дыбенко в это время уже не скрывал своих связей с другими женщинами.

Все дни Коллонтай была занята, изучала историческую литературу, готовилась к лекциям. Известны, например, написанные в июле-августе 1921 года ее «Заметки о Сен-Симоне и его работе «Доктринес».

Но самое главное, что ее волнует, — это моральное падение Дыбенко. Все ее размышления на этот счет отразились и на общественной работе.

Свои чувства оскорбленной женщины она старается загнать глубоко в подсознание. О существовании у человека бессознательной сферы психики давно, задолго до открытия Фрейда, догадывались и врачи, и писатели, и очень многие люди. Но это бессознательное было тайной за семью печатями, оно было окутано мифами и религиозными предрассудками, отдавалось в полное владение то ли Богу, то ли дьяволу. Очевидное существование в человеческой психике непознанных явлений давало пищу для разных мистических учений.

К созданию психоанализа Фрейда привел случай. Случай достаточно типичный в практике каждого психотерапевта, но Фрейд был первым, кто разглядел в нем ту ариаднину нить, которая вела по лабиринтам человеческих переживаний.

Одна из пациенток Фрейда никак не поддавалась нормальному лечению. Вместо того чтобы отвечать на интересующие доктора вопросы, она уходила в сторону и обижалась, если ее прерывали, на то, что ей не дают выговориться. Врачей всегда бесили такие дамочки, которые приходят не лечиться, а просто выговориться. Такие дамочки испытывают потребность излить врачу все, что приходит в голову, все свои свободные, ничем не контролируемые ассоциации.

Фрейд решил дать пациентке выговориться и вдруг, неожиданно, стал улавливать закономерности в свободном течении ее мыслей. Мысли выстраивались в цепочки, пациентка как бы шла за ними, перемещаясь в пространстве своего внутреннего мира. Вдруг она сбивалась, наталкиваясь на какой-то запрет, перескакивала на другую «цепочку» и безвольно перемещалась по ней до тех пор, пока снова не наталкивалась на какую-то стену. Фрейд понял, что «стена», на которую наталкивается пациентка, — это какая-то психологическая защита, за которой и скрываются причины невротических заболеваний и неосознанных действий. Все дело заключается в том, как проникнуть за эту стену, как пробиться через психологическую защиту в мир неосознанных причин, в мир бессознательного.

И для того чтобы пробиться в этот мир, Фрейд решил использовать состояния, когда психологическая защита оказывается ослабленной — во время сна, при расслаблении и т.п. В таких случаях бессознательное как бы прорывается вовне — в виде оговорок, неожиданных действий, неясных картин сновидений. Исследование оговорок, описок, забывания имен, символического языка сновидений постепенно раскрыло перед Фрейдом сложную картину бессознательной жизни.

Коллонтай выдавала свои истинные чувства в оговорках и неожиданных действиях. Измены Дыбенко — это единственное, что ее волновало по-настоящему. Особенно это было заметно во время чтения публичных лекций.

1 июля Коллонтай выступает в Дискуссионном клубе с докладом на тему «О партийной этике». Тезисы, озаглавленные ею «Мораль, как орудие классового господства и классовой борьбы», дают о нем ясное представление:

«1. Этика, мораль или нравственность представляют собой правила общежития, установленные социальным коллективом и в интересах коллектива.

2. Нравственные понятия не есть прирожденные человеку представления или чувствования. Понятия эти воспитываются и внедряются в человека социальной средой.

4. Нравственные понятия или нормы составляют часть идеологии общественного коллектива, живущего при определенных хозяйственных условиях и в определенную эпоху.

5. Взгляд буржуазных мыслителей (Канта, Фихте и др.) на мораль. Точка зрения марксиста на мораль не как на закон, вложенный в душу человека природой, а как на производную хозяйственных отношений, как на составную часть классового мышления...

37. От лицемерия и узды буржуазной формальной нравственности к внутренней свободе нового человека-творца».

Огромный зал Дискуссионного клуба в тот летний день 1921 года был заполнен до отказа. Жарко, душно. Но кто пропустит выступление Александры Коллонтай, все хотят взглянуть на «мадам Коллонтай», а главным образом, на ее туалет, ведь о стиле ее одежды давно уже ходят легенды.

Представитель губернского комитета Компартии Украины товарищ Менде кратким вступительным словом открыл диспут и предоставил слово Коллонтай...

В тезисах к лекции «О коммунистической морали в области брачных отношений», которую она готовила зимой 1921 года в тиши деревни Валуево и затем прочитала в Коммунистическом университете имени Я. М. Свердлова, Коллонтай изложила свое кредо по вопросу любви и брака. Вот ее записи: «Коммунистическое хозяйство упраздняет семью, семья утрачивает значение хозяйственной ячейки с момента перехода народного хозяйства в эпоху диктатуры пролетариата к единому производственному плану и коллективному, общественному потреблению.

Все внешние хозяйственные задачи семьи от нее отпадают: потребление перестает быть индивидуальным, внутрисемейным, его заменяют общественные кухни и столовые; заготовка одежды, уборка и содержание жилищ в чистоте становятся отраслью народного хозяйства, так же, как стирка и починка белья. Семья, как хозяйственная единица, с точки зрения народного хозяйства, в эпоху диктатуры пролетариата должна быть признана не только бесполезной, но и вредной.

Забота о детях, их физическое и духовное воспитание становятся признанной задачей общественного коллектива в трудовой республике. Семья, воспитывая и утверждая эгоизм, ослабляет скрепы коллектива и этим затрудняет строительство коммунизма.

Взаимные отношения родителей и детей очищаются от всяких привходящих материальных расчетов и вступают в новый исторический период».

Приведем еще два развернутых тезиса, с которыми Александра Михайловна выступила в «Свердловке»: «Расцвет духовно-душевных переживаний человечества неслыханной высоты достигает в коммунизме через подчинение слепых сил материи крепко спаянному, а потому небывало мощному трудовому коллективу.

В недрах всего коллектива созреют и новые невиданные формы взаимоотношений между полами, где яркая, здоровая любовь примет многогранную окраску, озаренную ликующим счастьем вечно творящей и воспроизводящей природы».

Александра Коллонтай вспоминала: «Тот энтузиазм, каким бывает одержим агитатор, проповедующий и борющийся за новую идею или положение, это душевное состояние сладко, близко к влюбленности... Я сама горела, и мое горение передавалось слушателям. Я не доказывала, я увлекала их. Я уходила после митинга под гром рукоплесканий, шатаясь от усталости. Я дала аудитории частицу себя и была счастлива».

Вот в таком состоянии «горения» стояла Коллонтай в тот июльский день 1921 года на трибуне Дискуссионного клуба. Свой доклад о партийной этике и морали человека нового общества она закончила следующими словами: «Очень часто приходится наблюдать, что то самое лицо, которое в момент революции проявило себя как герой, совершая подвиги самоотверженности и храбрости, сейчас, в период мирного строительства, выявляет себя совсем с другой стороны, оказывается мелким трусливым человечком, карьеристом, себялюбцем, способным на поступки, которые, казалось бы, совершенно не могут быть свойственны революционному герою».

Коллонтай закончила лекцию под шумные аплодисменты, ответила на вопросы и пешком возвращалась домой. Поднялась в комнату на первом этаже особняка и нашла на столе записку в конверте.

Она подумала, что послание оставил Павел Дыбенко. Но записка была адресована не Александре Михайловне, а Дыбенко. Это было объяснение в любви некоей молодой особы.

Земля в очердной раз ушла из-под ног. Все бесполезно! Можно читать лекции, можно срывать аплодисменты, можно стать известной на весь мир женщиной. Но приходит время — и ты понимаешь только одно: тебя не любят, ты стала ненужной. И все, что ты делаешь, не имеет смысла.

Эмоции управляемы, но половое влечение к кому-то внушить нельзя. Как нельзя и вытравить. Влечение зарождается само по себе, его не предусмотришь.

Кто же была та, что осмелилась перейти дорогу Александре Коллонтай? Это была девушка Валя!

Когда в 1920 году остатки врангелевских войск бежали из Севастополя за границу, во время давки с одного из пароходов, отошедших от причала, была сброшена в море девятнадцатилетняя девушка, родители которой остались на пароходе.

Девушку подобрали рыбаки, и вскоре она оказалась в Одессе. Здесь и встретилась с Дыбенко.

У Коллонтай с Валей было общее только одно: и та, и другая по своему социальному положению были выше Дыбенко. И обе эти женщины любили красавца-матроса.

Коллонтай нашла Валину записку... Что же она сделала? Вечером после его возвращения домой Александра Михайловна спокойно сказала ему, что невольно узнала о его романе с Валей, что отныне между ней и Дыбенко все кончено, она уходит от него. И посоветовала, если он действительно любит Валю, связать с ней свою жизнь.

Дыбенко молча поднялся на второй этаж. Через несколько секунд раздался выстрел. С простреленными легкими его увезли в больницу. Рана оказалась очень опасной, но не смертельной.

Александра Михайловна не сразу уехала из Одессы, подождала выздоровления Павла. Потом повторила, что ее решение твердо, она расстается с ним навсегда.

Вскоре после начала работы Коллонтай в Христиании туда приехал Павел Ефимович Дыбенко.

Выйдя из госпиталя, он остался в Одессе на своем посту. Метался, не мог пережить разлуки с Коллонтай. Прислал ей письмо, просил встречи.

Александра Михайловна написала в ЦК, просила разрешения Дыбенко приехать в Норвегию.

Ему дали отпуск на шесть недель «для лечения легких в горах Норвегии».

Коллонтай была рада приезду Павла, но встретила его настороженно. Да и он чувствовал себя не в «своей тарелке». Александра Михайловна проводила все дни в приемах, переговорах, а он ходил как неприкаянный. Через три недели Дыбенко уехал в СССР и, как советовала ему Коллонтай, женился на Вале, но брак был недолгим.

Дружеские отношения с Дыбенко сохранились. Он часто звонил ей в Христианию, а потом и в Стокгольм, когда Коллонтай была назначена послом в Швеции. Они остались друзьями до конца дней его, до лета 1938 года.

Когда Коллонтай прибыла из Осло в Стокгольм с кратковременным визитом, ее сразу же обступили корреспонденты газет, аккредитованных в шведской столице. Журналисту из газеты «Тиденс Тайн» удалось взять у Александры Михайловны интервью, которое опубликовали 9 мая 1930 года под заголовком «Советская некоронованная королева». Один вопрос был задан прямо: «Почему «русскую ферст леди» не посылают в более крупную страну?» Коллонтай, улыбаясь, ответила, что журналист плохой патриот, если он так плохо ценит свою страну.

Тогда он изменил тактику:

«— Не отягощает ли вас министерский портфель?

— Нет, ничего подобного. Это моя жизнь.

— Не чувствуете ли вы себя зависимой от специфических женских слабостей — повышенная чувствительность?

— Нет, это уже слишком устарело для нас, женщин. Подобные чувства можно встретить лишь в юмористических журналах. При исполнении моих служебных обязанностей я чувствую себя совершенно нейтральной, тогда я не женщина и не мужчина, тогда я являюсь представителем государства и народа.

— Но все-таки женщина не может отрицать своего собственного пола?

— Конечно, нет, я даже бабушка, и это считается достаточным признаком женственности. У меня есть трехлетний внук, который недавно посетил меня в Осло. Тридцатилетняя политическая деятельность способствовала уничтожению романтической женственности, если вы подразумеваете именно такого рода женственность. Это, между прочим, касается всех современных женщин и женщин будущего. Наш лозунг — это труд и экономическая независимость.

— Но как же дети, брак?

— Да, время брака, как единственного счастья женщины, на котором она строит свою жизнь, прошло. Брак является второстепенным для женщины молодого государства... Все должно рационализироваться, упрощаться, как вступление в брак, так и развод. Ясли, детские сады будут принимать детей, а интернаты будут продолжать образование и общественное воспитание. Таким образом, дети с раннего возраста покидают семейный очаг и вместо этого получают непосредственный и быстрый контакт с обществом, с его требованиями и преимуществом.

— Но разве домашний очаг не имеет воспитательного значения, разве он не может способствовать созданию индивидуальности?

— Столь же часто встречаешь противоположное. С этим дело обстоит так же, как со старыми формами брака. Не все они приносят счастье, наоборот. И далеко не все женщины приспособлены быть матерями».

Подруга А.Коллонтай Зоя Леонидовна Шадурская (они познакомились в Софии в семилетнем возрасте) писала 23 декабря 1935 года своему «другу 60-летней давности»: «В жизни таких великих женщин, как Цеткин, Софья Ковалевская, мадам Кюри, Мери Вольсктонкрафт или Жорж Санд, много богатства, творчества и даже женских драм, но нет тех контрастов и запутанных психологических узлов, какими интересна твоя жизнь. А если кому хочется написать о тебе в духе приключенческой повести, и на это имеется богатый материал».

9 марта 1952 года Коллонтай скончалась на руках у внука.

Прах Александры Михайловны Коллонтай покоится на Новодевичьем кладбище в Москве.

ЖЕНЩИНЫ СИЛЬНОГО УМА И СИЛЬНОЙ ВОЛИ

Первый заместитель Дзержинского, Менжинский, человек со странной болезнью спинного мозга, эстет, проводивший свою жизнь лежа на кушетке, в сущности, очень мало руководил работой ГПУ. Примерно так характеризовал Вячеслава Менжинского бежавший на Запад личный секретарь Сталина Борис Бажанов.

Но больным эстетом Вячеслав Менжинский стал в конце жизненного пути, а в детстве он был очаровательным ребенком.

Когда кто-либо из подруг или знакомых спрашивал у Марии Менжинской о том, что не много ли она возится с детьми, — можно, в конце концов взять няню, гувернантку, — она в ответ любила повторять слова Гете: «В первое время важнее всего материнское воспитание, ибо нравственность должна быть насаждена в ребенке как чувство».

Мать Менжинского была уверена, что дитя играет, потому что игры составляют его природу и удовольствие, воспитатель должен только направлять их таким образом, чтобы они были действительным делом, то есть чтобы возбуждали гармоническую деятельность всех душевных способностей ребенка, не допуская одностороннего преобладающего господства какой-нибудь одной из них.

Игры составляют работу ребенка, его деятельность, вследствие этого самыми любимыми его игрушками бывают самые простые, большую часть которых он сам себе может сделать.

Вячеслав Рудольфович Менжинский родился в Санкт-Петербурге 19 августа 1874 года, что по новому стилю соответствует 1 сентября.

Дед Вячеслава Менжинского был хоровым певчим. Работа эта была чистой и почтенной, а на самом деле была тяжелой и изнурительной. Правда, позволяла делать небольшие сбережения.

Игнатий Менжинский не пил, стремления его шли по пути совсем другому — дать образование сыну Рудольфу. Желание не только дерзкое, но и трудновыполнимое, так как требовало денег, много денег.

Но своего добился. Сын его — Рудольф Игнатьевич — получил сначала среднее образование, а в 1865 году даже закончил весьма успешно Петербургский университет, словесно-исторический факультет. После положенных испытаний была ему присуждена степень кандидата исторических наук и место преподавателя в Петербургском кадетском корпусе.

Рудольф Игнатьевич, будучи человеком добрым и честным, однако же твердо придерживался своих принципов. В любимой своей истории видел, кроме учебного предмета, и определенное мировоззрение, почему и беседовал с юными кадетами и о великих сражениях прошлого, и о смысле жизни.

Случилось так, что тесть Рудольфа Игнатьевича — Александр Венедиктович Шакеев, служивший инспектором в школе подпрапорщиков и юнкеров, также был историком и, более того, тоже любил историю.

Это совпадение интересов вызывало между тестем и зятем как долгие взаимно-уважительные беседы, так и горячие споры.

— Вам, как человеку молодому, решившему посвятить себя истории средних веков, — покровительственно говорил зятю Александр Венедиктович в своем домашнем кабинете, — надлежит хорошенько познакомиться с историческими исследованиями Ранке и Шлоссера.

— Но почему Ранке и Шлоссера? — возражал, хотя и почтительно, Рудольф Игнатьевич. — Ведь это представители совершенно разных школ. Ранке — это объективист. А Шлоссер — прогрессист, хотя и кантианец. Нет, мне больше по душе Грановский. Это российский гугенот.

— Скорее, уважаемый, он монтаньяр, чем гугенот, — ответствовал Шакеев. — Мне он не нравится. Его лекции — это не историческая наука, а пропаганда историей.

— Вот-вот. Это-то мне и нравится. Мне нравятся его независимый образ мыслей, его утверждение, что задачей исторической науки является служение общественному прогрессу.

— Вы, молодой человек, так говорите о Грановском, что завтра начнете рекомендовать его своим кадетам, — с ноткой сожаления в голосе проговорил старик.

— А я уже рекомендую и считаю, что в этом ничего плохого нет.

— Не рановато ли? Я бы на месте вашего инспектора не разрешил. Сегодня порекомендуете Грановского, завтра Чернышевского.

Их очередную беседу прерывала Мария Александровна, приглашая отца и мужа к чаю.

Мария Александровна была одной из образованных женщин своего времени и все свободное время посвящала кружку передовых, демократически настроенных женщин. Организатором этого кружка еще в дореформенное время была Надежда Васильевна Стасова, а его душой Мария Васильевна Трубникова, дочь декабриста Василия Петровича Ивашева. С ней-то в молодые годы и была

особенно дружна и близка Мария Александровна. «Это все были, — по словам В. Стасова, —
женщины сильного ума, сильной воли, сильной
энергии и сильного характера».

Кружок образовался в годы, когда в России
складывалась и нарастала революционная обстановка.

Реформы начала 60-х принесли для демократически настроенных интеллигентов несравненно
больше, чем при Николае I, свобода печати, слова
все же открыла довольно широкое поле просвети-
тельской деятельности. Возможность просвещать
народ и «свободных рабочих». Это было увлекательно для многих и многих, в том числе и для
образованных женщин из демократического кружка Надежды Стасовой и Марии Трубниковой.

По их инициативе было создано филантропи-
ческое «Общество дешевых квартир», чтобы по-
дыскивать недорогое жилье для бедных семей, оп-
ределять детей в учебные заведения и устраивать
на работу в мастерские. Естественно, что в тогдашних условиях эта утопическая идея не могла
осуществиться. И много лет спустя, в 1895 году,
Мария Александровна Менжинская с горечью писала: «Рвения у всех в нашем обществе было
много... Еще до учреждения устава были наняты
квартиры и помещены в них бедные семейства...
Детей устраивали по мере возможности в разные
учебные заведения, мастерские, нашли двух бес-
платных докторов, и общество начало действовать.
Едва оно основалось, со всех концов Петербурга
посыпались просьбы о помощи... Много было
сделано в смысле филантропии, но цель обще-

ства — давать за дешевую плату помещение и доставлять работу... не достигалась».

Неудача с «Обществом дешевых квартир» не обескуражила энергичных женщин, стремившихся как-то облегчить тяжелую жизнь простых петербургских людей. Члены кружка, как вспоминала впоследствии Мария Александровна Менжинская, часто собирались, чтобы поговорить, в сущности, об одном и том же: что делать? Вопрос этот был самым волнующим для всех демократически настроенных людей того времени.

Заточенный в Петропавловскую крепость Чернышевский дал прямой ответ на вопрос «Что делать?», написав в крепости свой знаменитый роман.

Жаркие споры вокруг «Что делать?» шли и в женском кружке Стасовой и Трубниковой. Под бесспорным влиянием романа Чернышевского в кружке родилась идея создания женской артели по изданию книг и устройству мастерских.

«Мы собирались, — вспоминала М. А. Менжинская, — чтобы потолковать, нельзя ли устроить такое женское общество или товарищество на паях, которое дало бы нам право заводить различные мастерские, как-то: швейную, переплетную, иметь издательскую контору для перевода и издания детских, научных и литературных книг. Решили устроить женскую артель».

Устройство этого товарищества относится к 1863 году. Члены кружка часто собирались то у Стасовых, то у Менжинских, то у Бекетовых. В ту пору Мария Александровна Менжинская особенно тесно сдружилась с Поликсеной Степановной Стасовой.

В целом издательская артель была тесным и дружным женским кружком, а впоследствии и кружком передовой интеллигенции, в котором главную роль стал играть прогрессивный профессор университета Андрей Николаевич Бекетов.

Именно в этом кружке зародилась идея о высшем образовании для женщин. В итоге долгих обсуждений родилось коллективное прошение ректору Петербургского университета Кессееру с просьбой открыть при университете женские курсы. Под прошением подписалось более четырехсот человек. В их числе — Мария Александровна и Рудольф Игнатьевич Менжинские.

13 мая 1868 года уполномоченные от кружка вручили прошение Кессееру.

Обер-прокурор синода Д. А. Толстой, совмещавший с 1868 года эту должность с управлением Министерством просвещения, только спустя полтора года (в декабре 1869 года) под нажимом общественного мнения был вынужден дать разрешение на открытие публичных лекций для женщин. Но не в стенах университета.

Первая публичная лекция для женщин состоялась.

Устройством лекций занимался женский комитет. Лекции читали виднейшие профессора университета: ботанико-географ А. Н. Бекетов, ботаник М. С. Воронин, физиолог Ф. В. Овсянников, под руководством которого начинал свою научную деятельность будущий академик И. Л. Павлов. С лекциями по истории выступал профессор К. Н. Бестужев-Рюмин.

Первоначально лекции были рассчитаны на 300

человек. «Но вскоре, — вспоминала М. А. Менжинская, — пришлось раздавать более билетов — таков был наплыв слушательниц».

У комитета было много хлопот, трудов и забот. Не только по приглашению лекторов, но главным образом по изысканию средств. Средства собирались со слушательниц — 25 копеек за лекцию, 2 рубля 50 копеек за каждый предмет на полугодие. Сбор за слушание лекций был недостаточен, а деньги нужны были тотчас. «Поэтому, — вспоминала М. А. Менжинская, — решено было устроить в пользу лекций концерт, литературное чтение, лотерею».

Только благодаря настойчивости передовой русской интеллигенции развитие женского образования в России шло значительно быстрее, чем во многих странах Западной Европы. В результате общественного движения 60-х годов в России с 1862 года стали открываться формально бессословные женские учебные заведения открытого типа в противоположность закрытым дворянским учебным заведениям вроде Смольного института. В 1863 году были созданы Высшие женские педагогические курсы, которые готовили учительниц для гимназий.

Лекции для женщин, начатые в январе 1870 года, вместе с Высшими педагогическими курсами положили начало высшему женскому образованию в России.

Кадетский корпус, в котором преподавал Р. И. Менжинский, еще в 1863 году был реорганизован в кадетскую гимназию. После «реформ» графа Д.А. Толстого программа кадетской гимназии приблизилась к программе классической гимназии. Главное место в ней заняли древние языки и закон божий. Теперь о каких-либо вольностях в преподавании истории не могло быть и речи.

Лекции для женщин были запрещены.

Кружок прогрессивной интеллигенции, возглавляемый профессором Санкт-Петербургского университета А.Н.Бекетовым, не мог примириться с этим фактом. Он продолжал борьбу за высшее женское образование в России. В 1878 году кружку удалось добиться разрешения на открытие в Петербурге Высших женских курсов в составе словесно-исторического и физико-математического факультетов.

Объявляя об этом высочайшем решении, министр просвещения Д. А. Толстой заявил: «Открытие курсов состоится при условии, если они будут учреждены на имя одного из профессоров». Таковым стал профессор русской истории К. Н. Бестужев-Рюмин, по фамилии которого курсы и стали в дальнейшем называться Бестужевскими.

Преподавателями курсов были прогрессивные профессора. В частности, лекции по истории средних веков читал профессор Рудольф Игнатьевич Менжинский.

Разрешив открыть Высшие женские курсы, министр Д. А. Толстой в то же время запретил иметь какой-либо устав этих курсов. Курсы без устава царское правительство могло закрыть в любое время, по любому поводу. Так оно и произошло. В 1886 году был запрещен прием на первый курс. Не разрешили прием и в последующие годы. К лету 1889 года на курсах уже не осталось ни одной курсистки. Лишь в 1890 году после настойчивых усилий прогрессивной интеллигенции удалось вновь возобновить деятельность курсов.

Борьба за высшее женское образование была длительной и трудной. Одни, слабые духом или запуганные царизмом, отходили от борьбы. Другие продолжали ее до конца.

Борьба эта Марии Александровне стоила здоровья, она тяжело заболела и в 30-е годы уже отошла от общественной деятельности. «Болезнь, — говорила впоследствии ее старшая дочь Вера Рудольфовна, — не позволила ей непосредственно принять участие в борьбе (с царизмом), но взгляды ее оказали сильное влияние на слагавшееся мировоззрение детей».

Вячеслав Менжинский был третьим ребенком в семье. У него был еще брат Александр, почти на 10 лет старше. С братом Вячеслав не дружил ни в детстве, ни в зрелые годы. Получив образование, Александр стал экономистом, работал в банке, впоследствии занимался финансовыми вопросами.

Кроме брата, у Вячеслава были еще две сестры: Вера — старше на два года и младшая — Людмила, родившаяся в январе 1876 года.

В раннем детстве Вячеслав был задумчивым, не любившим шумных игр мальчиком. Он очень дружил с сестрами, особенно с Людмилой. Младшие дети (Саша уже считался взрослым) вместе играли, вместе слушали по вечерам детские сказки, которые рассказывала им мать. Мария Александровла была любящей матерью. Такой же была и ее близкая подруга Поликсена Степановна Стасова. Они всю жизнь дружили, не могли и трех дней прожить, не увидевшись, не поговорив о детях, об общих делах. Не удивительно, что и дети их были очень дружны между собой. Частые встречи и совместные игры, чтение книг у Стасовых или у Менжинских, а летом — прогулки, купания сдружили детей. Дочь Стасовой Лена учила маленького Вячеслава плавать. Дружба Вячеслава с сестрами, с Еленой Дмитриевной Стасовой прошла глубокой бороздой через всю их жизнь.

Когда дети немного подросли, Мария Александровна читала им басни Крылова, произведения Пушкина. На материнском столике всегда была какая-нибудь книга русских сказок или русских классиков, которые она по вечерам пересказывала детям. Это она внушила им первые понятия о добре и зле, о честности, о любви к людям.

Мария Александровна научила детей читать, писать и считать. Сама готовила их к гимназии. Она нередко упрекала отца в том, что он недостаточно внимания уделяет воспитанию своих детей. Хотя, может быть, была и не права. Рудольф Игнатьевич был человеком образованным, деятельным и хорошим отцом. Он оказал большое влияние на воспитание детей и своими беседами и своими книгами.

У Рудольфа Игнатьевича была хорошая библиотека. В ней было много книг — исторических, философских, по естественной истории, беллетристики: Плутарх и Юлий Цезарь, Соловьев и Карамзин, Грановский и Шлоссер, Пушкин и Лермонтов, Герцен и Белинский, Добролюбов и Чернышевский. Эти книги сыграли огромную роль в умственном развитии и образовании детей Менжинского. Любимым занятием Вячеслава, как только он научился читать, стало чтение книг, особенно исторических. Он забирался куда-либо в укромный уголок и, позабыв обо всем на свете, с упоением читал Плутарха и Тацита, «Историю государства Российского» И. М. Карамзина, «Капитанскую дочку» и «Историю пугачевского бунта» Пушкина. Интерес к событиям дней минувших вызывался также и постоянными беседами отца и деда. История осталась любимой наукой Вячеслава до конца жизни.

Тетя Маня — это Мария Васильевна Трубникова, частый гость в семье Менжинских.

Весь быт семьи Менжинских, как и их друзей Стасовых, Трубниковых, Бекетовых, был пронизан интересом к просвещению, культуре, передовым идеям эпохи. Поэтому не удивительно, что огромный интерес у мальчика вызывали Пушкин и Лермонтов, Некрасов и Крылов, о поэзии которых в семье шли непрерывные разговоры.

«Маленький Вячеслав, — вспоминала Вера Рудольфовна, — запоем читает стихи. И в его увлечениях рядом с историей стала поэзия. Он особенно увлекался Лермонтовым:

...Мерный звук твоих могучих слов
Воспламенял бойца для битвы...»

Шестая Петербургская гимназия была типичной классической гимназией, главным назначением которой было вырастить преданных царю слуг, нерассуждающих чиновников. Для классической гимназии был характерен односторонний, оторванный от жизни классицизм с упором на преподавание древних языков. Естествознание изучалось только в начальных, первом и втором классах, география — с первого по пятый класс. Немного было часов и математики с физикой. Главными предметами были закон божий, древние языки — латинский и греческий, на них отводилось больше сорока процентов времени, современный иностранный и русский языки.

Старшая сестра Вера в своих воспоминаниях писала: «Часто можно было застать Вячеслава Менжинского в такой позе: на столе учебник, а на коленях совершенно посторонняя гимназической учебе книга».

В младших классах Вячеславу особенно нравилась естественная история. Но даже этот предмет преподавали в гимназии так сухо, без каких-либо опытов и наблюдений над живой природой, что интерес к нему наверняка бы угас, если бы не принес однажды отец домой книгу Брема «Жизнь животных». Читая Брема, Вячеслав уносится мыслями в таежные дебри Сибири, камышовые заросли на берегах Аму-Дарьи, в азиатские джунгли и африканские саванны, где жили удивительные животные, росли невиданные деревья, в ветвях которых распевали песни неведомые птицы. Вслед за Бремом осилена «Философия зоологии» Ламарка и буквально «проглочены» сказочные приключения охотников и путешественников из журнала «Природа и охота», принесенного в гимназию кем-то из товарищей.

После окончания университета Менжинский — младший кандидат на должность по судебному ведомству при Петербургском окружном суде (Кабинетная улица, дом 14, кв. 5), а затем помощник присяжного поверенного частной адвокатской конторы, помещавшейся в доме № 11 по Финляндской улице на Выборгской стороне.

В конце 1905-го, а возможно и в начале 1906 года, Менжинский возвращается в Петербург.

Активное участие в организаторской и пропагандистской работе среди петербургского учительства принимала старшая сестра Менжинского, Вера Рудольфовна. По поручению Надежды Константиновны Крупской, с которой она познакомилась в редакции «Новой жизни», Вера Рудольфовна подыскивала помещения для устройства митингов и собраний, где нередко выступала и сама.

«Я скромна, — вспоминала она впоследствии. — Но тогда была какая-то дерзость. Я спокойно влезала на трибуну и вела борьбу с анархистами, эсерами, меньшевиками. Я застенчива. Но тогда я кидала цвишенруфы колкие, резкие, когда говорили враги. Это была первая революция».

Сестры Менжинские, Вера и Людмила, учительницы воскресных школ для рабочих, в то время жили вдвоем в Питере, на Ямской улице (ныне улица Достоевского) в доме № 21. Их квартира под номером два помещалась в цокольном этаже. Для конспирации она была неудобной. Вход с улицы. Несколько ступенек вверх и дверь в квартиру. Рядом лестница на верхние этажи — на ней швейцар. В окно квартиры можно было заглянуть с улицы.

«Каждое утро Надежда Константиновна приходила к нам, — вспоминала В. Р. Менжинс-

кая. — Мы составляли план работы на день и расходились по своим делам. Вечером встречались вновь, то в Технологическом институте, то в других местах...»

Перебравшись из Ярославля в Петербург, Вячеслав Рудольфович частенько навещал сестер. У них он познакомился с Крупской. Здесь произошла и первая встреча Вячеслава Рудольфовича с Лениным.

10 лет находился Менжинский на нелегальном положении, жил за границей Российской империи. Но всему приходит конец, и все дороги ведут к дому...

Вячеслав Менжинский возвращался домой. По старой конспиративной привычке, когда поезд на одной из станций сбавил ход, он спрыгнул с подножки вагона. Приехал в Петроград на дачном поезде.

Итак, после десятилетней разлуки он вновь был на Родине. Но была и горечь — мать Вячеслав Рудольфович в живых уже не застал.

Радостной была встреча с отцом, с сестрами. С Верой Вячеслав не виделся девять лет, а с Людмилой — семь, с тех пор как она по партийным делам в 1910 году приезжала в Париж. С отцом не виделся десять лет. Рудольф Игнатьевич за эти годы сильно сдал. После смерти Марии Александровны стал часто болеть.

Эмиграция внесла разлад в собственную семью Вячеслава Рудольфовича. Разорванные отношения с женой наладить не удалось, и семья распалась.

Вернувшись летом 1917 года из эмиграции, Менжинский с головой окунулся в политическую деятельность. Он — член Бюро военной организации при ЦК РСДРП(б), редактор большевистской газеты «Солдат», член Военно-революционного комитета Петроградского Совета.

После октябрьського переворота Менжинский — народный комиссар финансов.

В дни октябрьского переворота в Петрограде ходила такая острота: что такое анархия? Это когда «всем, всем, всем» можно делать все, все, все! «Всем, всем, всем!» — так начинались большевистские обращения после октябрьского переворота. «С чинами нашего ведомства большевики в Смольном были любезны и, только ничего не добившись, перешли на угрозы, что, если им не дать ассигновки на 15 миллионов, они захватят Государственный банк и возьмут столько, сколько им понадобится», — так 6 ноября 1917 года писал коллежский асессор, чиновник особых поручений Министерства финансов Сергей Константинович Бельгард, которому в ту пору исполнилось 28 лет. 2 ноября 1917 года он сделал такую запись в своем дневнике: «Ночью была разграблена касса Кредитной Канцелярии. Грабителями явились полотеры; было разгромлено два шкапа, и никто ничего не слыхал! Сегодня утром большевики пытались вскрыть кладовые Государственного банка, но стоящие в карауле семеновцы не допустили разгрома «народного достояния».

Менжинский заявил, что, если Совету Народных Коммиссаров не будет выдано 10 миллионов рублей, сумма эта будет взята путем взлома кассы силою. Совет Государственного банка постановил: Совет не считает себя вправе удовлетворить это требование как не основанное на законе. Текущий счет на имя Совета Народных Комиссаров не может быть открыт, т.к. Совет не пользуется правами юридического лица». И все же большевики победили.

В конце 1919 года Менжинский был утвержден заместителем председателя Особого отдела и членом президиума ВЧК. Этот отдел занимался борьбой со шпионажем и «контрреволюцией» в армии и на фронте. Осенью 1923 года Менжинский был назначен первым заместителем председателя ОГПУ. В 1926 году, после смерти Дзержинского, Менжинский становится председателем ОГПУ.

Командный состав ВЧК формировался из бывших политкаторжан. Казалось бы, люди, испытавшие на себе ужасы полицейского произвола, не должны были использовать те же методы насилия, которые применялись к ним. Но случилось обратное, они наполнили арсенал ВЧК именно тем, против чего боролись. Произошла преемственность беззакония. По уровню произвола и жестокости, по количеству жертв преемники оставили своих предшественников далеко позади.

Пытаясь объяснить превращение советских правоохранительных органов в машину произвола и насилия, некоторые исследователи связывают его с работой в них бывших царских охранников. Приведу свидетельство жандармского генерала А.И. Спиридовича: «В рядах большевистского правительства нет ни одного жандармского имени. Их нет там, хотя там находятся представители всех сословий, служб, профессий, степеней, рангов и чинов прежней России. Бывший жандармский полковник Комиссаров, покинувший ряды Корпуса еще при царском режиме, — единственное исключение». Спиридович допустил неточность — в ВЧК помощником Ф.Э. Дзержинского служил Джунковский, но Джунковский, честный порядочный человек, был одним из лучших представителей царской политической полиции. Но не в бывших жандармах дело. Дело в преемственности жандармского произвола.

Мы не разрушили произвол, мы разрушили то немногое, чего добились прогрессивные силы во второй половине XIX века. Неразборчивость в выборе средств для достижения непроверенных целей, непростительные ошибки наших предшественников обернулись для нас возмездием. Мы позволили людям, увлеченным построением социализма, перекрашивать историю чужой кровью, нашей кровью.

Бежавший на Запад личный секретарь Сталина Борис Бажанов писал: «ГПУ... Как много в этом слове для сердца русского слилось.

В год, когда я вступал в коммунистическую партию (1919), в моем родном городе была власть большевиков. В апреле в день Пасхи вышел номер ежедневной коммунистической газеты с широким заголовком «Христос воскресе». Редактором газеты был коммунист Сонин. Настоящая фамилия его была Крымерман, он был местный еврей, молодой и добродушный. Этот пример религиозной терпимости и даже доброжелательности мне очень понравился, и я его записал коммунистам в актив. Когда через несколько месяцев в город прибыли чекисты и начали расстрелы, я был возмущен, и для меня само собой образовалось деление коммунистов на доброжелательных, «идейных», желающих построения какого-то человеческого общества, и других, представляющих злобу, ненависть и жестокость, убийц и садистов, так что дело не в людях, а в системе.

Во время моего последующего пребывания на Украине я узнал много фактов о жестоком кровавом терроре, проводимом чекистами. В Москву я приехал с чрезвычайно враждебными чувствами по отношению к этому ведомству. Но мне практически не пришлось с ним сталкиваться до моей работы в Оргбюро и Политбюро. Здесь я прежде всего встретился с членами ЦКК Лацисом и Петерсом, бывшими в то же время членами коллегии ГПУ. Это были те самые знаменитые Лацис и Петерс, на совести которых были жестокие массовые расстрелы на Украине и других местах гражданской войны — число их жертв исчислялось сотнями тысяч. Я ожидал встретить исступленных, мрачных фанатиков-убийц. К моему великому удивлению, эти два латыша были самой обыкновенной мразью, заискивающими и угодливыми маленькими прохвостами, старающимися предупредить желания партийного начальства. Я опасался, что при встрече с этими расстрельщиками я не смогу принять их фанатизм. Но никакого фанатизма не было. Это были чиновники расстрельных дел, очень занятые личной карьерой и личным благосостоянием, зорко следившие, как помахают пальцем из секретариата Сталина. Моя враждебность к ведомству перешла в отвращение к его руководящему составу.

Это впечатление мне было довольно неприятно. Это был 1923 год, я еще был коммунистом, и для меня кто-кто, а уж человек, стоявший во главе ГПУ, нуждался в ореоле искренности и порядочности. Во всяком случае, было несомненно, что в смысле пользования житейскими благами упреков ему сделать было нельзя — в этом смысле он был человеком вполне порядочным. Вероятно, отчасти поэтому Политбюро сохраняло его формально во главе ГПУ, чтобы он не позволял подчиненным своего ведомства особенно расходиться: у ГПУ, обладавшего правом жизни и смерти над всем беспартийным подсоветским населением, соблазнов было сколько угодно. Не думаю, что Дзержинский эту роль действительно выполнял: от практики своего огромного ведомства он стоял довольно далеко, и Политбюро довольствовалось здесь скорее фикцией желаемого, чем тем, что было на самом деле.

Впрочем, из откровенных разговоров на заседаниях тройки я быстро выяснил позицию лидеров партии. Держа все население в руках своей практикой террора, ГПУ могло присвоить себе слишком большую власть вообще. Сознательно тройка держала во главе ГПУ Дзержинского и Менжинского как формальных возглавителей, в сущности от практики ГПУ далеких, и поручала вести все дела ГПУ Ягоде, субъекту малопочтенному, никакого веса в партии не имевшему и сознававшему свою полную подчиненность партийному аппарату. Надо было, чтобы ГПУ было всегда и во всем подчинено партии и никаких претензий на власть не имело.

Этот замысел лидеров партии осуществлялся без труда. ГПУ из подчинения аппарату не выходило. Но озабоченные только отношениями ГПУ и партии, руководители относились с полным безразличием к непартийному населению и фактически отдали всю его огромную массу в полный произвол ГПУ. Лидеров интересовала власть, они были заняты борьбой за власть внутри партии. Вне партии был выставлен против населения заслон ГПУ, вполне действительный и запрещавший населению какую бы то ни было политическую жизнь, следовательно, ликвидировавший малейшую угрозу власти партии. Партийное руководство могло спать спокойно, и его очень мало занимало, что население все больше и больше схватывается в железные клещи гигантского аппарата политической полиции, которому коммунистический диктаторский строй предоставляет неограниченные возможности».

Было похоже, что Менжинский специально игнорировал окружающую его действительность — моделировал для себя иную, более приятную и красивую реальность.

Интересна запись В. Р. Менжинского в рабочем плане. «Что сделать зимой 1925—26 гг.»:

«... В. Военное дело. Верховая езда, стрельба, посещение школы и т. д.

С. Авиация: полеты, конструкции и пр.».

Уже в последние годы своей жизни он продолжал изучать китайский, японский, фарси и турецкий языки. Он ежедневно просматривал десятки советских и иностранных газет. И всегда был в курсе всех событий внутренней жизни страны и международных.

Кроме занятий языками, Менжинский в последние годы жизни много времени уделял высшей математике и химии. На его подмосковной даче была оборудована небольшая химическая лаборатория, которой он отдавал часть своего свободного времени.

Работал он в весьма скромном кабинете, жил с семьей до 7 ноября 1933 года в небольшой малоуютной квартире, переоборудованной из бывшей аптеки в Кавалерском корпусе Кремля. И съехал-то он с этой квартиры только лишь потому, что, будучи тяжело больным, не мог подниматься на второй этаж. Летом, а последние два года и зимой Менжинский жил на даче «Шестые Горки». Однажды, желая помочь больному Менжинскому в обработке огорода, комендант прислал на дачу рабочих.

Отказавшись от их услуг, Менжинский сказал рабочим:

— Наша семья, я, жена и сын, в состоянии обработать огород или посадить цветы.

А затем, как свидетельствует современник, сделал выговор коменданту за присылку рабочих на дачу.

Менжинский с детства дружил с сестрами и всегда был внимателен к ним, заботлив. Очень любил своих детей, особенно младшего сына, Рудольфа, много занимался с ним.

Младшая сестра Менжинского Людмила Рудольфовна в конце 1919 года по постановлению

ЦК партии из Петрограда была переведена на работу в Наркомпрос, заведовала Главсоцвосом (Главным управлением социального воспитания). Переехала в Москву и Вера Рудольфовна. В те годы она заведовала театральным отделом Наркомпроса, а затем была назначена директором Института иностранных языков, в котором и работала до преклонных лет.

В середине 1922 года Людмила Рудольфовна в числе тысячи коммунистов была направлена на Украину, работала в Харькове членом коллегии Наркомпроса и заведующей Главсоцвосом. В 1924 году вернулась в Москву. Работала проректором Академии коммунистического воспитания.

В конце 20-х годов Людмила Рудольфовна тяжело заболела. Лечилась в Кисловодске, в Москве. Болезнь прогрессировала. Надежд на выздоровление было мало. Но по ее настоянию Вера Рудольфовна поехала с ней в Стокгольм. Это было в конце 1932 года.

— Там, в Стокгольме, — вспоминает Вера Рудольфовна, — она начала поправляться.

— Теперь поработаем, — говорила Людмила Рудольфовна.

И вдруг сразу порвалось все. Спать она легла веселая, спокойная. А ночью... Это была самая тяжелая ночь. И когда боли ослабли, она потребовала немедленного возвращения в Москву. Ехать было нельзя, так утверждал доктор. А она, улыбаясь, сказала ему:

— Милый доктор, вы не бойтесь. Мы успеем доехать.

Когда он вышел, она шепнула Вере Рудольфовне:

— Верочка, надо еще успеть пройти партийную чистку.

Вера Рудольфовна плакала, а Людмила шептала ей:

— Верочка! Помнишь, как раньше, как в детстве ты целовала меня на ночь в кроватке... Так поцелуй и сейчас.

На следующий день сестры Менжинские уехали в Москву. На вокзале их провожал доктор. Людмила Рудольфовна, улыбнувшись ему на прощание, говорила:

— Не сердитесь, доктор. Я должна была поступить так. Вы, может быть, не поймете этого.

— Я начинаю понимать, — сказал он.

И она закончила его фразу:

— Мы живем и умираем по-новому.

— И за это нельзя не любить вас, — отозвался доктор.

Поезд тронулся. 11 октября Менжинские приехали в Москву.

О разговоре со стокгольмским доктором Вера рассказала Вячеславу Рудольфовичу.

11 ноября 1932 года Людмила Рудольфовна скончалась.

Вячеслав Рудольфович Менжинский не мог присутствовать ни на траурном митинге, который состоялся в клубе старых большевиков на улице Стопани, ни на похоронах — он в это время снова был тяжело болен.

Еще 21 апреля 1929 года у Менжинского ночью случился тяжелый сердечный приступ —

инфаркт. Больному был предписан абсолютный покой. У его постели неотлучно дежурили врач и сестра. Выздоровление началось только летом. Консилиум врачей, собравшийся 11 июля, нашел возможным разрешить Менжинскому вернуться к работе 1 августа, при условии ездить в город через день, работать 5—6 часов в сутки, в субботу и воскресенье обязательно оставаться на даче.

Но Менжинский не мог, да и не умел работать вполсилы. Врачей это обеспокоило. Они пожаловались в ЦК, и Центральный Комитет партии 12 сентября вынес следующее решение:

«О тов. Менжинском.

Обязать т. Менжинского в точности выполнять указания врачей».

30 сентября 1929 года консилиум врачей вынес новое заключение:

«Менжинскому необходимо:

1. Совершенно прервать работу на срок от 4 до 6 месяцев.

2. Придерживаться во время отдыха полного душевного покоя и провести зиму в теплом климате.

3. До отъезда (на юг) выехать на дачу и находиться там под постоянным врачебным наблюдением».

С помощью врачей Менжинский преодолел свой недуг и в апреле 1931 года возвратился к работе в ОГПУ, с условием, что эта работа будет «ограничена выполнением только основных и самых важных обязанностей, без всякой другой нагрузки».

Менжинский продолжал работать.

Летом 1933 года (с 11 августа по 14 сентября) он лечился в Кисловодске. За это время сердце его окрепло, общее состояние здоровья улучшилось. Провожая Менжинского в Москву, врачи советовали работать 3—4 часа в сутки.

Это была его последняя поездка в Кисловодск. Видимо, там, в Кисловодске, он сделал такие заметки в своем блокноте:

«И вот подкрадывается болезнь и без твоего согласия.

— Ты человек больной, только думай о себе, о своем здоровье пекись, и только.

Никаких занятий. Только лежи 24 часа в сутки, то с пузырем на груди, то с грелкой, то ванна, то массаж.

Смерть, вот она. Ты день лежишь в гамаке, а она сидит напротив.

А все движется, и какое наслаждение следить, как жизнь идет!

Заставили жить, психологией заниматься...»

А жить оставалось немного.

В 5 часов 25 минут утра 10 мая 1934 года на даче «Шестые Горки» перестало биться его сердце.

Смерть Менжинского наступила, как свидетельствует заключение врачей Абрикосова, Бурденко и других, от «острой сердечной недостаточности (паралича) сердца, резко измененного и работавшего в последние годы неполноценно».

14 мая 1934 года Москва прощалась с Менжинским. Сотни траурных знамен низко склонились над похоронной процессией, направлявшейся от Дома Союзов на Красную площадь.

Катафалк с бронзовой урной несли руководители партии и правительства. Звучали траурные мелодии.

Под гром артиллерийского салюта урна с прахом Вячеслава Рудольфовича Менжинского замурована в кремлевской стене, рядом с прахом летчиков-стратонавтов.

Лао-цзы — легендарный основатель философского даосизма в Китае, живший в конце VII в. до н.э., которому приписывается знаменитый трактат «Дао дэ цзин» («Книга о пути и добродетели»), говорил: «Там, где великие мудрецы имеют власть, подданные не замечают их существования. Там, где властвуют невеликие мудрецы, народ бывает привязан к ним и хвалит их. Там, где властвуют еще меньшие мудрецы, народ боится их; а там, где еще меньшие, народ их презирает».

«ГОРЕ ИМЕЕТ КАКОЙ-ТО ЗАПАХ»

Жена Пятницкого — Юлия Соколова-Пятницкая родилась в семье священника. Под именем княгини Юлии Урусовой (близкой подруги, умершей от сыпного тифа) работала в колчаковской контрразведке по заданию разведотдела 5-й армии, которой командовал Тухачевский. Была раскрыта, чудом избежала смерти — полумертвую Юлю нашли в погребе на ледяном полу. В Московской больнице произошла ее встреча с Иосифом Ароновичем Пятницким, вскоре Юля стала его женой. Семья Пятницкого (жена

Пятницкого с двумя сыновьями, отец Юлии со своей второй женой и дочерью) жила в пятикомнатной квартире в «доме на набережной».

У Пятницкого был нелегкий характер. Прямота и резкость в суждениях — никаких компромиссов, никакой оглядки на личные отношения: если мне кажется, что ты не прав, я скажу тебе это в лицо, и мне наплевать, если тебе это не понравится, — полное пренебрежение личными удобствами и собственным душевным покоем создали сложные, а порой и просто очень трудные отношения и в его семье, и с его ближайшими друзьями.

Он оценивал каждого товарища только с точки зрения, что тот дает коммунистическому движению. У него не было ни личных симпатий, ни антипатий. Это был исключительно объективный человек, он жил только своим делом и с такой точки зрения оценивал всех.

В таких же традициях он воспитал своих сыновей — Володю и Игоря.

Партийный фанатизм — лишь самое первое впечатление, неглубокое, внешнее восприятие облика Пятницкого.

У него — большое нежное сердце, открытое навстречу горю и радости. С. И. Гопнер приводит такие примеры:

«В 1932 году происходила чистка партии. Проверяли одного товарища, который уже не работал: он был контужен, это повлияло на него, и мучительные боли головы мешали ему работать. Но он продолжал быть членом организации. И вот Пятницкий председательствовал на этом собрании. Тот товарищ не выдержал и говорит: «К сожалению, я из-за моей головы ничего не могу делать!» И тогда Пятницкий вдруг превратился в самую нежную мать. Да, самая любящая мать не могла бы с большей лаской говорить и так согреть этого человека, как сумел сделать Пятницкий».

Пятницкий познакомился со своей будущей женой при странных обстоятельствах. И не было на первый взгляд ничего романтического в этом знакомстве, которое состоялось в больнице, когда он пошел навестить находившуюся там подругу — Машу Черняк. Принес ей пакетик леденцов, полученных в пайке, да несколько скупых фраз о здоровье.

В больничном коридоре, возле большого окна с мутными разводами от грязной тряпки, застал Машу вместе с ее сестрой и еще какой-то женщиной в больничном, из коричневой бумазеи, халате и шлепанцах на босу ногу.

Маша предложила товарищу Пятницкому познакомиться с новой подругой Юлей.

Очень красивая незнакомая женщина стояла в стороне. Она протянула Пятницкому легкую тонкую руку и назвала себя: Соколова.

Ее лицо показалось ему очень изможденным и неправдоподобно прекрасным.

«Она в разведотделе работала. И вот доработалась до больницы», — тревожно и печально сказала Черняк. Она уже смутно предчувствовала, чем может окончиться новое знакомство Пятницкого.

«Машинистка, должно быть», — решил Пятницкий, еще раз мельком оглядывая барышню. Но Маша объяснила: «Соколова — разведчица. Несколько месяцев назад ее удалось вырвать из лап контрразведки Колчака. Точнее, выловить из бочки с рассолом. Как селедку — там она пряталась!»

В больнице Пятницкий обрел свою спящую красавицу Юлию. Его стало неудержимо тянуть в больничные коридоры, чтобы увидеть ее. Он пришел навестить Машу и назавтра, и еще через день. Но уже как-то само собой получалось, что Маша быстро уходила в палату, а он оставался с Соколовой, ну еще минут на десять. Гулял с ней по коридору или сидел на скамье возле того самого окна, вдруг, спохватившись, вытаскивал часы и изумлялся — оказывается, промчалось не десять минут, а много больше часа.

Юля рассказывала ему о себе. Поначалу совсем скупо и как будто неохотно, но чем чаще они встречались, тем откровеннее и подробнее становились ее рассказы.

Она говорила, искоса поглядывая на него синими глазами: «Я дворянка и, не будь революции, сейчас, может быть, жила бы в своем имении и вышла бы замуж за Мишу Тухачевского — мы соседи и еще детьми придумывали с ним всякие игры. Во время войны с немцами я твердо решила, что мое место на фронте, чтобы защищать Россию от немцев. Поступила на курсы сестер милосердия, и с одобрения самой императрицы Александры Федоровны — я ей письмо написала в духе героинь Лидии Чарской. Кто-то из ее фрейлин мне ответил и тем самым поставил родителей моих как бы перед свершившимся фактом. С плачем и увещеваниями отправили они меня на войну.

Генерал Борисов влюбился в меня мгновенно и, будучи человеком умным, весьма интересным и волевым, без труда покорил сердце сестры милосердия. Вышла я за него замуж, став в двадцать лет госпожой генеральшей. Борисов поднял оружие не против революции, а за нее. Безоговорочно. Как Каменев и Егоров. И хотя в партию не вступал, но как военспец пользовался абсолютным доверием. Влияние Борисова тоже играло роль, но я пошла в революцию не как мужняя жена, а как Юлия Соколова, понявшая, где лежит настоящая большая правда. Так вот, когда мужа убили, я почувствовала, что могу сделать нечто большее, чем делала до сих пор. Обратилась к своему другу детства Мише Тухачевскому и превратилась в княжну Юлию Борисовну Урусову».

У Юли была подруга по гимназии. Тоже Юля. Только не Иосифовна, а Борисовна, и не Соколова, а Урусова. Довольно известная в России княжеская фамилия. И Юля Соколова была частым и желанным гостем Урусовых. Знала все об этой семье. Во время октябрьского переворота погибли старики Урусовы. А их дочь княжна — подруга Юли — вскорости умерла от сыпного тифа. И когда Соколову направили для работы в разведотдел 5-й армии, она сама предложила превратиться на время в свою умершую подругу. Вариант был тщательно разработан, и через некоторое время в штабе верховного правителя России адмирала Колчака появилась молоденькая и очаровательная княжна Урусова. Нищая, в одном чудом сохранившемся платьишке, недавно перенесшая сыпной тиф, с превеликим трудом бежала она из трижды проклятого мужичьего царства, ненавидящая, горящая желанием мстить красным за отца, за разгромленное имение, за сломленную, изгаженную жизнь.

Княжна очень хороша собой, превосходно говорила по-французски и по всем статьям настоящая аристократка. Но доказательств, что она действительно княжна Урусова, кроме медальончика с бриллиантиками, заключавшего в себе маленькие фотографии матери и отца, да затертой, от руки написанной справки из больницы, у нее никаких не было. Но Соколовой неожиданно повезло. Из командировки вернулся полковник, начальник контрразведки, и сразу же признал княжну. Что-то случилось с его памятью — он все перепутал. Возможно, видел когда-то в семье Урусовых Юлю и запомнил. А потом решил, что она и есть княжна! Полковник хорошо знал князя Урусова, был ему чем-то обязан, и медальон, раскрытый дрожащими пальчиками, сказал ему все... Полковник сразу же принял лжекняжну под свое покровительство и прямо заявил господам офицерам, что считает Юлию своей приемной дочерью. Так что насчет всякого рода вольностей, обычно допускаемых в военное время, ни-ни!

Соколова стала работать в контрразведке, и время от времени у ее дверей появлялся жалкий старый нищий, получавший из рук Юлии щедрое подаяние. Проходили дни, недели, месяцы 1919 года. К лету армия Колчака начала отступать под все усиливающимся напором южной группы войск Восточного фронта под командованием Михаила Фрунзе. А на хвосте

Колчака висела 5-я армия, и ею командовал нач-
див Тухачевский.

Колчаковские контрразведчики обнаружили
постоянную утечку очень важной информации,
которой умело пользовались наступающие красные. Благодаря покровительству полковника
Юлия считала себя в полнейшей безопасности и
иной раз забывала непременную в ее работе осторожность. Связной появлялся слишком часто, за ним стали следить.

Офицер Вельчинский о чем-то догадывался.
Несколько раз, оставаясь один на один с Юлией,
он намекал ей на риск, которому она подверга-
ется, работая в контрразведке.

1 июля 1919 года красные заняли Пермь и
Кунгур, 11 июля освободили от осады Уральск,
13 июля овладели Златоустом, 14 — Екатерин-
бургом.

Тухачевский начал решительное наступление
на Челябинск.

Полагая, что Соколова надежно «прикрыта»,
разведотдел армии предложил ей остаться в от-
ступающей армии Колчака.

Зная, что Челябинск со дня на день будет взят
красными, последний раз вручила «подаяние»
нищему, болтавшемуся возле здания, занятого
контрразведкой.

А через десять минут к ней зашел офицер
Вельчинский, бледный как смерть. Он давно и
безнадежно был влюблен в Юлию. Эта влюблен-
ность спасла Юлии жизнь.

«Княжна, пойдемте к вам домой», — сказал
й Вельчинский. Соколова поняла, что произош-

ло что-то страшное. Вместе с Вельчинским вышла на улицу. «Нищий взят, — сказал он. — Мы давно за ним следили. Сейчас его допрашивают. А через полчаса и ты тоже будешь взята. Есть один шанс — постарайся получше спрятаться».

Времени для спасения жизни оставалось совсем мало. Юлия пошла в дом купца Кривошеева, где бывала не раз, поддерживая дружбу с молодой и довольно образованной купчихой. Знала расположение всех комнат кирпичного одноэтажного дома, знала и все постройки во дворе. Сразу же проскользнула во двор, прошла в самую его глубь к зеленеющему грибу земляной крыши погреба. Там и осталась, стоя возле чуть приоткрытых, из тяжелых дубовых досок дверей.

Подозревала, что и сюда придут искать ее. Но не было у нее в Челябинске другого места, где бы можно спрятаться. Стояла, держа в руках свой бельгийский браунинг с отодвинутым предохранителем. Полная обойма в пистолете. И еще одна — запасная — в сумочке. Всего, значит, четырнадцать выстрелов! Но только вряд ли она успеет их сделать.

В погребе мрак и сырость. Остро пахнет квашеной капустой, яблоками, грибами. По стене выстроились бочки. Одна ведер на двадцать. Соленые огурцы. Конечно, контрразведчики в поисках лжекняжны нанесли визит Кривошееву. Она видела сквозь щель в двери, как из дома во двор вышел растерянный Кривошеев в сопровождении двух офицеров. Подумала: «Если они пойдут к погребу, застрелю их. А потом? Потом убью себя, потому что удрать все равно не удастся».

Но хотелось. Поэтому когда офицеры направились к погребу, Юлия сунула пистолет в сумку, подбежала к громадной бочке с огурцами и очень осторожно, чтобы не выплеснулся рассол, залезла внутрь бочки.

Услышав, как заскрипели ржавые петли и по земляному, утоптанному до твердости бетона полу загрохотали сапоги, она набрала полные легкие воздуха, зажмурилась и бесшумно погрузилась в рассол.

Воздуха хватило ненадолго. Она приподняла голову, чтобы рот и нос оказались на поверхности. Тихо подышала. Чуть больше высунулась. В погребе никого уже не было, но двери его остались широко распахнутыми и вблизи их маячила фигура с винтовкой наперевес. Не только уйти, но даже вылезти из бочки невозможно.

Вечером загрохотали выстрелы — авангардные части 2-й армии ворвались в Челябинск и вели бой на улицах, и двор дома Кривошеевых опустел.

Какое-то стонущее существо выкинулось из бочки на ледяной пол погреба, где и нашла ее кухарка Кривошеевых.

Тело женщины, в котором еще теплилась жизнь, перенесли в дом купца.

Врачи сделали все, чтобы спасти ей жизнь. Но прошло много дней, прежде чем она стала видеть, слышать и понимать. Сердце выдержало, но сознание все еще блуждало в темных и страшных лабиринтах. Соколову перевезли в Москву и положили в больницу.

А еще не успев поправиться, она встретила

своего будущего мужа, которому попыталась рассказать все, что с ней случилось.

Пятницкий чувствовал, что еще немного, и он разрыдается от бесконечной жалости к этой молодой и нежной женщине, чью руку он незаметно для себя при встречах стал бережно брать в обе свои и не выпускать до минуты расставания.

Он восхищался мужеством Юлии — совершить такое в двадцать лет! Какая сила духа, какое бесстрашие!

Он понял, что полюбил Юлию, а Юлия полюбила его, никак не мог поверить, что это правда.

Они поженились спустя две недели после первой встречи.

В одно мартовское утро 1921 года Пятницкому позвонили из секретариата председателя СНК и передали просьбу Ленина приехать, как только он сможет освободиться.

Осведомившись, как идут дела в Цекпрофсоже, Ленин сообщил, что товарищи из Исполкома Коминтерна просят направить Пятницкого на работу в аппарат Исполкома и что именно по этому вопросу он и пригласил его к себе.

Прощаясь, Ленин пообещал тотчас же позвонить председателю ИККИ Зиновьеву, с тем чтобы уже завтра Пятницкий мог взяться за налаживание «большого хозяйства».

Вечером Пятницкий сказал Юле, что переходит на другую работу, в аппарат Исполкома Коминтерна.

— Ты доволен, Пятница? — спросила Юля.

— Доволен я или недоволен, не суть важно. ЦК решил, значит так надо, — довольно сухо ответил Пятницкий, но тут же мысленно обругал себя за такую манеру общаться с женой, матерью своего сына.

— Видишь ли, Юлик, — начал Пятницкий, смягчая свой резкий, в гневе почти пронзительный голос, — на твой вопрос не так-то легко ответить. Я привык к железнодорожникам. Без хвастовства скажу, профсоюзную работу знаю назубок. И со старыми товарищами, конечно, жаль расставаться. Но все это чисто личное. Меня тревожит другое: пригоден ли я по своим качествам и знаниям для работы, на которую меня посылают. Ты только представь себе, сколь грандиозное дело осуществляет Ленин. Создано новое международное братство коммунистов всего мира. И мне говорят: ты должен наладить все это хозяйство. Речь, как ты понимаешь, идет не о политическом фундаменте этого великого сооружения. Он уже заложен. Но нужен хороший раствор, чтобы скрепить эти огромные глыбы. Вот мне и предстоит готовить такой раствор. А какой я, к черту, мастер, если знаю так мало... Даже языки! Кое-как объясняюсь по-немецки...

— Немецкий ты отлично знаешь. Просто превосходно! — быстро перебила Юля.

— А по-французски едва склеиваю самые простые фразы... Как же объясняться с людьми? Через переводчика? Но это же далеко не лучшая дорога к сердцам!

— С французским я тебе помогу, — пообещала она и, ободряюще улыбнувшись, выскользнула из комнаты — кормить сына.

Нежное чувство разлилось в груди и подступило к самому горлу. Как случилось, что эта совсем молодая и такая красивая женщина стала его женой и вот родила ему сына? Что она нашла в нем? Почему предпочла многим, уж куда более интересным, общительным? Юлия Иосифовна Соколова. Так ее зовут. И вот Юлия Иосифовна Соколова в свои двадцать один год ни с того ни с сего влюбляется в человека на много лет ее старше, необразованного, ничего не понимающего в луне и сирени, по горло занятого работой, совсем плохо представляющего себя в роли ухажера... Она — дворянской крови. Он — из беднейшей семьи еврея-ремесленника. Черт знает какое несоответствие! И все же, и все же так получилось.

А не сон ли это? Любовь жены не была сном, она была реальней всего, что окружало Пятницкого. Эфемерной была его власть и политическое влияние.

Кошмарным сном можно было бы назвать все то, что ожидало Пятницкого и его семью в самом ближайшем будущем. Его ждали предательство товарищей по партии, ненависть младшего сына, мучения жены, пытки, несправедливый суд и смерть. Сталин постепенно плел заговор вокруг умирающего Ленина, отстраняя от власти одного за другим ближайших друзей и соратников Ленина, вместе с которыми тот совершил революцию — Троцкого, Зиновьева, Каменева, Бухарина, Рыкова — с тем, чтобы во второй половине 30-х годов уничтожить их всех физически, а заодно с ними — множество других.

После ареста мужа Юлия Иосифовна стала вести дневник. В скобках выделены комментарии Игоря Пятницкого — сына Юлии и Осипа Пятницких.

Дневник Юлии Пятницкой — одновременно свидетельство ее любви к мужу и непонимания процессов, происходящих в обществе. Она видит во всем происходящем только проблемы своей семьи. Вот строки из дневника этой женщины, матери двоих сыновей, кремлевской жены, бывшей разведчицы. «Очень хотелось умереть. Я ему это предложила (вместе), зная, что этого не следует. Он категорически отказался, заявив, что он перед партией так же чист, как только что выпавший в поле снег, что он попытается снять с себя вину, только после снятия с него обвинения он уедет. Обедал всегда со мной эти дни (обед ему привозила уборщица его кабинета). Каждый день он звонил Ежову по поводу очной ставки с оклеветавшими его людьми... Ежов обещал, несколько раз назначал день и час и откладывал. Наконец 3.07 он ушел в 9 часов (вечера) в НКВД.

Я волновалась за его страдания, легла в кабинете у него и ждала... Наконец он вошел в 3 часа утра... Это был совершенно измученный и несчастный человек. Он сказал мне только: «Очень скверно, Юля».

Попросил воды, и я его оставила.

Насос без отдыха стучит, строят мост, душно.

(18.07.37 г. мы жили уже в бывшей квартире Карла Радека, кажется, во втором подъезде дома правительства, куда нас переселили из 20-го подъезда этого дома после ареста отца. Мост строили рядом.)

Я решила в отчаянии все же переехать, чтобы немного ему подышать воздухом. Невыносимо здесь... Переехали, но он все время, как говорит бабушка, до моего возвращения из Москвы не выходил из кабинета.

7-го июля заказывала машину, и она увозила меня и дедушку на работу и привозила к Серебряному Бору. Нестерпимо тяжкие дни для Пятницкого...

Он ждал ареста, я тоже была к нему подготовлена, то есть кое-как подготовлена. Пятница дал мне все свои облигации на сумму 6 тысяч руб. Дал свою сберегательную книжку на сумму 11 750 руб. и партвзносы с литературного заработка за все время, как оправдательный документ, дал мне 10 тысяч, которые у него были (литературного заработка), чтобы я их внесла в сберкнижку — на мое имя...

Все это он передал мне 5.07 (кажется) в своем новом маленьком портфеле, который он подарил мне с тем, чтобы я свой отдала Игорю. В портфеле кроме этого были мои личные письма, за какой период, я не знаю, только он предупредил: самые «больные», очевидно, в период моей нервной болезни. Я не смотрела, что там было. В портфеле были и мои облигации на сумму 1,5 тыс. рублей и 11-я лотерея Осоавиахима — 5 лит. и 5 Вовиных, а 10 Пятницкого остались в ЦК у Наташи.

Кроме того, Пятница дал мне перевод на мое имя денег из кассы ЦК на 11 500 руб., я вынула этот перевод из портфеля, чтобы Наташа осуществила перевод денег в мою кассу №10, и забыла, куда я его дела.

Думала, что он у Пятницкого, и 6.07 его об этом спросила, он сказал, что отдал мне, так как с Наташей ему не удалось увидеться. Что было еще в портфеле — я не знаю. Пятница сказал мне, что все счета, оплата за мебель тоже в портфеле, как оправдательные документы. Вот так я и приготовилась к аресту: вложила портфель со всем содержимым, даже с последней зарплатой Пятницкого в размере 560 руб. 44 коп., и жили мы эти дни на мою зарплату и деньги, которые у меня были еще от моего отпуска. В моей комнате гардероб, а в гардеробе чемодан, в который я и закрыла портфель.

7.07 в 11 часов я легла спать, Игоря не было, лег ли уже Пятница, я не знала, только вдруг входит Люба ко мне и говорит: «Два человека пришли к Пятницкому». Не успела я встать, как в комнату вбежал высокий, бледный, злой человек, и когда я встала с постели, чтобы набросить на себя халат, висевший в шкафу, он больно взял меня за плечо и толкнул от шкафа к постели. Он дал мне халат и вытолкнул в столовую. Я сказала: «Приехали, «черные вороны», сволочи», повторила «сволочи» несколько раз. Я вся дрожала. Человек, толкавший меня, сказал: «Мы еще с вами поговорим в другом месте за оскорбления». Я сказала громко: «Пятницкий, мне угрожают какими-то ужасами». Тогда вышел военный человек, похожий на Ежова, наверное, это был он, и выяснил у толкавшего меня, что (случилось), и сказал, обращаясь ко мне: «С представителями власти так не обращаются советские граждане». Потом он ушел к Пятницкому, и я

278

слышала, как Пятницкий как-то уверял его относительно меня, но в чем именно, я не знаю. Что делали там с Пятницким, я не знаю. Я слышала только, что он говорил спокойным голосом, он просил зафиксировать, «какая именно переписка была именно у него». Они записали: «Разная переписка». Пятница не соглашался с таким определением — «разная». Там были Вовины письма, Игоря выписки, а что еще у самого Пятницкого, я не знаю. Мне дали адрес: «Кузнецкий, 24», чтобы справляться о нем. Дали Пятницкому полкоробки зубного порошка, два полотенца, щетку, и больше ничего.

Были минуты или секунды, я не знаю, когда я ничего не видела, что было, но потом возвращалась... Одно сознание, что больше его никогда не увижу, и страшное сознание бессилия и праведности его жизни, беспрестанное служение делу рабочего класса, и эти люди — молодые, грубые, толкавшие меня... Преступный, извращенный человек, он на всех произвел тяжкое впечатление, когда он пришел в столовую, когда меня толкнул. Он взял с особым выражением столовый нож со стола. В чемодане была коробка конфет шоколадных для Игоря, он рассыпал их на дне чемодана, у меня перевернули все вверх дном, хотя я сказала, что ничего нет здесь, может быть, найдете в квартире. Мы только что переехали.

Другой человек — военный, немолодой, белобрысый, широкий, весь надутый, под шинелью, всяким оружием. Он стоял все время, расширив ноги, около несгораемого шкафа Ярославского, а когда толкавший меня спросил, что это такое, я сказала, что у бедных людей не бывает (таких шкафов), это... Ярославского. Военный усмехнулся и покачал головой. Военный, очевидно, охранитель, исполняющий обязанности палача, когда надо.

Еще был штатский мальчик, хорошо одет, и вполне благообразен, и доволен обстановкой, он бегал за Людмилой. Были другие военные: кто стоял, кто ходил за Ежовым. Может быть, то не был Ежов, хотя все (дедушка, бабушка, Людмила) сказали, что это его рост и лицо. Он положил на стол часы Пятницкого, ручку, и карандаш, и записную книжку; он полон иронии и серьезен, в нем врага я не чувствовала. Единственный страшный враг — это тот грубиян, которого я так оскорбила, но он, правда, враг.

Потом в последнюю минуту в мою комнату вошел Пятница (я была в своей комнате потому, что позвала Ежова посмотреть на работу «врага». Ежов сказал — это арест, ничего в этом особенного нет).

Пятницкий пришел и сказал: «Юля, мне пришлось извиниться перед ними за твое поведение, я прошу тебя быть разумней». Я сразу решила не огорчать его и попросила прощения у этого «человека», он протянул мне руку, но я на него не смотрела. Я взяла две руки Пятницкого и ничего не сказала ему. Так мы простились. Мне хотелось целовать след его ног...

Я решила дождаться... крепиться. Игоря все не было.

Пришел Игорь, он сразу догадался. Я сказала, что папа увезен, просила его лечь в папиной комнате, но он ушел к себе наверх. Ночь я не спала. Не знаю, кто спал. Было очень нужно умереть.

Утром мы пошли на работу. Я все сказала директору. Мне дали приводить в порядок библиотеку под предлогом, что мне в таком состоянии трудно проектировать. Копалась с книгами в архиве.

Пришла на квартиру. Все взломано. Комната Пятницкого опечатана: что там, я не знаю. Портфель со всем содержимым (то есть с деньгами и облигациями), патефон с 43 пластинками, детские ружья, готовальня Игоря, три тетради неписаные по 5 рублей из моего стола, часы Игоря со сломанным стеклом, все мои и детские книги, мои документы об образовании — то есть все, что могло дать нам возможность первые 2—2,5 года прожить без него, — все похищено. Даже у отца похищена его сберегательная книжка на 200 рублей и его трудовые облигации (не знаю, на какую сумму). У Людмилы похитили золотые часы и все Сашины документы (ее товарищ). И так мы остались без всего. Бельишко у всех взбаламучено и выпачкано, в моей коробке с пуговицами нашла две папиросы. Чемоданы с выломанными замками — не могут закрыться. Два чемодана со статьями и докладами Пятницкого увезены. Я все это увидела и уехала в Серебряный Бор. Там плачет бабушка. Утром приходил комендант и предложил срочно выбираться из дачи. Потом вечером пришел Григорий-сторож и тоже заявил о выезде из дачи.

Утром 9.07, до работы, часов в 6,5, пришел помощник коменданта и попросил меня расписаться о сроке выбытия. Я расписалась на 10.07, о вещах сказала бабушке, чтобы она забрала сколько может, а за помощь Григорию (чтобы он сложил данные вещи) уплатила деньгами...

Игорь убирал свою комнату (после переезда в Москву), Люба помогала у меня и запихала взломанные вещи в гардероб, завязали взломанные вещи веревкой, и как будто бы стало не так страшно... Поели черной каши с молоком и легли спать.

Я дала бабушке последние сто рублей, а она их отдала Матвеевне, (которая) ушла совсем 11.07. Она оставила нас глубоко опечаленная, как говорит бабушка. Мы не остались ей должны ни одной копейки. Начали питаться так: масла нет или почти нет. Суп, щи — почти всегда без мяса. Каша и картошка. А утром и вечером чай с хлебом. Игорю бабушка покупает или сосиски, или сыр. Но он тоже сильно похудел.

Игорь все время лежит и читает. Он ничего не говорит ни о папе, ни о действиях его бывших «товарищей». Иногда я ему говорю злые мысли, ядовитые, но он, как настоящий комсомолец, запрещает мне это говорить.

Он говорит иногда: «Мама, ты мне противна в такие минуты, я могу убить тебя». Он мне сказал на днях: «Мама, у меня большие замыслы, поэтому я все должен перенести». Он хочет работать и учиться. Работать ему было бы нужно, чтобы немного лучше питаться, но его не принимают, на нем клеймо «Пятницкого».

В комнате Пятницкого на балконе заточены все лимоны (растения) — 5 штук, два аспарагуса (метелки) — шести- и двухлетние, Вовины кактусы и другие цветы — они обречены на умирание от жажды. Каждый день я мучаюсь этим, и даже ночью; так хочется полить эти цветы — так бесконечно жестоко расправились с нашей семьей. При переезде с дачи Игорь оставил с цветами, которыми я украсила большое окно на лестнице, белую, только что распускающуюся розу, за которой я ухаживала два года, и рододендрон, который я купила у Петра за 7 рублей, он начал превращаться в дерево. На другой же день, когда я хватилась, их уже украли. Наверное, соседи с 10-го этажа, вот люди-товарищи.

13.07 я ходила на Кузнецкий, 24 узнать о Пятницком и посоветоваться насчет денег; ждала 2,5 часа, с 7.40 до 10 часов (вечера). Принял зевающий, равнодушный и враждебно отнесшийся ко мне человек — «представитель наркома». Насчет Пятницкого сказал: «Какой это Пятницкий? Их много». Когда я сказала какой, он мне сказал: о нем можно будет поинтересоваться в окне № 9, и не ранее 25—26 июля. Насчет денег он сказал: «У нашего брата не бывает таких денег», то есть ясно выразил мысль, что Пятницкий жулик и вор. Он сказал: такие суммы обычно не возвращают и что после процесса или суда можно будет узнать, как ими распорядятся. Заявления насчет облигаций и денег он пропустил мимо ушей.

Два раза я ходила в партком Замоскворечья, что на (улице) Пятницкой, но милиционер оба раза не пропустил: оба раза секретарь отсутствовал, хотела с ним поговорить насчет Игоря.

Была у коменданта (дома) Лаврентьева два раза: первый раз узнавала, был ли кто от дома при обыске, он сказал, был дежурный комендант, что все вещи занесены в акт, за исключением наличных денег. Я спросила его, можно ли продать радио. Он сказал, что нет, но он проверит. Второй раз вчера я заходила к нему насчет радио, он дал телефон первого отдела, чтобы я сама справилась. Носильные вещи продавать можно, но ведь у нас даже необходимого нет. Можем продать меховую шубу Пятницкого, относительно которой я в прошлом году еще говорила с ним, что он ее не носит, что ее можно продать; он сказал, что если будет зимой в командировке на Севере, она ему пригодится. Но теперь, я думаю, она ему не пригодится и ее можно продать. Потом можно продать мое пальто, которое Пятницкий мне сшил в Карлсбаде. Только меня могут надуть. Больше продать нечего. Мы обречены на голод.

Людмила нашла себе работу за 200 рублей. Все дни она была в обществе своих ребят, ее положение все же лучше. Только не знает, куда ее выселят. Дедушка, бабушка и Людмила очень хотят теперь отделиться от нас, лишь бы им дали комнату. Им больше нечего от нас получить. Особенно это ярко показывает бабушка, она просто говорит: «Если все не могут спастись, пусть спасается тот, кто может». Обидно, но почему? Это ведь правильно. Обидно только то, что за 7 лет, что их кормил Пятницкий, Людмила училась в хороших условиях, жили в хорошей квартире; обидно то, что, когда нас унижают, они думают, чтобы скорее удрать от этих несчастных, то есть меня и ребят. А как прожить втроем на 350 рублей при моем умении... Мне все еще кажется, что я во сне, что Пятницкий скоро придет. А гибель мучительная все ближе и ближе. Скоро нагрянет выселение, куда и как, и нет денег. Скажут: «Молчите обо всем». Даже умереть нужно как-то тихо, а Вова ничего не знает.

Да, я еще ходила к Муранову (старый большевик), но там замок, он в больнице. Вовка про отца спрашивает в каждом письме.

Вове с ареста Пятницкого ничего не пишу, страшно врать и страшно сказать правду (мой сын Вова, 12 лет, был в пионерлагере «Артек»). У Вовы украли 19 рублей денег, и он во вчерашнем письме просил прислать 15 рублей, но у меня нет, лучше я ему куплю учебники на эти деньги. Он спрашивает о Рольфе, но 10.07 его отдали коменданту. Рольф все чувствовал, он тихо стонал...

Вова прислал Игорю сегодня, 18.07, письмо, в котором сообщает, что он дружит с четырьмя испанскими мальчиками и что он дружит с русским, но это русский украл у него 19 рублей. Вова сообщает, что он сильно ранил ногу и она нарывает... Если узнают, что с ним случилось, сделают ему какую-нибудь пакость («проявят бдительность»). Уж хотя бы скорей вернулся в нашу нищету.

Даже если бы все кончилось и Пятница был бы реабилитирован — жить невозможно. Нужно только дожить до конца расследования. Видеть же ни в чем не повинных детей — это мука, которую трудно выразить, это положение страшнее террора в Испании, они все вместе борются за правду, за свою лучшую жизнь и умирают в надежде, а здесь... никого нет. Зачумленные дети «врага народа», можно только тихо умирать. Если выброситься из окна, тихо зароют в землю и даже никто не узнает... Если упасть под поезд в метро, скажут — нервнобольная, а дети совсем без помощи. Нужно все-таки немного побороться. Как продать вещи? Это самое трудное для меня.

Сегодня целый день дождь. От Игоря постепенно отвернулись его товарищи — Самик Филлер, Витя Дельмачинский, никто ему не звонит. Вчера вышел было и сейчас же вернулся. Сегодня не встает с постели, все лежит.

Чем может это кончиться? Кому какое дело?

Я выяснила, что горе имеет какой-то запах, от меня и от Игоря одинаково пахнет — от волос и от тела...

20.07.

Вчера совсем вышла из нормального состояния. Написала директору «Артека» ужасное письмо с просьбой передать Вовке обо всем, что произошло в нашей семье, несчастный Вова. Неизвестно, какой человек этот директор, которого я не знаю, что он преподнесет Вове... Может быть, обидит его...

Комендант предложил, когда я попросила его принять (Игоря) в ученики по электромонтерскому делу: «Пусть через отдел переменит фамилию, легче будет устроиться». Мне инженер Шварц предложил: «Разведитесь с мужем, легче будет». 10 дней проработала в архиве вместо проектирования. Вчера и сегодня работала над проектом, но голова занята совсем другим. Со мной никто не хочет разговаривать. И начальник совсем игнорирует. Что будет, если узнают все в конторе (все сотрудники)?

Вчера вечером о Пятницком думала со злобой: как он смел допустить нас до такого издевательства?

На Пятницкого вся обида горькая. Отдал своих детей на растерзание, какие деньги, во всем ограничивал и отдал этим, кто грабит, и вещи и деньги. Но кто же эти люди? В чьей мы власти? Страшный произвол, и все боятся. Опять схожу с ума, что я думаю, что я думаю?

И Пятница сказал: «Только терпение и терпение — я никогда не признаюсь в том, чего я не делал, поэтому следствие может длиться два года, а ты терпи и борись. Денег вам пока хватит, должно хватить. Трать на самое необходимое». Он не представлял, что нас раздавят одним взмахом. Ну и пусть он не знает, ему будет легче бороться.

Еще раз о деньгах, которые он оставил нам перед своим арестом. Эти деньги просто украли люди из НКВД. Украли их во время обыска на московской квартире. Обыск делали в наше отсутствие. Может быть, одновременно с обыском на даче. Отец не предусмотрел такой возможности.

А я в борьбе погибну. Пока смогу, буду бороться. Только силы так быстро уходят, и физические и нравственные — вот грызет тоска о нем, теперь я так не хотела о нем думать, чувствовать его трагедию. Но уже два дня неотступно мучаюсь его жизнью. Хотя бы Игоречек выдержал и вырос. Он бы доказал своей жизнью, кто был его отец...

25.02.38 г.

День мой: утром Вове завтрак, очередь в молочной за кефиром и сметаной до 12 часов утра. Поездка в тюрьму для передачи Игорю — до 16.30. Потом готовка обеда на завтра. Уборка посуды. Вове ужин. С Вовой занятия по ботанике. Вове мало внимания и времени. Комнату сегодня не убирала. На завод директору позвонить не успела, там до 16 часов. Об Игоре узнала, что он там, но ему передача не разрешена. А что это значит, я не знаю (я не давал показаний на себя и других, и меня лишили передачи). Наверное, вымогают то, чего Игорь не знает, не говорил, не делал. Вымогают у него последние силы. Он уже был измучен за 7 месяцев. У матери нет слов, когда она думает о своем заключенном мальчике...

В мыслях о нем даже себе страшно признаться (видимо, мысли у мамы были о преступлениях НКВД или даже самого Сталина; поэтому ей было страшно дать себе отчет в таких мыслях). Буду ждать, пока есть немного разума и много любви. Но предвижу страшные для моего сердца пытки в дальнейшем. Могут его совсем загубить (физически уничтожить), могут убить в нем желание жизни, могут зародить в нем страшную ненависть, направленную не туда, куда надо (а без ненависти в наше время при двух системах жить невозможно), — могу я его никогда не встретить. Могу его встретить и не найти в нем, что растила, что особенно в нем ценила. Могу его встретить физическим и нравственным калекой.

Потому что арестовывают того, кого хотят уничтожить!

Вова лег сегодня в хорошем настроении, но поздно — в 23.30. Все думает о своих военных делах. Сказал сегодня: «Тридцать раз прокляну тех, кто взял у меня винтовку и патроны. Я не могу теперь стать снайпером». Просил меня написать Ежову о винтовке и военных книгах, которые он с таким интересом всегда собирал. Интересуется все, не пошлют ли нас в ссылку поблизости от границы. Всегда огорчается, когда я даю отрицательный ответ. Сегодня купил какую-то военную книгу и читал ее с увлечением. Зато о папе он вечером тоже сказал: «Жаль, что папу не расстреляли, раз он враг народа». Как он его ненавидит и как ему больно. Об этом говорить не любит.

7.03.38 г.

Сегодня в 11 часов вечера (8 месяцев тому назад) окончилась жизнь Пятницкого в семье.

Сегодня Вова принес «плохо» по русскому языку, я очень рассердилась на него: он ленив.

8.03.38 г.

«Эх, мать, ну и сволочь же отец. Только испортил все мои мечты. Правда, мать?»

В 1938 году при аресте Юлии Пятницкой ее дневник послужил основой для приговора. В 1956 году прокурор Борисов (по стечению обстоятельств его фамилия была такой же, как у царского генерала, первого мужа Юлии), который вел реабилитационные дела И.А. Пятницкого, Ю.И. Соколовой-Пятницкой и их старшего сына Игоря, отдал часть дневника младшему сыну Владимиру Пятницкому.

В октябре 1939 года Осипа Пятницкого расстреляли. Жизненным принципом Пятницкого было: «Если так нужно партии, значит, так нужно и мне!»

По этому принципу он жил и умер. Его смерть была нужна той партии, которой он так верно служил.

ДУША ВАЦИКА ВОРОВСКОГО ПРОСИЛАСЬ В НЕБО

Убитый в Лозанне советский дипломат Вацлав Воровский часто вспоминал, как в детстве одна их набожная соседка, видя, что маленький Вацик часто запрокидывал голову и подолгу смотрел в небо, говорила матери его, Августине Устиновне: «Ну, он у вас не жилец. Смотрите, его душа на небо просится. Вот он и смотрит туда...»

27 ноября 1923 года в немецком санатории скончалась от нервного потрясения вторая жена Вацлава Дора Моисеевна Воровская. Она не пережила убийства своего мужа Вацлава Воровского, совершенного 10 мая 1923 года в Лозанне. В связи с убийством Воровского по всему Советскому Союзу прошли мощные демонстрации протеста, люди несли плакаты: «Павшему — слава!», «Убийцам — месть!», «Нас не запугать!» А в это время вторая жена Воровского Дора Моисеевна впала в невроз, от которого не смогла оправиться. Существуют и такие виды нервности,

которые представляют самостоятельные болезни, отличающиеся определенными устойчивыми синдромами. Они нарушают повседневную жизнь больного, его самочувствие, снижают трудоспособность, отражаются на его взаимоотношениях с людьми. Эти виды нервности не связаны с какими-либо повреждениями органов и тканей организма. Отличительная особенность этих расстройств — связь их с тягостными душевными переживаниями, в отдельных случаях сильными, но кратковременными, чаще же не столько сильными, сколько длительными. Эти нервные расстройства и называются неврозами.

Дора Моисеевна Воровская умерла, не пережив смерти мужа... 9 августа 1924 года ее прах был доставлен в Кремль. Урна с прахом была опущена в могилу Вацлава Воровского у Кремлевской стены. Это была первая урна, помещенная в некрополе на Красной площади — до этого никого из вождей революции не кремировали.

Дора Моисеевна Воровская (урожденная Мамутова) родилась в Одессе в семье врача. Год рождения неизвестен. В 1904 году в Берлине Дора встретилась с Вацлавом Воровским, которого не так давно оставила жена. Дора и Вацлав поженились. После октябрьского переворота Воровская выполняла обязанности дипкурьера и секретаря в посольствах Советской России в Стокгольме и Риме.

Женщина и мужчина... Этот союз вечен, как вечны проблемы, порожденные им. Коварство и вероломство шагают по одной тропе с любовью, жестокость и жадность крадется вслед за чистым чувством. Но сколько еще на свете чистой любви! Даже среди власть имущих!

Мать Вацлава Воровского с детства окружила сына любовью, заботой и пониманием.

Он родился в скромной квартире на Землянке в семье коллежского асессора Вацлава Зеноновича Воровского. Это был третий ребенок в семье. Ради такого торжества отец новорожденного надел свой лучший костюм, нацепил орден Святого Станислава. Отвечая на поздравления, Вацлав Зенонович произнес:

— Я хочу, чтобы Вацик пошел по моим стопам и стал инженером: даром, что ли, я ему свое имя дал... Выпьем за инженеров, людей-созидателей...

За окном падал первый снежок. Шел 1871 год... 27 октября в Москве началась жизнь Вацлава Вацлавовича Воровского. Он родился в дворянской семье. Отец его окончил курс наук в Строительном училище Главного управления путей сообщения и получил звание инженера-архитектора. Работал он на Московско-Курской железной дороге. Весной 1873 года, проверяя железнодорожный мост, оступился и упал в воду. Вечером Вацлав Зенонович почувствовал сильный жар. Болезнь стремительно развивалась, и вскоре он умер от скоротечной чахотки. В то время Вацику было всего лишь полтора года. Он не помнил отца, и только мать — Августина Устиновна, урожденная Шварц, — часто говорила о большом желании мужа сделать сына инженером-строителем...

Мать ревностно взялась за воспитание единственного сына (двое других детей умерли в раннем возрасте). Она горячо любила Вацика и делала все, чтобы он «вышел в люди» и зажил той обеспеченной жизнью, которой жила когда-то она сама. Со смертью мужа жить стало намного труднее: скромной пенсии не хватало. Приходилось экономить, распродавать вещи. Но маленький Вацик не замечал недостатков. Он жил в мире тех сказок, которые по вечерам читала или рассказывала ему мать. Случалось, что некоторые сказки наводили впечатлительного мальчика на размышления. Как-то, прослушав «Принца и нищего», Вацик спросил:

— Мама, а почему так: один бедный, а другой богатый?

Августина Устиновна объяснила как могла, что мальчики родятся или богатыми, или бедными. Тогда Вацик заинтересовался:

— А я родился бедным или богатым?

Мать замялась, не зная, что ответить сыну, а потом сказала:

— Ты родился не особенно богатым, но ты будешь богатым, я это знаю, ведь ты будешь умным и прилежным. Кто хорошо станет учиться, тот будет богатым.

Но мальчик ответил, что когда он будет богатым, то все отдаст другим мальчикам, чтобы и они были богатыми. В ответ он услышал:

— Это хорошо, что ты такой добрый...

На чуткую, мягкую, легко восприимчивую душу Вацика оказали влияние рассказы деда о польском восстании 1863 года. У мальчика никак не укладывалось в сознании: почему это одни люди заставляют страдать других? Вацик спрашивал у деда, за что же убивали повстанцев, если они стремились к свободе?

— Ну, разве тебе объяснишь! Эх, Вацик, подрастешь, тогда и узнаешь...

— А я хочу знать сейчас.

— Ладно, тогда слушай... — И дед говорил о злых людях и добрых, о тех, кто любит жить свободно, и о тех, кто посягает на свободу других.

Тут обыкновенно вмешивалась мать:

— Ну зачем ты все это говоришь? Ему еще рано об этом знать.

Одиннадцати лет Вацик поступил в классическую гимназию при лютеранской церкви Петра и Павла. Гимназия находилась на Маросейке, в Петроверигском переулке. Мрачное здание казенного типа. Занятия там велись на немецком языке. Преподавание было поставлено неплохо, но докучала муштра. Директор гимназии немец Вернандер да и большая часть преподавателей неотступно следили за дисциплиной и строго наказывали учеников за малейшие провинности. Нередко эта муштра выводила гимназистов из себя. Они начинали протестовать. В рукописном журнале, переходившем из рук в руки, стали появляться сатирические стихотворения, эпиграммы на учителей. Полные злого, саркастического содержания, эти произведения служили своеобразным оружием борьбы учащихся.

Русский язык и словесность в школе преподавал некто Андреев, хвастун и трус. Эти качества его характера нередко обстреливались гимназистами. Много поэтического пыла тратил на него и Воровский. В одной из своих сатирических од Вацик изобразил Андреева мнимым храбрецом и героем, покорителем Шамиля.

Однажды утром, придя в класс, гимназисты увидели белые листочки, приклеенные к портретам разных «знаменитостей», развешанным по стенам. На листочках — стихи, отпечатанные на машинке.

К портрету английской королевы Елизаветы было приклеено злое четверостишие:

Прежде взглянем на даму мы эту,
Королеву развратнее всех,
Английскую Елизавету
(Не повесить ее было б грех!).

Прочитав эти строчки, гимназисты, конечно, сразу узнали, что проделка — дело рук Вацлава Воровского.

Первым был урок словесности. Учитель Андреев попытался выяснить, кто сделал это «гнусное дело», но никто не выдал Воровского. Тогда в класс был приглашен директор. Увидев проделку гимназистов, тучный немец посинел от злости. Но сколько грозное начальство ни билось, гимназисты молчали...

После этого случая популярность Воровского среди гимназистов значительно возросла. Он стал героем дня. О нем много говорили, шушукались по углам. Особенно проникся любовью к нему жизнерадостный гимназист Бедрут. С этих пор между ними установилась настоящая дружба. Они поклялись, что не будут оставлять друг друга в беде, стали вместе готовить уроки, подолгу беседовали о прочитанных книгах. Вечерами собирались обыкновенно у Вацлава, так как у него, кроме матери, никого не было. Можно было по душам поговорить, обсудить мальчишеские новости.

Один из гимназических товарищей Воровского писал в своих воспоминаниях: «Я думаю, здесь именно, в стенах гимназии, зародился и начал формироваться тот неутомимый и неукротимый революционер, которым он впоследствии проявил себя в таком широком масштабе».

В гимназии существовал кружок острословов. Там гимназисты отдыхали от скуки на уроках. Душой кружка был Вацлав Воровский. Страсть острить так сильно развилась среди гимназистов, что начали с ней бороться. Решили штрафовать. По копейке за остроту. Один раз Воровский лишился таким образом двугривенного и остался без завтрака. После этого случая Вацик заметно охладел к острословию. Но любовь к шутке, к иронии осталась у него на всю жизнь.

В скромно обставленной комнате Вацлава Воровского, на Землянке, иногда собирались одноклассники. Здесь шли горячие споры о смысле жизни, о месте интеллигенции в обществе.

Серые мечтательные глаза Вацика загорались, когда он слушал нападки товарищей на царский строй. Кто-то из гимназистов стал было рассказывать о покушении на царя. С тревогой на лице в комнату заглянула мать, или mater dolorosa, как называл ее в шутку Воровский. Она, пугливо оглядывая группу раскрасневшихся гимназистов, говорила:

— Вы бы потише, мальчики...

После ухода товарищей мать спросила сына, не опасно ли вести такие разговоры?

— Но где, скажи, когда была без жертв искуплена свобода? — вместо ответа Вацик продекламировал матери стихи Рылеева. — Эх, mater dolorosa, — говорил он, — кто боится, тот не будет героем. Кто не борется, тот не станет свободным. Кто не рискует, тот никогда не достигнет цели.

— Откуда, сынок, ты всего этого набрался? — спрашивала Августина Устиновна.

— А вот отсюда... — с этими словами Вацик выдвинул из-под кровати свой заветный сундучок, открыл ключом замок и вытащил пачку книг. Он протянул матери тетрадку со стихами Рылеева, рукопись «Что делать?» Чернышевского, книжку журнала «Современник» за 1859 год со статьей Добролюбова...

В конце концов Августина Устиновна поняла, что сын ее выбрал иной, чем она предназначала ему, путь. И не стала настаивать на своем. Она пошла за ним, до самой своей смерти оставаясь его преданным другом. «Думаете ли вы, что ей-таки ничего не стоило изменить фарватер своей жизни? — писал впоследствии Воровский. — О нет! Ей это дорого стоило. Но ее спасла безграничная вера в лучшее будущее и в здоровый инстинкт молодежи, которая сумеет пройти через все увлечения, даже уродливые, и найти твердую почву к идеалу».

В гимназии Воровский учился хорошо. Особенно легко ему давались языки: немецкий, французский, латинский, греческий. Весной 1890 года он окончил гимназию и подал прошение о зачислении на математическое отделение физико-математического факультета университета. С 1 сентября Воровский начал слушать лекции по аналитической геометрии, высшей алгебре и другим предметам, а также посещать физический семинарий известного ученого — профессора Столетова.

Посещая дом Адама Толочко, Вацлав Воровский обратил внимание на его дочь — Юлию. Он увлекся девушкой и, недолго думая, решил жениться.

Летом 1895 года они скромно отпраздновали свадьбу. А в сентябре Воровский с женой под видом «свадебного путешествия» отправились за границу. Полгода провели молодые супруги в Австрии, Германии, Швейцарии. Любовались зимним пейзажем у подножья Монблана, бродили по берегу незамерзающего Женевского озера, а вечером сидели в отеле и подолгу смотрели через разрисованное узорами стекло на занесенные снегом деревья, на одиноких путников, на пляску снежинок в свете окна. Но о еще одной цели поездки жена лишь догадывалась. Воровский выполнял поручения московского Рабочего союза — налаживал связи с заграничными социал-демократическими организациями. Он побывал у Бонч-Бруевича, уехавшего год назад в Женеву, чтобы наладить связь с марксистской группой Плеханова, взял у него литературу, рассказал о Москве, о товарищах по работе.

В 1896 году ожидалась коронация царя. Московская охранка решила обезопасить себя от неприятностей и постаралась выслать из Москвы всех неблагонадежных. По распоряжению министра народного просвещения графа Делянова из Императорского технического училища были уволены 27 студентов. Воровского выслали в Вологду, А. Бриллинга — в Могилев, Н. Вашкова — в Харьков. Ссылка в Вологде затянулась до августа. Воровский скучал и рвался в Москву. Только 28 августа министр Делянов разрешил студентам продолжать учебу.

Так шаг за шагом полиция следила за группой студентов-техников, руководившей в начале 1897 года московским Рабочим союзом.

В ночь с 3 (16) на 4 (17) апреля 1897 года в Москве были большие аресты. Вот что писал по этому поводу московский генерал-губернатор: «Ввиду возможного в Москве отражения ожидаемых в Петербурге многолюдных рабочих манифестаций (имеется в виду праздник 1 Мая), сегодня, 4(17) апреля, ночью, арестованы все известные авторитетные агитаторы из интеллигентов и рабочих, в количестве нижепоименованных 56 лиц».

Сквозь сон Воровский услышал сильный стук в дверь. Он хотел было повернуться на другой бок и заснуть, но стук повторился. Кто-то настойчиво ломился в дверь. Вацлав включил свет и взглянул на часы: было 3 часа ночи.

На вопрос: «Кто там?» — ответили: «Телеграмма». Вацлав открыл дверь. Вместе с дворником вошли жандармы. Начался обыск. Воровский старался быть хладнокровным. Он успокаивал свою первую жену Юлию Адамовну, которая никак не могла понять, почему кто-то роется в ее бельевом шкафу, обшаривает письменный стол, откладывает в сторону бумаги.

Старший помощник пристава Неклюдов, производивший обыск, записывал в протоколе: «Ввиду же обнаружения в переписке некоторых предметов, свидетельствующих принадлежность Воровского к преступному обществу, положил задержать Воровского и препроводить на распоряжение Московского Охранного Отделения...»

При обыске у Воровского нашли много предосудительной литературы, рукописей и выписок из марксистских книг. Среди вороха книг и бумаг, отобранных у него, имелись: третий том «Капитала», рукопись книги Энгельса «Анти-Дюринг», «Введение к критике философии права Гегеля» Маркса, список фабрик и заводов по 2-му участку Басманной части и другие.

В ту же ночь были арестованы товарищи Воровского по революционной работе: Илья Бабаджан, Николай Вашков, Клавдия Величкина и рабочие-литографщики, занимавшиеся изданием марксистской литературы и прокламаций.

Вацлав Воровский был водворен в Таганскую тюрьму. В ней он провел около двух лет.

21 января 1899 года Воровский вышел из Таганской тюрьмы. Ему было разрешено провести два дня в кругу своей семьи.

В хлопотах и сборах время пролетело быстро. Мать Вацлава Вацлавовича решила сопровождать сына и сноху до места ссылки. «Хочу посмотреть, как устроитесь», — заявила она. И вот настал день отъезда. К Курскому вокзалу подъе-

300

хали санки. Из них вышли в теплом пальто сутуловатый Воровский с женой, вся закутанная в шаль мать Августина Устиновна.

В ссылке Воровский продолжал заниматься самообразованием, много читал, аккуратно следил за периодическими изданиями, вел беседы среди ссыльных.

Шести рублей казенного пособия Воровскому с женой не хватало. Тогда Вацлав Вацлавович стал искать работу по специальности инженера. Скоро подвернулся случай: ему предложили строительство гимназии в Орлове (теперь школа имени Воровского). Иногда он выезжал в Вятку, где ему поручались разные строительные работы.

Как-то весной 1901 года из поездки в Москву вернулась Юлия Адамовна и привезла пачку свежих газет и журналов. Разбирая их, Воровский натолкнулся в «Русском богатстве» на заметку обозревателя В. Подарского, в которой шла речь о статье Ю. Адамовича (это был псевдоним В. В. Воровского). Он все же очень любил свою первую жену Юлию Адамовну, поэтому и выбрал такой псевдоним.

В «Русском богатстве» он прочел: «Гораздо более интересно «Письмо в редакцию» г. Ю. Адамовича, который называет себя в этой заметке (по поводу г. Струве) «профаном», но рассуждает авторитетно и со своей точки зрения очень последовательно, так что дай Аллах и всякому специалисту так рассуждать».

Личная жизнь Воровского в ссылке сложилась неудачно. Резкий, неуравновешенный характер

301

Юлии Адамовны в глухом, скучном Орлове начал принимать формы настоящей истерии.

Следует отметить, что Воровский как будто нарочно обращал свое внимание на нервных женщин. Ведь и его вторая жена умерла от нервного потрясения, после убийства Воровского. Да, нервные женщины более чувствительные, отзывчивые, а значит, и гораздо интереснее, чем «железные леди».

Первая жена Воровского сетовала на ссылку, обвиняла во всем Вацлава Вацлавовича. Чтобы развеять немного скуку, Юлия Адамовна часто выезжала за границу, в Москву, Петербург.

Там она заводила многочисленных любовников, но и это не помогало. Ее работа (она была художницей) не приносила ей радости и удовлетворения.

Она была творческим человеком, а Платон, говоря об иррациональном характере творчества, усматривал в нем четыре божественных начала. Провидческое шло от Аполлона, поэтическое — от муз, эротическое связано было с Афродитой и Эросом, а усовершенствующее производилось Дионисом.

С веками платоновская формула претерпела лишь словесное изменение.

Воровский не знал, что делать с женой. Как успокоить ее. Он пытался и приобщить к своим конспиративным делам, но все его попытки оказались тщетными. Она не хотела разделять с мужем всех лишений. Юлия Адамовна жаловалась соседям, что муж уделяет ей мало времени, что больше всего он любит книги, что его никуда не вытянешь и т. д. Многие колонисты от скуки рады были случаю посплетничать.

Здоровье Воровского было неважным. Туберкулезный процесс в легких медленно прогрессировал. Давал вспышки ревматизм. Но Воровский не унывал. «Тридцать лет уж умирает мальчик хилый и больной», — отвечал он тем, кто интересовался его здоровьем.

Однако действительно положение Воровского было незавидным. А тут еще тяжелое нервное расстройство жены, ее истерические припадки. Они выводили его из равновесия и действовали угнетающе.

Все, кому выпадало жить в обществе творческих людей, поражались их способностью перетолковывать в дурную сторону каждый поступок окружающих, видеть всюду преследования и во всем находить повод к глубокой, бесконечной меланхолии. Эта способность обусловливается именно более сильным развитием умственных сил, благодаря которым даровитый человек более способен выделить истину и в то же время легче придумывает ложные доводы в подтверждение основательности своего мучительного заблуждения.

Главнейшую причину меланхолии и недовольства жизнью избранных натур составляет закон динамизма и равновесия, управляющий также и нервной системой, закон, по которому вслед за чрезмерной тратой или развитием силы является чрезмерный упадок той же самой силы, — закон, вследствие которого ни один из жалких смертных не может проявить известной силы без того, чтобы не поплатиться за это в другом отношении, и очень жестоко.

В бурной и тревожной жизни творческих людей бывают моменты, когда эти люди представляют большое сходство с помешанными, и в психической деятельности тех и других есть немало общих черт, — например, усиленная чувствительность, экзальтация, сменяющаяся апатией, оригинальность эстетических произведений и способность к открытиям, бессознательность творчества и употребление особых выражений, сильная рассеянность и склонность к самоубийству, а также нередко злоупотребление спиртными напитками и, наконец, громадное тщеславие.

Воровский чувствовал себя очень уставшим и от жены, и от партийной работы, и от преследований полиции. В полицейских донесениях тех лет он фигурировал под кличкой Шварц (девичья фамилия его матери).

В 1902 году Воровский имел два основных задания: принять типографию от Южного рабочего союза, который отдавал ее в распоряжение «Искры», наладить ее работу и объехать ряд социал-демократических комитетов, сообщив им, что пора уже проводить выборы делегатов на II съезд РСДРП.

Приехав в Москву, Воровский остановился в квартире своей жены Юлии Адамовны, которая еще раньше прибыла из Женевы. На какое-то время их отношения возобновляются. Но воскрешенные чувства — тот же склеенный фарфор — и то и другое бесполезно и некрасиво.

Московской охранке стало известно, что Воровский проживал в Москве в 1903 году и был близок с Бауманом, а также с супругами Банковскими, арестованными в городе Ярославле.

Прислуга Юлии Адамовны в полиции показала, что Воровский с февраля по апрель 1903 года приезжал к ним два раза будто бы из Петербурга и жил около трех недель.

В феврале и марте 1903 года Воровский выезжал из Москвы несколько раз. Он побывал в Петербурге, Ярославле, Самаре. Там встречался с членами местных комитетов, известил их о сроках съезда. Во время этих поездок было решено, что типографию опасно куда-либо перевозить. Нужно оставить ее на прежнем месте, то есть в Екатеринославе, подобрать к ней надежных людей и пустить в действие. Приближались сроки съезда. Нужны были прокламации и листовки. Наконец, и это, пожалуй, самое главное, типография нужна в России для перепечатывания «Искры». Чтобы наладить работу типографии, Воровский выехал с женой в Одессу.

Весной 1904 года Юлия Адамовна Воровская была арестована полицией вместе со своим любовником (они перевозили типографский шрифт из Москвы в Ярославль) и заключена в ярославскую тюрьму. Оттуда она посылала мужу телеграммы странного содержания. Он никак не мог понять: что она от него хочет?

В апреле и мае Воровский дважды приезжал в Ярославль. Была весна. На Волге шел ледоход. Лед трещал и рушился. Мутные воды текли по булыжной мостовой, унося с собой все старое, прошлогоднее. На свидание с Юлией Адамовной его, конечно, сразу не пустили, и, дожидаясь разрешения, Воровский выезжал в Москву, встречался там со Стасовой, Бауманом и другими большевиками.

305

В.В. Воровский не отличался большими организаторскими талантами, но все же ему удалось создать сильные партийные группы в Берлине, Дармштадте, Мюнхене, Льеже, Брюсселе и Париже. Это стоило большого труда. Воровский сразу же столкнулся со злобной кампанией меньшевиков, направленной против него.

Однажды, выступив на вечеринке, устроенной русскими политэмигрантами, Воровский возвращался в свой недорогой отель в Шарлотенбурге. Неожиданно его нагнала девушка, раскрасневшаяся то ли от быстрой ходьбы, то ли от волнения. Из-под ее шляпки выбивались пряди черных волос. Поправляя их, она сказала:

— Простите, мне хотелось поговорить с вами...

Воровский остановился. Девушка была в том возрасте, когда угловатые девичьи черты начинают приобретать плавность, движения замедляются, а фигура принимает округлые формы.

Назвав себя Дорой Моисеевной Мамутовой и сильно смущаясь, что даже в темноте заметил Вацлав Вацлавович, она проговорила:

— Я слушала вашу речь... я целиком разделяю ваши убеждения. Мне показалось, что вы лучше, чем о вас пишут вот тут...

С этими словами она достала из кармана сложенный листок бумаги и подала его Воровскому. Не спеша он развернул листок и прочел всю листовку о своем разводе с женой, о его безнравственности и аморальности. Все это ему не раз приходилось слышать. Поэтому он отреагировал спокойно.

— Что ж, тут есть доля правды... Я действительно не живу с женой или, как здесь пишут, бросил ее... Но я иногда серьезно начинаю думать, не злодей ли я в самом деле...

Так Воровский познакомился со своей второй женой.

В апреле 1907 года Воровский приехал в Одессу и снял квартиру в доме №10 по Карантинной улице.

Как-то, прогуливаясь с женой по Дерибасовской, Воровский встретил свою знакомую по Берлину — Раису Лифшиц (Лемберг). Разговорились. Вацлав Вацлавович высказал желание работать в газете. Лифшиц ответила, что это можно устроить, у нее есть знакомые в газетном мире.

Вскоре она представила Воровского Давиду Тальникову, ответственному секретарю, а фактически редактору прогрессивно-демократической газеты «Новое обозрение».

11 июня Воровского арестовали по делу Одесского комитета Российской социал-демократической рабочей партии и поместили в тюрьму, где находились его товарищи по партийной работе.

Воровский шел по улицам Одессы, выбирая наиболее тенистые места. Июльское солнце нещадно палило, хотя полдень был еще далек. Вацлав Вацлавович радостно шагал по плиточным тротуарам, задерживаясь у круглых афишных колонок, чтобы посмотреть, что идет в театре, цирке, иллюзионе. Иногда он невольно заглядывал и в витрины магазинов. Чего там только не было! Словно восковые, застыли гроздья янтарных фиников из Турции, горки золотистых апельсинов из Италии. А рядом новинка — пишущая машинка из Германии. Коньяки Шустова и модные широкополые женские шляпки из Франции. Со всего света навезли купцы товаров, но покупатели редко заходили сюда: дорого...

Поразмяв ноги и вдоволь находившись по ярким солнечным улицам портового города, Воровский сел на конку и поехал на Большой Фонтан, на дачу, куда переехала семья после его ареста.

Дома его не ждали. Накануне он не мог сообщить об освобождении из тюрьмы, так как до самой последней минуты не был уверен в этом. Дора Моисеевна лежала в тени, в шезлонге, и беседовала с Давидом Тальниковым. Воровский не удивился присутствию гостя. Ведь они были друзьями и часто навещали друг друга.

Начались расспросы. Трехлетняя Нина, взобравшись к отцу на колени, теребила его бороду.

Дома Воровского ждало письмо.

— Принесли из редакции «Одесского обозрения», — сказала Дора Моисеевна, вручая конверт. — Но, как видишь, оно из Берлина от какого-то Тышки.

— Не от какого-то Тышки, а от нашего Тышки, — ответил Воровский, принимая конверт. — Тышка видный польский социал-демократ и приятель Розы Люксембург. Я тебе, по-моему, как-то говорил о нем...

«Редакцией варшавского еженедельника «Трибуна», — читал Воровский, — предложено мне обратиться к вам с просьбой о сотрудничестве вашем. Нужны статьи экономико-статистические, политические, литературные (равно и рецензии и критика о книгах) и касающиеся всех вопросов, имеющих более или менее непосредственное отношение к рабочему движению и к нуждам четвертого сословия. Нужны также статьи, посвященные пропаганде, для чего вам послужит материал из жизни и условий России. Жду немедленного ответа... Если же вы не питаете к подписи моей, еще неизвестной в литературе, большого доверия, то прошу вас на первый раз адресовать на имя нашего общего знакомого г-на Ильина (В. И. Ленина). Имею еще кое о чем побеседовать, но откладываю это до получения от вас ответа».

— Вот видишь, мой литературный талант начинает приобретать мировую известность, а ты не ценишь, — обратился Воровский к жене, окончив чтение письма. — Заказывают статьи, ссылаются на Ленина. А ведь не знают, поди, что Ильич журит меня?! Мало пишу в нелегальную прессу! А где взять время, разве угонишься за всем?

Наступили длинные осенние вечера. Ветер завывал и рассерженно швырял в окна пожелтевшие листья. Небо хмурилось, часто шли дожди.

В такие вечера обыкновенно к Воровским заходил Давид Тальников. Втроем они отправлялись в синематограф, или иллюзион, как в то время называли кинотеатр. Однажды они случайно попали на картину, в которой показывалась частная жизнь писателя Леонида Андреева. Выйдя из кино, Вацлав Вацлавович возмущался: как может уважающий себя человек на потеху публике выставлять свою интимную жизнь? Ему была противна эта самореклама Андреева. Да и кому она нужна?

— Да, но ведь сейчас модно сниматься в кино, — возразила ему Дора Моисеевна. — Сам

Лев Николаевич Толстой, которого ты так любишь и ценишь, снимался.

— Ну, сравнила! Толстому восемьдесят лет, его запечатлели для потомства, да и разве в таких позах? Разве Толстой ходил в синематограф, чтобы полюбоваться собой? А Андреев! Почитай петербургские газеты, они сообщают, что он самолично смотрел на себя в синематографе «Сатурн». Что ни говори, а «молодые таланты» не восприняли хорошую традицию Горького. Они не дают отпор толпе, любящей поглазеть на интимную жизнь знаменитостей. Рука так и тянется к перу. Так и хочется позлословить на сей счет.

Длинными вечерами нередко вспыхивали споры о задачах литературы и искусства. В это время Воровский много писал на литературные темы в столичные партийные издания: в газету «Звезда», журнал «Мысль» и т. д. Он считал, что литература и искусство призваны воспитывать в людях хорошие вкусы, облагораживать души, смягчать нравы.

«Лишь тот достоин жизни и свободы, кто каждый день их должен добывать», — любил повторять Вацлав Вацлавович слова Гёте из «Фауста».

В те дни в Одессу приехал большевик Александр Константинович Воронский, впоследствии видный литератор. У него был адрес Воровского, данный Марией Ильиничной Ульяновой.

Воронский пришел на квартиру к Воровскому, где его встретила Дора Моисеевна. Она попросила немного подождать. Вскоре появился и сам Воровский. Он вышел из ванной комнаты с доче-

310

рью, закутанной в мохнатую простыню. Он довольно улыбался, лицо у него светилось, в бороде сверкали капли воды. Принял гостя просто и радушно. Узнав, что Воронский пишет фельетоны и заметки, Вацлав Вацлавович предложил ему сотрудничать в новой газете «Ясная заря». Воронский с готовностью согласился. Тут же договорились о конкретных материалах.

— Но на гонорары, молодой человек, особенно не рассчитывайте, — сказал Воровский.

В начале ноября 1912 года Воровский прибыл в Вологду, типичный губернский городок на севере России.

Вскоре к Воровскому приехала семья: жена и шестилетняя дочь Нина.

«Мы встречались ежедневно, — вспоминал один ссыльный, Б. Перес, — за столом у местной обывательницы Матафтиной, у которой столовались некоторые ссыльные. Не раз я бывал у Вацлава Вацлавовича дома.

Однажды вечером во время разговора я взялся за попавшиеся мне под руку поломанные куклы Ниночки и одну за другой починил их. Когда она наутро нашла своих исцеленных кукол, Вацлав Вацлавович пресерьезно уверил ее, что я кукольный доктор, и от души смеялся, когда при каждом моем появлении Ниночка бежала ко мне навстречу с новой пациенткой».

Рассказывая о своем житье-бытье в Вологде, Воровский продолжал: «Мои живут неодинаково: дочь здорова и толстеет, мать похварывает и худеет; возможно, что в сумме остается то же самое, но все-таки это слабое утешение».

В середине февраля 1919 года Воровский приехал в Москву. В Кремле, в здании бывшего кавалерийского корпуса, он получил небольшую квартиру из двух комнат. Отсюда через Троицкие ворота можно было попасть в Александровский сад, а там рядом — Манеж и университет. Почти тридцать лет прошло, как вбегал он вот по этим мраморным лестницам в Актовый зал. А там, во дворе университета, они, студенты, не раз митинговали...

Иногда почта приносила забавные вещи.

Вот письмо писательницы А. Вербицкой. Ее тревожила судьба своих книг. Тут же, в письме, она передавала мнение М. Горького и М. Андреевой о нем, Воровском. «Следите по газетам за назначением В. В. Воровского. Это европеец в лучшем смысле этого слова и высококультурный человек, — сказала жена Горького Вербицкой. — Мы говорили ему о Вас, он примет к сердцу Ваши интересы и сумеет Вас защитить».

14 марта 1921 года Воровский со своей миссией прибыл в Рим.

О возможных провокациях Воровский предупредил также жену и дочь. Буквально через несколько дней предвидение Воровского сбылось. Однажды, возвратившись с прогулки из парка Боргезе, всегда жизнерадостная, бойкая Нина рассказала, что к ней подошел один синьор и шепнул: «Пять минут назад твой отец убит...»

— Ну, и что же ты ответила? — спросил Вацлав Вацлавович.

— А я сказала, что он лгун.

— Вот и правильно...

Побродив по Риму, Воровский возвращался к Колпинским обедать. Все уже были в сборе: хозяйка Анна Николаевна, ее муж Урбан, Дора Моисеевна и Нина. Подавались традиционные итальянские макароны, фрукты и легкое вино. После обеда Воровский садился по обыкновению на балконе, откуда открывался чудесный вид на Рим, и смотрел в бесконечное синее небо, на отроги гор.

Но недолго семья была в полном сборе. Дочь Воровского Нину пришлось отправить в частный пансионат в Швейцарию. Она доставляла своим родителям массу хлопот. Ее нрав мог вывести из себя кого угодно.

Она была такой же нервной, как и ее мать. Всем известно, что есть качества, которые передаются по наследству. Сумасшествие чаще всех других болезней передается по наследству и притом усиливается с каждым новым поколением, так что краткий припадок бреда, случившийся с предком, переходит у потомка уже в настоящее безумие. Кроме того следует заметить, что умопомешательство признает полную равноправность обоих полов.

Вся жизнь Воровского протекала в обществе нервных женщин. Изредка, после очередного скандала, отец навещал дочь в пансионате.

Очень часто писал Воровский своей дочери Нине письма: «Неужели ты не можешь жить с людьми так, чтобы не нужно было объясняться. Ох, трудный ты человек, Муха. Нас этот новый инцидент очень сильно огорчил. Мама очень сильно волновалась, хотела писать и тебе и воспитательнице, но я уговорил ее оставить и ограничиться моим письмецом, ибо я понимаю, что это одна из вспышек, которые у тебя, к сожалению, все еще бывают, и ты, успокоившись, сама поймешь, что зря разыграла этакую трагедию.

Поменьше думай о том, кто тебя ненавидит и пр. Это жеманство навыворот.

Как жеманные девицы думают, что все восхищаются ими, так есть люди, которые думают, что все их ненавидят, что они такие непонятые, одинокие среди толпы. Вроде Печорина или героев Байрона.

Это такой же недостаток, как жеманство. Жизнь гораздо проще, и люди относятся друг к другу гораздо проще, чем выглядит по романам. Так и к ним надо относиться просто и ровно, не презирать и не восторгаться, а главное, нужно, быть самим собою и поменьше думать, что о тебе думают и говорят другие, стараясь быть чем-то, заслуживающим внимание.

Вот тебе очередное отцовское нравоучение. Посылаю тебе несколько фотографий.

Ну, смотри, будь умницей, не позорь своего старого отца и Российскую республику».

Осенью 1922 года в Италии Муссолини совершил правительственный переворот. В Риме шла перестрелка. По улицам ходить было небезопасно. Несмотря на это, Воровский не изменил своей привычке бродить пешком по городу. Опираясь на тр_осточку, он смело входил в кафе на улице Корсо, выпивал чашку кофе с ликером, наблюдал за посетителями.

9 мая в Лозанне Воровский беседовал с корреспондентом «Кельнише Цейтунг». Он заявил

представителю немецкой газеты, что не отступит от директив, полученных от Советского правительства, и останется в Лозанне до конца конференции.

«Я убедился, — писал корреспондент, — что Воровский прекрасно отдавал себе отчет в той громадной опасности, которая ему угрожала, и был готов ко всему».

На исходе дня 10 мая Воровский с Дивильковским и Аренсом отправился в ресторан гостиницы «Сесиль» поужинать. Воровский окинул взглядом полупустой зал. Только группа кельнеров о чем-то тихо беседовала недалеко от входа да сухопарый господин с испитым лицом сидел за маленьким столиком в углу. Господин ничего не ел, только потягивал коньяк из маленькой граненой рюмки. После каждой порции он расплачивался, потом заказывал снова.

За окном вечерело. Весенняя ночь надвигалась медленно. Вершины гор были еще залиты ярким светом заходящего солнца, но в долину уже наползала темнота.

Воровский бросил еще взгляд на одинокого посетителя, перебросился шуткой с Дивильковским, состри́в насчет его вечернего туалета, и углубился в карту, принесенную кельнером. Вацлав Вацлавович заказал себе салат, осетрину, кекс, кофе со сливками и яблоки в красном вине.

Вечер. В зале стало полутемно. Пора бы и свет включить, что это мешкают кельнеры?!

В это время сзади к Воровскому подошел тот самый господин, который потягивал коньяк, и почти в упор выстрелил в затылок. Затем еще

315

раз. И еще. Голова Воровского упала на стол...
Дивильковский и Аренс, оглушенные выстрелами, вскочили, убийца сделал еще несколько выстрелов, ранив Дивильковского в живот, а Аренса в ногу. Оба упали. Убийца подошел к группе официантов и хладнокровно сказал:

— Вызовите полицию. Я подожду...

Убийство представителя в Лозанне совпало с ультиматумом лорда Керзона. Убийца — офицер Конради. Швейцарское правительство оправдало убийцу Воровского.

Специальный поезд с телом Воровского прибыл в Москву, под звуки траурной музыки гроб с телом покойного опустился в могилу у Кремлевской стены.

Смерть мужа сразила Дору Моисеевну, жизнь потеряла смысл, через несколько месяцев жена последовала за мужем.

В одном из последних писем Воровский писал: «Неблагодарное потомство готово увековечить мою память как великого дипломата, тогда как я всегда считал себя гениальным публицистом».

ПРОТОПОПИХА НА КОЛЕНЯХ УМОЛЯЛА ДОЧЬ НЕ ВЫХОДИТЬ ЗАМУЖ ЗА АРЕСТАНТА

Время, говорят, лучший судья. В отношении Ольги Лепешинской (урожденной Протопоповой) время стало не только лучшим, но и жесточайшим судьей.

Оно оставило на положениии непреложной действительности только жертвы, низведя все идеи Ольги Лепешинской до уровня бреда, о котором люди, в лучшем случае, говорят со снисходительной улыбкой.

Юность без девичьих радостей, в силу аскетического отказа от них. Юность, отягощенная чувством своей без вины виноватости за судьбы России. Порыв освободиться от этой без вины виноватости принесением себя в жертву за лучшее будущее народа.

А ведь даже не похоронили у Кремлевской стены...

Одна особенность отличала жизнь всех разбогатевших российских семей промышленного класса — их страшная изолированность. Российские капиталисты приобретали свое состояние путем упорного труда и строгой экономии, при этом у многих из них не оставалось времени, чтобы оказывать внимание своим детям.

Мать Ольги Лепешинской была занята проблемами, связанными с принадлежащими семье каменноугольными копями, и не составляла никаких планов относительно будущей жизни дочери. Она, по-видимому, не имела никакого понятия о том, что могло ждать ее дочь — революционная стезя, фиктивный жених, ссылки, эмиграции.

Мать думала о деньгах, поэтому дочь не должна была заботиться о хлебе насущном. У дочери было время, чтобы подумать о вечном и о любви к ближнему.

Представляла ли мать Ольги Лепешинской своего зятя — Пантелеймона Лепешинского —

профессионального революционера, с вечно грязными от типографской краски руками? Нет, мать Ольги Лепешинской думала лишь об одном — как не обанкротиться.

О чем втайне мечтала в детстве Ольга Лепешинская, мы никогда не узнаем в точности. Может быть, ей не хватало только материнского тепла. И этот недостаток родительского внимания в детстве сформировал у Ольги Лепешинской своенравие и агрессивность, которые в свою очередь привели к революционному фанатизму. Вольтер, описывая фанатизм, говорил, что это «безумие мрачное и жестокое по своему характеру; это болезнь, заразительная, как оспа». Более универсальный характер носит то определение фанатизма, которое дал ему Руссо: «Фанатизм — не заблуждение, а слепая и тупая ярость, которую разум никак не может сдержать». Именно это определение приходит в голову, когда читаешь воспоминания Ольги Лепешинской.

«Мои родители были крупные капиталисты. Отца я почти не помню. После его смерти мать занялась предпринимательскими делами.

На высоком берегу Камы особняком стоял двухэтажный кирпичный дом. В одной половине жили мы, другая, большая половина его, была занята гостиницей, откуда с раннего утра и до позднего вечера слышался несмолкаемый шум от людского говора, стука вилок и ножей, хлопанья пробок, звона стаканов, музыки, пения, смеха и аплодисментов. Не знаю, нравилось ли это моим братьям и сестрам, но мне, семилетней девочке, бывало не по себе от этого утомительно-

318

го однообразия. Я пряталась в дом, но и в плюшевых гостиных не находила ничего нового. Любимым местом для игр я избрала запущенный сад, куда редко кто заглядывал. Там хорошо и покойно было среди лопухов и крапивы.

Мать, по горло занятая делами, мало уделяла внимания нашему воспитанию. Мы были предоставлены гувернанткам и учителям, приходившим репетировать с нами уроки, заданные в гимназии. Сухая, желчная, неумолимо строгая мать лишь изредка делала кому-нибудь из нас замечания.

Лично мне повезло. Отданная под надзор своей бывшей кормилицы, я была вполне довольна судьбой. Я очень любила Аннушку и, мне кажется, она также любила меня. Была у меня еще одна маленькая радость — коза Машка. Из-за нее я впервые вступила в спор со своей матерью.

Это случилось во дворе. Аннушка доставала из большой бутылки вишни для киселя и складывала их в чашку.

Подбежала Машка и разбросала вишни. Куры, утки, индейки с криком набросились на ягоду. Через некоторое время птицы, опьянев, тыкались головами в землю, а захмелевшая Машка влетела за мной в дом, увидела свое изображение в зеркале и, разбежавшись, ударила в него рогами. Звон разбитого стекла переполошил всех.

— Немедленно, сегодня же зарезать козу! — гневно приказала мать.

— Ни за что, — крикнула я и загородила собой Машку. Не знаю, чем мой вид поразил мать, но она не решилась повторить приказание, а я, труся в душе, смело смотрела на нее.

Я часто лазила через забор в чужой сад в поисках чего-нибудь интересного. По этой же причине я любила кататься на лодке, совершая длинные прогулки по реке. Зимой каталась на коньках. Товарищами в моих играх бывали соседские ребята, среди которых я чувствовала себя отлично, за что мать называла меня «уличной девочкой». Охотней всего я играла с Петей, горбатым мальчиком, сыном нашей прачки. Наблюдая тяжелую жизнь наших слуг, я недоумевала, почему мы живем в просторных комнатах, а они ютятся в полутемных подвалах. Иногда, пользуясь хорошим настроением матери, я спрашивала ее об этом.

— Это ты в кухне наслушалась? — подозрительно и строго спрашивала она и запрещала мне водиться с моими приятелями.

Десяти лет меня отдали в гимназию. С первых дней я была одной из лучших учениц, но зато в шалостях никому не уступала.

В гимназии ко мне была прикреплена ученица восьмого класса Катя Пановец. Мы подружились. Катя просто и интересно умела отвечать на мои вопросы, и я старалась как можно дольше задержаться возле нее. Но Катя бывала неумолима. Ласково улыбаясь, она решительно отправляла меня в класс.

Однажды на уроке рисования я старательно срисовывала с натуры огурец и не слышала, как подошел учитель.

— Вы что делаете?.. — спросил он.

— Рисую, — ответила я довольно самоуверенно.

— Да разве так рисуют?.. — он перечеркнул мою работу. — Начните снова.

Я вскочила и громко на весь класс крикнула:

— А вы... вы ничего не понимаете.

— За это я вас накажу.

Учитель направился к кафедре. А после уроков меня оставили без обеда. В пустой класс пришла Катя.

— Оленька, что ты наделала? — ласково и с укором спросила она, а потом долго доказывала мне всю несерьезность и ненужную горячность моего поведения. Я и сама почувствовала мелочность своего поступка. Выслушав Катю, я искренне созналась в своей грубости и обещала на следующий день извиниться перед учителем в присутствии всего класса.

Это обстоятельство, очевидно, расположило ко мне моего лучшего друга, и Катя, усевшись рядом со мной, уже весело улыбаясь, сказала:

— Ну, вот за это я буду с тобой отбывать наказание. — И тут же начала мне рассказывать о декабристах. Она так увлекательно и душевно рассказывала, что я слушала ее затаив дыхание. И когда вдруг раздался голос служителя: «Протопопова, вам пора уходить домой», — я с грустью рассталась с ней.

Убийство царя Александра II у нас в семье восприняли как большое горе. Мать, братья Борис и Александр, сестры Лиза, Наташа и тетя Анюта плакали, а я недоумевала, за что убили царя? В гимназии нам внушали, что царь — отец народа, помазанник божий, но разве отца убивают?.. С этим вопросом я обратилась к студенту Вармунду, учителю моего младшего брата Мити. Вармунд, сосланный к нам в Пермь из Москвы, ласково потрепал меня по щеке:

— Ты еще маленькая, Олечка, а когда подрастешь, поймешь сама.

На следующий день в гимназии была панихида по убитому царю. Я стояла в паре со своей подругой Сашей Барановой и безразлично слушала похоронную музыку. Я с нетерпением ждала окончания панихиды, чтобы побежать к своей Кате, которая уж наверное скажет мне правду, за что убили царя.

Я вбежала в восьмой класс и, не заметя классной дамы, крикнула:

— Где Катя?

Классная дама со зловещей улыбкой ответила:

— Ваша Катя арестована, и ее повесят вместе с Желябовым.

Уже взрослой я узнала, что Катя была в группе народников и умерла в тюрьме от туберкулеза. Милая Катя, она пыталась мне помочь найти путь к правде, но сама не успела этого сделать.

Шли годы. Потускнел образ голубоглазой Кати Пановец. Я была уже в восьмом классе. Маскарады, спектакли, балы, концерты, танцы на льду при феерическом освещении цветных фонарей, масленичные катанья на тройках — все это тянулось пестрой лентой на гимназическом фоне моей жизни. При всем внешнем благополучии меня иногда волновали какие-то неясные для меня ощущения, главным из которых было сознание того, что я живу не так, как нужно. Это чувство особенно усилилось, когда стали доходить смутные слухи о волнениях рабочих, о том, что они разбивают станки и предъявляют какие-то требования хозяевам. К этому времени брат мой Борис был назначен директором каменноугольных копей на Губахе, а брат Александр был директором спичечной фабрики.

Однажды мать вошла в мою комнату и предложила ехать на Губаху для выдачи жалованья рабочим.

— Борис заболел, а там нужен хозяйский глаз, — сказала она.

Такое обращение матери меня покоробило: «хозяйский глаз», и я уже хотела категорически отказаться от этой поездки, но желание увидеть своими глазами, как живут рабочие, побороло, и я согласилась, тем более что мать поручила мне проверить, закончено ли строительство квартир для рабочих. Последнее поручение даже вызвало какое-то особое доверие к матери, и я спросила, отчего рабочие ломают оборудование, при помощи которого работают.

— Видишь ли, Оля, это действительно случается. Но рабочие это делают, когда напиваются пьяными и начинают хулиганить.

Мне ничего иного не оставалось, как поверить матери, но по приезде на Губаху я увидела, как все было на самом деле. Комната, в которую выходило маленькое окошечко кассы, была полутемная, сырая, душная. Рабочие, тесно прижавшись друг к другу, стояли угрюмые, раздражительные. Когда я проходила мимо них, они не ответили на мое приветствие.

Началась выдача денег. Рабочие один за другим подходили к окошку, расписывались в ведомости, получали деньги и, ругаясь, отходили. К окошку протолкалась женщина с ребенком на руках. Ей уступили очередь. Кассир подал ей ведомость. Женщина расписалась, а когда получила деньги, начала кричать:

— Ироды проклятые, три рубля вычли. Куда я теперь с тремя ребятами? В петлю?.. В петлю?.. — Она истерически выкрикивала это слово, а мне оно резало слух. Я почувствовала, как лицо мое покрылось краской.

— Что вы кричите? Что вам сделали плохого? — спросила я, подойдя к окошку.

— Что сделали! Она еще спрашивает! Люди добрые, скажите хоть вы ей.

Совсем близко увидела я желтое, изможденное лицо и горящие ненавистью глаза.

— А чего говорить, будто сама не знает, — крикнул кто-то.

Потом сразу заговорили все:

— Штрафами замучили...

— Жить невозможно.

— Хозяйка с сыном своим всю кровь выпила...

Пошатываясь, отошла я от окна, села рядом с кассиром. Шум все нарастал. У меня дрожали коленки.

— Будь она проклята...

— Провалиться бы сквозь землю Протопопихе!

Кассир злобно ухмыльнулся:

— Вот вам, барышня, и любовь. И всегда так. При каждой получке они устраивают нам такой балаган. Ну, кто там в очереди, подходи.

К окошечку приблизился рабочий с отечным лицом, серым от въевшейся в кожу угольной пыли. Расписавшись в ведомости, он дрожащей рукой пересчитал деньги.

324

— Четыре рубля тридцать копеек. Пошто так мало?

— Лодырь! Работать не хочешь, а за деньгами идешь в первую очередь, — заорал кассир.

Сжимая кулаки, рабочие рвались к окошку. Казалось, что раскаленная лава сейчас сметет все. Я вскочила со своего места и, не помня себя, закричала на кассира.

— Что вы делаете! Не смейте! Я запрещаю. Мама этого не знает... Но она будет знать!.. — угрожающе добавила я.

Кассир криво усмехнулся и, как мне показалось, язвительно сказал:

— А вы, барышня, не повышайте своего голосочка... А маменьке доложите обязательно, чтобы она знала, что тут происходит.

Так состоялось мое первое знакомство с действительностью.

На следующий день я попросила, чтобы меня спустили в шахту. Пронизывающая сырость, непривычное ощущение пребывания под землей вызвали во мне чувство страха. А когда корзинка, в которой я сидела, опустилась на самое дно шахты, меня охватило смятение.

— А как отсюда выбраться в случае обвала? — спросила я приказчика.

— Как выбраться?.. Отсюда не выберешься, — безразлично отозвался он.

Я поняла: в шахте привыкли ко всякого рода несчастьям и горю, и никого уже не волнует забота о тех, кто отдает работе всю свою жизнь.

Цепляясь за выступы, я спускалась все дальше и глубже. Проход становился уже. Я стала озираться по сторонам. Где-то жалобно поскрипывала вагонетка. При тусклом свете фонарика я увидела забойщиков. Они лежали на спине, и голые тела их были в черных потеках от угольной пыли и пота. Ручными молотками они отбивали уголь. Глухие удары болью отзывались в моем сердце.

Я увидела перед собой невысокого паренька. На черном лице его блестели белки глаз. Руки с тяжкой монотонностью поднимали и опускали молоток, все тело его при этом изгибалось, помогая удару.

— Сколько вам лет? — как можно ласковей спросила я.

— Семнадцать, — коротко отозвался забойщик, даже не посмотрев в мою сторону.

17 лет! Столько, сколько и мне. Я мгновенно представила себе его жизнь. Как не похожа она была на ту, которую вела я и круг знакомых моей матери.

В комнате, приготовленной для меня, я прилегла отдохнуть и уснула. Проснулась я ночью от каких-то криков. Я встала с дивана. Трепещущее зарево освещало окно и стены комнаты. Горел каменный уголь. Я прислонилась лицом к холодному стеклу и смотрела на пожар, вслушиваясь в крики толпившихся перед конторой рабочих.

— Будете давить штрафами, еще не то дождетесь...

— Кровопийцы! Скоро и на вас управу найдем!

На рассвете пожар удалось потушить. А утром я наблюдала еще одну, обычную на шахте, картину. У заборной лавки стояла огромная очередь, и всюду слышались те же проклятия в адрес матери.

Я вспомнила про квартиры. В конторе мне ответили, что в них уже давно живут шахтеры. Я выразила желание их осмотреть.

— Не ходите, барышня, рабочие злы...

Но я все же пошла. Вместо «квартир» я увидела пещеры, вырытые в горе. Только со стороны входа пещеры были обшиты тесом. Рядом с узкой дверью было пробито маленькое оконце — одно на узкую и глубокую дыру, именуемую жилой комнатой. Я остановилась растерянная. В это время из крайней пещеры вышла женщина:

— Зайди, барышня, к нам. Посмотри, как люди живут, — это тебе полезно.

Я вошла. Топилась печурка. Низкая каморка была наполнена дымом. На земляном полу сидели трое ребят и играли в бабки. В углу на сундучишке в тряпках кто-то лежал и тихо стонал. Женщина робко сказала:

— Вчера на пожаре обгорел...

— Как обгорел? Я ничего о жертвах не слыхала...

— Да видишь, молодой и дурной. Его заставляли тушить пожар, а он не схотел, ну, приказчик, рассердимшись, толкнул, а он, видно, не рассчитал и прямо в пламя.

Я дрожала от негодования.

— Почему же вы его в больницу не отправляете? Ведь он тут у вас умрет! — спросила я, не зная чем помочь.

— Местов нету, — тихо, беспомощно отозвалась женщина.

Я взглянула на больного... Это оказался тот самый паренек, с которым я накануне виделась в шахте. Я быстро направилась к выходу...

— Помоги, барышня, в больницу его отправить, — говорила мне женщина, а ребятишки, притихнувшие во время нашего разговора, смотрели на меня выжидательно.

— А у тебя хлебушко есть? — спросил старший мальчик.

Через час я уезжала домой. Единственным моим утешением была мысль, что мать не знает всей правды о жизни рабочих. Наивная мысль, в чем я очень скоро убедилась.

Домой я приехала поздно ночью. Все уже спали. На столе заботливо был приготовлен ужин. Измученная пережитым, я с отвращением взглянула на стол и решила тут же лечь спать, но ко мне в комнату пришла мать. Она была в ночном чепце и капоте.

— А я и не знала, Оленька, что ты уже приехала, — ласково сказала она. В своем ночном наряде мать казалась доброй и милой.

Я рассказала все, что видела. Мать слушала меня, нахмурив брови.

— Надеюсь, ты не вмешивалась в дела администрации? — строго спросила она. — Ты наивная девочка. Рабочие всегда недовольны. Вместо того, чтобы быть мне благодарными за построенное им жилье, они устроили пожар. Но ничего, за все убытки они мне заплатят из своего кармана. Ложись-ка спать, — глаза матери жестко блестели, и она уже не казалась мне доброй и милой.

Посещение копей открыло мне глаза. Я больше не верила матери. Жить так, как жила до этого, я больше не могла. У меня выработалось решение после окончания гимназии идти учиться на фельдшерские курсы и жить своим трудом, отказавшись от всех благ, которые мне давало наше богатство.

Я сказала о своем решении матери.

— Глупости болтаешь, — ответила мать. — Кончишь гимназию, поедешь в Париж, там с Лизой будете жить и учиться.

Лиза, моя старшая сестра, писала в письмах о прелестях парижской жизни. Но я уже знала, какой ценой покупаются все эти удовольствия, и твердо держалась принятого решения. Окончив гимназию, я тут же послала свои документы в Петербург на курсы лекарских помощников. Но документы вскоре пришли обратно с извещением, что на эти курсы принимаются только девушки, имеющие золотую медаль.

— Ну вот видишь, — сказала мне мать. — А в Париже золотой медали от тебя не потребуют.

Я узнала, что аттестат зрелости за мужскую гимназию может заменить золотую медаль и стала усиленно заниматься. Я трудилась целый год. И в этот год познала сладость труда. Это была моя первая настоящая борьба за право жить так, как я считала нужным.

Через год я послала ходатайство в Учебный округ о разрешении мне экзаменоваться на аттестат зрелости. Я сдала экзамены отлично и, получив аттестат, собралась в дорогу.

Как сейчас помню яркий солнечный день 1891

года. Я чувствовала, что навсегда покидаю родительский кров. На душе было и грустно и радостно. Все прошлое позади. Предстояла битва за новую жизнь, в которой все будет зависеть только от меня самой».

В новой жизни друзья-революционеры помогли Ольге найти жениха. Следует отметить, что Пантелеймон сразу понравился Ольге (как и Ленин Крупской). Но как же могла благовоспитанная девушка признаться в своих чувствах профессиональному революционеру, занятому изготовлением и распространением листовок, призывающих к свержению существующего строя? Никак невозможно сказать о своих вполне естественных желаниях, ведь между друзьями по партии «не может быть ничего пошлого». Но «ничего пошлого» это только на словах. А на деле для революционно настроенных девиц, мечтающих найти партнера, в ту пору существовали роли «фиктивных невест». В качестве «невесты» девица отсылалась в тюрьму с передачей, а там уже как Бог пошлет... Получалось что-то вроде телевизионной игры в «любовь с первого взгляда».

Да и фиктивный брак — не новомодное изобретение — это революционеры-профессионалы тоже проходили.

К примеру, в XIX веке, когда незамужние женщины остро почувствовали свою ущемленность, они были зависимы от мужчин, попираемы семьями, не имели возможности учиться (российские университеты стали доступными для них только в 1906 году) и свободно путешествовать. Женщины просто вынуждены были самоутверждаться, в том числе и с помощью фиктивного брака. Мужчины терпели их горячечную эмансипированность и часто шли навстречу.

Как известно, великая мечтательница Вера Павловна смогла от души насладиться своими сюрреалистическими снами, лишь когда фиктивно вышла за Лопухина. Фиктивный брак помог легендарной Софье Ковалевской выехать за границу и получить европейское образование. Елена Петровна Ган заключила брачную сделку с вице-губернатором Блаватским, чтобы оградить свою репутацию от сплетен и стать подвижницей и философом.

А сколько подобных махинаций совершалось среди революционеров! Фиктивный брак стал для некоторых средством выживания, единственным шансом выкарабкаться на поверхность и вдохнуть еще немного воздуха. Это — реальность. Ольга Лепешинская не скрывала всего этого и подробно рассказала о своем замужестве в мемуарах: «Через общество политического красного креста мне предложили посещать арестованного Лепешинского в качестве фиктивной невесты. Свидание с заключенными могли получить только близкие родственники, а также жених или невеста. Этим правилом пользовались для связи с арестованными. Поэтому я сразу поняла, для чего Лепешинскому понадобилась «невеста», и с радостью согласилась играть эту роль.

Я знала, что в качестве фиктивных невест посещали: Владимира Ильича — Надежда Константиновна, Кржижановского — Невзорова, Ванеева — Труховская, Старкова — Тоня и т. д.

Я проконсультировалась как вести себя, собрала несколько невинных книжечек и кое-что из лакомств и отправилась к своему «нареченному». Мне сообщили, что Пантелеймон Николаевич сидит в одиночной камере, что условия в тюрьме тяжелые и с волей он не имеет никакой связи. Меня волновало, что я скажу ему? Поймет ли он, что я прикомандирована к нему «невестой»? И в то же время я была горда оказанным мне доверием и была готова его оправдать.

Придя в тюрьму, я попросила свидание. Пока ходили за Лепешинским, я ждала в тревоге: «А вдруг он не поймет моей роли, и все погибнет в самом начале?» Я не успела опомниться и собраться с мыслями, как передо мной уже стоял Пантелеймон Николаевич. Все то же обаятельное, но похудевшее лицо, спокойная ясность в глазах. Увидев меня, он приветливо, но как-то неуверенно улыбнулся. Я поняла, что он не узнает меня.

— Где мы с вами встречались? — голос его звучал мягко, глуховато. От этих слов холодный пот выступил у меня на лбу. Я кинула быстрый взгляд на жандарма — тот напряженно смотрел на меня.

—В последний раз мы веселились у Вареньки, — я особенно выделила слово «последний».

Пантелеймон Николаевич тотчас понял свою оплошность и заговорил как близкий и хорошо знакомый мне человек. Жандарм зевнул и отвернулся.

Летели месяцы. Лепешинский уже не чувствовал себя в «предварилке» одиноким, оторванным от жизни и от борьбы. Я по мере сил своих старалась обеспечить ему связь с волей. В часы свиданий мы научились разговаривать обо всем, не обращая внимания на сидевшего между нами жандарма.

Пантелеймон Николаевич всегда встречал меня радостно и приветливо.

— Во мне клокочет торжествующее чувство жизни, — несколько витиевато встретил он меня при очередном свидании. — Вы, Ольга Борисовна, мои глаза, мои уши и руки... Благодаря вам я забываю о тюрьме. А сегодня утром мне дали французскую булку... Между прочим у меня к вам просьба, — продолжал он многозначительно, — я приготовил для вас белье, прошу постирать его на воле.

— Очень хорошо, — в тон ему ответила я. — А у меня для вас вишневое варенье... Вы ведь очень любите вишневое варенье.

Прошли последние шесть месяцев заключения Лепешинского. Просидев в тюрьме полтора года, Пантелеймон Николаевич должен был отправиться в ссылку в Восточную Сибирь на три года. Перед ним открыли ворота тюрьмы и сказали: «Вы свободны на три дня для приведения в порядок своих дел, а потом явитесь в пересыльную тюрьму в Москве, оттуда отправитесь со своей партией этапом в путь-дорогу».

Я была ошеломлена, когда увидела Пантелеймона Николаевича с узелком в руке на пороге своей комнаты. От неожиданности я в первый момент не знала, что делать. То ли усадить его, так как вид у Лепешинского был очень усталый, то ли предложить ему умыться.

Пантелеймон Николаевич спокойно рассказал, что ожидает его в ссылке. Из его слов я поняла, что он смотрит на ссылку как на время подготовки себя для дальнейшей борьбы. В его планы входило изучить многое из того, что он еще не знал или знал плохо. Все для него было ясным и заранее определенным. Я видела — он хотел предложить мне разделить его судьбу, но не решался сказать об этом первым. Я сама сказала, что решила ехать за ним, как только закончу курсы.

Ликвидировав все свои дела, с дипломом фельдшерицы направилась я в дорогу, написав письмо матери, в котором сообщила, что еду к жениху в ссылку и очень хотела бы с ней повидаться. Деньги ей на дорогу я выслала из Челябинска.

Мне предоставили место фельдшерицы в переселенческом пункте. Я обязана была встречать каждый приходящий в Челябинск поезд, обойти все вагоны и отыскать среди переселенцев больных, чтобы оказать им медицинскую помощь. Из боязни карантина больных прятали под кадки, в мешки, женщины прикрывали их своими юбками. Уставала я очень, но работа мне нравилась. Большинство переселенцев были крестьяне. Вконец разоренные, придавленные нуждой, они ехали с одной думой — найти землю. Как не похожи были эти люди со своими чаяниями и надеждами на тех крестьян, о которых так много философствовали народники. Переселенцы давно потеряли всякие иллюзии, и если еще держались «миром», соблюдая какие-то подобия «общин», то потому, что сообща, гуртом, легче было добиться от путевого начальства быстрейшей отправки, а также решения других, связанных с дорогой, дел.

Кроме меня, на пункте работали еще две девушки фельдшерицы и врач-студент пятого курса. Кроме оказания медицинской помощи, мы занимались политической пропагандой. Нам помогали иногда железнодорожные чиновники. Среди них мне запомнился Михайлов Иван Петрович. Он часто подносил носилки для тяжелобольных и, мне кажется, догадывался о нашей нелегальной работе.

Как-то возвращаясь домой после дежурства, я заметила, что в моей комнате находится кто-то посторонний. Я насторожилась и, открыв дверь, увидела мать.

— Оленька, — растроганно сказала она, прижимая меня к груди. — Как ты изменилась, возмужала, похудела. — Мать вынула платок и заплакала. — Я так несчастна. Я глубоко раскаиваюсь, что прекратила тебе посылать деньги. Я виновата перед тобой. Ты получила туберкулез. Меня Бог покарал очень сурово.

Я была ошеломлена. Я стала уверять мать, что совершенно здорова и счастлива, как никогда в жизни, что меня оплакивать не надо, а надо радоваться за меня. Но мать словно и не слышала моих слов. Она стала убеждать меня не выходить замуж за арестанта, не ехать в ссылку.

— Я умоляю тебя, дочь моя, я готова встать перед тобой на колени. Не убивай меня окончательно, я этого не переживу...

Я прервала ее:

— Мама, я уезжаю к своему жениху. И прошу тебя, больше не говори мне об этом ни слова.

Мать поняла мою непреклонность. Она заглянула мне в глаза и тихо сказала:

— Видно, не сломить мне тебя. Не поминай меня лихом. На вот — возьми на память... Сама вышивала... Она протянула мне ковер. Я не успела ничего сказать. Мать моя поднялась и вышла из комнаты. Я выбежала за ней. Мать на крыльце мне сказала:

— Прощай, Оленька. Нам с тобой не по пути. Ты сама говорила, что мы люди разных взглядов. Будь счастлива...

Она быстро ушла. А я стояла во дворе и смотрела ей вслед. Я видела, как она переходила улицу и, не оборачиваясь, скрылась из моих глаз. Я тихо вошла в комнату. Мать была такая беспомощная, жалкая. И все-таки я чувствовала — внутренне она осталась прежней и, если бы представился случай, она, не задумываясь, вернула бы утраченные богатства. Да, мы были людьми разных взглядов, мы были идейными врагами.

В комнату кто-то постучал. Я даже вздрогнула. Вошел Михайлов. Увидев меня, он остановился посередине комнаты.

— Ольга Борисовна, что с вами? — спросил он.

— Я только что прощалась со своим прошлым...»

Что же было в будущем?

Будущее показало, что Ольга оказалась достойной дочерью своей матери. Внутренне она была такая же, как мать. Она унаследовала у своей матери главное — железную хватку и жестокость.

Ее муж, Пантелеймон Лепешинский, после октябрьского переворота работал в Наркомпросе. Умер в 1944 году. А его супруга Ольга Лепешинская, которая до октябрьского переворота успела получить диплом фельдшера, сумела при советской власти стать видным ученым-биологом.

Лепешинская была среди тех ученых, которые содействовали утверждению культа личности Сталина. Культ Сталина был поддержан и развит учеными. Его «избрали» Почетным членом Академии наук СССР. В 1949 г. к его 70-летию был издан толстый фолиант панегириков, где не только такие «академики», как Т. Лысенко, О.Лепешинская, А. Вышинский, М. Митин, но и физик А. Иоффе, биохимик А. Опарин, геолог К. Обручев и другие бессчетное число раз величали Сталина «гениальным ученым», «величайшим мыслителем», «корифеем науки» и т. п.

Лепешинская взялась за выигрышную тему — поиски «эликсира молодости» (советским партийным деятелям хотелось жить вечно). Лепешинская обещала Сталину, что древняя тайна «эликсира молодости» вот-вот будет разгадана. Быть может, будет найден и новейший рецепт. Она вселяла в диктатора надежду, что в конце концов сможет открыть путь к существенному продлению жизни на десятилетия и даже на века. Века? Да, ведь в это верил К.Циолковский, утверждавший, что жизнь человека не имеет определенного ограничения и может быть удлинена до тысячи лет. Ведь всем хочется жить долго. Но одно не учитывала Ольга Лепешинская — чтобы подольше задержаться на этом свете, предпочтительно жить без злобы и досады, без ненависти и зависти, радуясь везению или маломальскому успеху, даже чужому. Именно такая жизнь обещает отдаление старости.

Лепешинская разработала способ омоложения с помощью метода, который назвала «клеточной терапией», она верила в способность клетки к «самостоятельной регенерации». Для скорейшего выздоровления от ран она рекомендовала прикладывать к ранам кровь. Похоже, что ей вспомнился принцип, выдвинутый Парацельсом еще в XVI в. — «Лечи подобное подобным». Но дело происходило в веке двадцатом, поэтому Ольга Лепешинская со своими лженаучными теориями испортила жизни многим выдающимся ученым. Вред, который она нанесла науке, трудно оценить. Она имела прекрасные лаборатории и получала многочисленные премии «за достижения в области науки», в то время как истинные ученые работали на лесоповалах. Так в сфере науки воскресла истинная «Протопопиха» — властная, недалекая и жестокая — истинная дочь своей матери.

«НИЧЕГО, МАМА, ВСЕ УСТРОИТСЯ»

Разведчик Рихард Зорге вел в Токио активную светскую жизнь. Он, по свидетельству хорошо знавших его лиц, не прочь был выпить, любил женщин. Кэмпэйтай, японская контрразведка, бесстрастно зафиксировала в Японии — за 8 лет — встречи с тремя десятками представительниц прекрасного пола. Начальство его за это журило. Но, может быть, Зорге надевал личину донжуана, выпивохи и рубахи-парня, чтобы надежней прикрыться?

Известно высказывание Сталина о Зорге: «Нашелся один наш б...ун, который в Японии уже обзавелся заводиками и публичными домами и соизволил сообщить даже дату германского нападения 22 июня. Прикажете ему верить?»

Жена Зорге Катя жила в это время в Москве. Катя Зорге ничем не выдавала тревоги. Работала, училась. Когда на заводе ее спрашивали о муже, отвечала: «Работает на оборону». Ее мать, приезжавшая погостить, качала головой: «Несчастная ты, Катя». Дочь улыбалась: «Ничего, мама, все устроится».

«Не печалься, — писал муж, — когда-нибудь я вернусь, и мы нагоним все, что упустили. Это будет так хорошо, что трудно себе представить. Будь здорова, любимая!»

И только наедине с подругой — Верой Избицкой— Екатерина Александровна сокрушалась: «Уж и не знаю, замужем я или нет. Встречи считаешь на дни, а не видимся годы».

В Москву от Зорге шли не только донесения, но и нежные письма к жене.

Октябрь 1936 года
«Моя милая К.!
Пользуюсь возможностью черкнуть тебе несколько строк. Я живу хорошо, и дела мои, дорогая, в порядке.

Если бы не одиночество, то все было бы совсем хорошо.

Теперь там у вас начинается зима, а я знаю,

что ты зиму так не любишь, и у тебя, верно, плохое настроение. Но у вас зима по крайней мере внешне красива, а здесь она выражается в дожде и влажном холоде, против чего плохо защищают и квартиры, ведь здесь живут почти под открытым небом.

Когда я печатаю на своей машинке, то слышат почти все соседи. Если это происходит ночью, то собаки начинают лаять, а детишки — плакать. Поэтому я достал себе бесшумную машинку, чтобы не тревожить все увеличивающееся с каждым месяцем детское население по соседству.

Как видишь, обстановка довольно своеобразная. И вообще тут много своеобразия, я с удовольствием рассказал бы тебе. Над некоторыми вещами мы вместе бы посмеялись, ведь когда это переживаешь вдвоем, все выглядит совершенно иначе, а особенно при воспоминаниях.

Надеюсь, что у тебя будет скоро возможность порадоваться за меня и даже погордиться и убедиться, что «твой» является вполне полезным парнем. А если ты мне чаще и больше будешь писать, я смогу представить, что я к тому же еще и «милый» парень.

Итак, дорогая, пиши, твои письма меня радуют. Всего хорошего.

Люблю и шлю сердечный привет — твой Ика».

1938 года
«Дорогая Катя!
Когда я писал тебе последнее письмо в начале этого года, то был настолько уверен, что

мы вместе лето проведем. Между тем уже миновали короткая весна и жаркое, изнуряющее лето, которое очень тяжело переносится, особенно при постоянно напряженной работе. Да еще при такой неудаче, которая у меня была.

Со мной произошел несчастный случай, несколько месяцев после которого я лежал в больнице. Однако теперь уже все в порядке, и я снова работаю по-прежнему.

Правда, красивее я не стал. Прибавилось несколько шрамов, и значительно уменьшилось количество зубов. На смену придут вставные зубы. Все это результат падения с мотоцикла. Так что когда я вернусь домой, то большой красоты ты не увидишь. Я сейчас похожу на ободранного рыцаря-разбойника. Кроме пяти ран от времен войны, у меня куча поломанных костей и шрамов.

Бедная Катя, подумай обо всем этом получше. Хорошо, что я вновь могу над этим шутить, несколько месяцев тому назад я не мог и этого.

Ты ни разу не писала, получила ли мои подарки. Вообще, уже скоро год, как я от тебя ничего не слыхал.

Что ты делаешь? Где теперь работаешь?

Возможно, ты теперь уже крупный директор, который наймет меня к себе на фабрику в крайнем случае мальчиком-рассыльным? Ну ладно, уж там посмотрим.

Будь здорова, дорогая Катя, самые наилучшие сердечные пожелания.

Не забывай меня, мне ведь и без того достаточно грустно.

Целую крепко и жму руку — твой И.».

Вскоре после отъезда мужа Екатерина Александровна переехала из подвальчика на Ниже-Кисловском в просторную комнату на четвертом этаже большого дома. Она перевезла туда вещи Рихарда, его книги. Книг было много, только немецкие издания заняли целый шкаф. Зорге не знал, что никогда не увидит своей новой московской квартиры.

«Очень часто я стараюсь представить ее себе, — писал он из своего далека, — но у меня это плохо получается».

Он мечтал о доме и по-прежнему ободрял жену надеждой на скорую встречу. К маленькой посылке, переданной Екатерине Александровне однажды, была приложена записка от людей, которые привезли вещи, но не смогли с ней встретиться: «Товарищ Катя!... Автоматический карандаш сохраните для мужа».

Он не приехал, не приезжал больше.

«Нам довелось лично познакомиться с мужем старшей сестры, — вспоминает Мария Александровна Максимова, работающая в Госплане Карельской АССР, — но мне всегда казалось, что мы хорошо знаем его. Катя говорила, что он ученый, специалист по Востоку. Она считала мужа настоящим человеком, выдающимся революционером. Мы знали и о том, что он находится на трудной и опасной работе. Между прочим, однажды Рихард рассказал ей о неприятных минутах: проснувшись как-то в гостинице в чужом городе, он вдруг забыл, на каком языке должен говорить. Тут же, конечно, вспомнил, но осталась досада на себя, нервы сдают. Вообще-то, по словам сестры, он был очень спокойным, собранным, уравновешенным человеком. Перед отъездом Катя зашивала ему под подкладку большую пачку денег. «Вот какие большие деньги тебе доверяют», — заметила она. «Мне доверяют гораздо больше, чем деньги», — улыбнулся не без гордости Рихард. Катя никогда не сетовала на одиночество и ни на что не жаловалась...

Что еще сказать о Катюше? Жил человек и, казалось бы, не оставил о себе громкой памяти. Ее жизнь как будто не была так тесно, так значимо сплетена с эпохой, как жизнь Рихарда Зорге. Но и ее судьба, ее радости, печали несли на себе печать времени. Тяжело рассказывать грустную историю этих двух хороших людей. Тяжело говорить о женщине, что в самые мирные дни жила солдаткой. Она писала мужу и оставляла письма у себя, потому что Рихарду можно было передать о ней лишь самые короткие весточки.

«Милый Ика! Я так давно не получала от тебя никаких известий, что я не знаю, что и думать. Я потеряла надежду, что ты вообще существуешь.

Все это время для меня было очень тяжелым, трудным. Очень трудно и тяжело еще потому, что, повторяю, не знаю, что с тобой и как тебе. Я прихожу к мысли, что вряд ли мы встретимся еще с тобой в жизни. Я не верю больше в это, и я устала от одиночества. Если можешь, ответь мне.

Что тебе сказать о себе. Я здорова. Старею потихоньку. Много работаю и теряю надежду тебя когда-нибудь увидеть.

Обнимаю тебя крепко, твоя К.».

Рихард Зорге верно и до конца выполнил свой долг, но был ложно обвинен и имя его на многие годы были предано забвению. Сведения о нем были похоронены в пыльных архивных папках.

Послевоенное поколение узнало о горькой судьбе разведчика Зорге, посмотрев в 1964 году фильм французского режиссера Ива Чампе «Кто вы, доктор Зорге?» Это был документ о великом человеке.

Говорят, что этот фильм посмотрел Хрущев и, узнав, что приведенные факты правдивы, возмутился: «Долго еще будете скрывать героя и таить его подвиг от советского народа?»

В ноябре 1964 года Рихард Зорге был удостоен звания Героя Советского Союза.

В книге Чарльза Уайтона «Величайшие разведчики мира» есть такие слова: «Рихарда Зорге с полным на то основанием называют крупнейшим разведчиком периода 2-й мировой войны... Сведения, которые Зорге сообщал Советам в 1941 году, помогли им удержать столицу и, вероятно, сыграли первостепенную роль в победе Красной Армии на берегах Волги».

Рихард Зорге родился в 1895 году в азербайджанской деревне Сабунчи в семье немецкого мастера, а затем владельца нефтяного участка. Мать Рихарда была русской. У Рихарда было безмятежное детство мальчика из хорошей семьи. Затем Зорге уехали в Германию.

В начале 1-й мировой войны Зорге добровольцем ушел на фронт. Там он познакомился с людьми, придерживающимися социал-демократических взглядов, и связал с ними свою судьбу. На его склонности повлияло и родство с Фридрихом Зорге — сподвижником К.Маркса и Ф.Энгельса, руководителем 1-го Интернационала.

После демобилизации Зорге учился в университете на факультете социологии и политэкономии. Он создал социал-демократическую организацию среди студентов.

После этого им была создана КПГ, Зорге вступил в ее ряды, а в 1925 году уехал в Советский Союз. Здесь Рихард женился на Кате Максимовой. Она была выпускницей Ленинградского института сценического искусства, ее считали способной актрисой.

Но в 1929 году Катя заявила, что хочет пойти на завод в «рабочую гущу». Работала вначале аппаратчицей, доросла до мастера цеха.

Зорге стал работать в ведомстве Я. Берзина — начальника Разведывательного управления Генерального штаба. В 1930 году Зорге отправили с заданием в Китай. Он был отправлен туда как специальный корреспондент немецкого журнала и представитель некоторых американских газет. Именно во время этого первого задания с Зорге стал сотрудничать Макс Клаузен. Он собрал своими руками мощный коротковолновый передатчик и наладил связь с советской радиостанцией, находившейся во Владивостоке.

Зорге успешно справился со своим первым заданием. Его стали готовить для ответственной работы в Японии. Путь туда лежал через Берлин. Он прибыл в Германию, не меняя фамилии.

Первой крупной удачей было заключение договора с «Франкфуртер цайтунг». Это была авторитетная либеральная газета, пользующаяся успехом у интеллигенции, хорошо читаемая за границей. Даже при нацистах она сохраняла свой культурный облик, избегая вульгарности нацистской прессы. В газете сотрудничали многие видные корреспонденты, писатели.

В сентябре 1935 года Зорге прибыл в Японию. Марка немецкого журналиста обеспечивала Рихарду довольно прочное положение, но иностранец в Токио не мог себя чувствовать спокойно. Зорге сообщал:

«Трудность обстановки здесь состоит в том, что вообще не существует безопасности. Ни в какое время дня и ночи вы не гарантированы от полицейского вмешательства. В этом чрезвычайная трудность работы в данной стране, в этом причина того, что эта работа так напрягает и изнуряет».

Перед Рихардом Зорге стояла задача внедриться в немецкие круги. Это прежде всего германское посольство, в котором Зорге вскоре стал желанным гостем и своим человеком.

Наиболее важным для Зорге оказалось знакомство, а затем и дружба с Эйгеном Оттом — военным атташе. О доверии, которым пользовался Рихард, свидетельствовало следующее сообщение его группы в центр:

«Когда Отт получает интересный материал или собирается сам что-нибудь написать, он приглашает Зорге, знакомит его с материалами. Менее важные материалы он по просьбе Зорге передает ему на дом для ознакомления, более важные секретные материалы Зорге читает у него в кабинете».

В 1935 году Отт становится послом. Лучший друг и помощник теперь получил широкий доступ к секретной информации. Иногда Зорге оставался в посольстве на ночь, чтобы писать за Отта доклады берлинскому начальству.

В удивительно короткий срок Зорге создал в Японии разветвленную и хорошо замаскированную разведывательную организацию. Под его руководством работало две группы общей численностью 35 человек. В нее входили японский журналист и общественный деятель Уодзуми Одзаки, корреспондент французского еженедельника «Ви» Бранко Вукелич, немецкий коммерсант Макс Краузен, художник Мияги. Основную часть группы Зорге составляли японцы. Все — противники войны, старавшиеся помешать милитаристской клике толкнуть страну на губительный путь. Около 1260 источников секретной информации использовал Рихард Зорге, имевший конспиративный псевдоним «Рамзай». Особенно большие возможности имел Одзаки. По воспоминаниям людей, близко его знавших, Одзаки отличался тонким аналитическим умом, высокой культурой и образованностью. Все эти качества в июле 1935 года обеспечили ему пост неофициального советника при премьер-министре принце Коньэ. Коньэ стал важнейшим источником информации.

Бранко Вукелич был близок к французскому посольству, много времени проводил в англо-американских кругах Токио. В 1938 году ему тоже удалось получить «повышение». Он становится председателем французского телеграфного агентства «Гавас». В этой квартире на улице Мапайде была оборудована фотолаборатория, откуда велись передачи на Москву.

Известный к тому времени «официальный» художник Мияги широко использовал свои связи в кругах японского генералитета.

Клаузен по предложению Зорге возглавил фирму «Макс Клаузен и К°», с оборотным капиталом в сто тысяч иен. К услугам этой фирмы, выполнявшей фотокопии чертежей и документов, прибегали представители крупнейших в Японии концернов, государственные учреждения и армия. Все это не снимало с Клаузена главных обязанностей радиста.

К 1939 году положение Зорге в германском посольстве особенно упрочилось. Эйген Отт предложил ему пост пресс-атташе.

Это назначение лишало Зорге сотрудничества в газетах. Но на помощь ему пришел полковник Мейзингер, который добился через Министерство внутренних дел, чтобы Зорге, помимо работы в посольстве, разрешили продолжать журналистскую деятельность.

7 октября 1938 года Зорге сообщал своему руководителю:

«Дорогой товарищ! О нас вы не беспокойтесь. И хотя мы страшно все устали и нанервничались, тем не менее мы дисциплинированные, послушные и решительные, преданные парни, готовые выполнить задачи нашего великого дела».

Москва получала от Рамзая уникальную информацию. В феврале он сообщил о заключении между Германией и Японией «антикоминтерновского пакта». В сентябре 1940 года Зорге доложил Центру о заключении тройственного пакта о военном союзе между Японией, Германией и Италией. Консолидация антикоммунистических сил свидетельствовала о приближении войны к советским границам.

Подготовка к нападению на СССР велась с немецкой точностью. 1 августа 1940 года генерал Маркс представил генералу Гальдеру первый уточненный вариант плана войны против СССР. В основе его была идея столь любимой немецкими военными «молниеносной войны». К концу августа 1940 года был составлен основной вариант плана войны, получивший название «Барбаросса». План обсуждался на оперативном совещании с участием Гитлера.

В конце ноября — начале декабря 1940 года в генеральном штабе сухопутных сил была проведена большая оперативная работа.

И в том же ноябре 1940 года от Рамзая начинает поступать ценнейшая информация.

Справка Разведывательного управления Генерального штаба Красной Армии (РУ ГШКА) о радиограммах Рамзая (Рихарда Зорге) из Японии:

1. 18 ноября 1940 года первое сообщение о возможности нападения Германии на СССР.

2. 28 декабря 1940 года. Сообщение о создании на базе г.Лейпцига новой резервной армии вермахта из 40 дивизий.

3. 1 марта 1941 года сообщение о переброске 320 немецких дивизий из Франции к советским границам, где уже находится 80 дивизий.

4. 5 марта 1941 года. Прислана микропленка телеграммы Риббентропа послу Германии в Япо-

нии генералу Отту с уведомлением, что Германия начнет войну против СССР в середине июня 1941 года.

С усилением военной напряженности японская полиция усиливает слежку. Работа усложнилась, каждый шаг требовал значительных усилий. Радист был болен сердцем и работал лежа в постели. Но обстановка не позволяла сохранить интенсивность радиообмена с Центром.

1 июня 1941 года Рамзай докладывал: «... Из Берлина послу Отту поступила информация, что нападение на СССР начнется во второй половине июня... Информация получена от немецкого военного дипломата, направляющегося из Берлина в Бангкок...»

Это были сведения, которые могли изменить многое в ходе событий, если бы к ним своевременно прислушались. Но, как известно, Сталин доверял Гитлеру после подписания пакта о ненападении, начисто игнорировал все сигналы, предупреждавшие о готовившейся агрессии. Решение чрезвычайной важности принималось Сталиным практически единолично в узком кругу ближайших соратников, которые всячески ему старался угодить. Начальник Разведывательного управления Красной Армии генерал-лейтенант Голиков и Берия, имевший собственную разведку, ради поддержки и обоснования уверенности вождя в том, что нападение Германии последует не ранее середины 1942 года, искажали разведданные, противоречившие сталинской идее фикс.

На телеграмме Зорге 1 июня 1941 года, сохранившейся в архиве, имеется пометка начальника Разведывательного управления РККА генерал-лейтенанта Ф.И.Голикова следующего содержания: «В перечень сомнительных и дезинф. сообщений Рамзая».

Голиков доверял Сталину (что Зорге агент-двойник).

Берия грозил поставщиков таких «дез» «стереть в лагерной пыли как пособников международных провокаторов, желающих поссорить нас с Германией». Под этой резолюцией Берия на папке с донесениями агентов о готовящейся войне Германии против СССР ставил дату 27 ИЮНЯ 1941 ГОДА.

О том, что Сталин считал Зорге двойным агентом, свидетельствуют и воспоминания маршала Жукова.

Он докладывал Сталину незадолго до начала гитлеровской агрессии свои материалы, и тот заметил: «Один человек передает нам очень важные сведения о замыслах гитлеровского правительства, однако на этот счет у нас имеются некоторые сомнения. Мы им не доверяем, потому что, по нашим данным, это двойник». Маршал высказывает вполне оправданное предположение: «Вероятно, он имел в виду Рихарда Зорге, о котором я узнал только после войны. Его фактически обвинили в том, что он работает и на нас и на Гитлера...» Сталин полагал, что Зорге работает и на третью — английскую или американскую — разведку.

Информация Рамзая не использовалась. Были вдвое сокращены и без того скромные ассигнования на работу токийской резидентуры. Она отвлекалась на выполнение второстепенных заданий, бесконечные уточнения. В конце концов руководство разведуправления приняло решение отозвать Зорге из Японии. Его информацию генерал Голиков перестал докладывать Сталину.

Зорге считал, что произошла чудовищная ошибка.

Вот что вспоминает Макс Кристиансен-Клаузен: «Ведь мы еще за несколько месяцев до этого (нападения гитлеровской Германии на СССР) сообщали, что у границы Советского Союза сосредоточено по меньшей мере 150 германских дивизий и что война начнется в середине июня. Я пришел к Рихарду. Мы получили странную радиограмму — ее дословного содержания я уже не помню, — в которой говорилось, что возможность представляется Центру невероятной. Рихард был вне себя. Он вскочил, как всегда, когда сильно волновался, и воскликнул: «Это уж слишком!» Он прекрасно сознавал, какие огромные потери понесет Советский Союз, если своевременно не подготовится к отражению удара».

Рамзай шлет последнее предупреждение:

«13 июня. Повторяю, девять армий в составе 150 дивизий начнут наступление на широком фронте на рассвете 22 июня 1941 года».

22 июня 1941 года фашистская Германия без объявления войны, без предъявления Советскому Союзу каких-либо претензий внезапно обрушила на СССР удар огромной силы. Н.С.Хрущев писал в своих воспоминаниях: «Война началась, но каких-нибудь заявлений правительства или лично Сталина не было...

Сейчас я знаю, почему Сталин не выступил. Он, видимо, был совершенно парализован в своих действиях, не смог собраться с мыслями. Потом, после войны, я узнал, что в первые числа войны Сталин был в Кремле.

Берия рассказал следующее. Когда началась война, у Сталина собрались все члены Политбюро. Я не знаю, все ли или определенная часть, которая чаще всего собиралась у Сталина. Сталин был совершенно подавлен морально. Он сделал примерно такое заявление: «Началась война, она развивается катастрофически. Ленин нам оставил пролетарское советское государство, а мы его просрали». Он буквально так и выразился, по словам Берия. «Я, — говорит, — отказываюсь от руководства». И ушел. Ушел, сел в машину и уехал на ближайшую дачу.

«Мы, — говорит Берия, — остались. Что же дальше? После того, как Сталин так себя повел, прошло какое-то время. Мы посовещались с Молотовым, Кагановичем, Ворошиловым. Посовещались и решили поехать к Сталину и вернуть его к деятельности с тем, чтобы использовать его имя и его способности в организации обороны страны.

Когда мы стали его убеждать, что страна наша огромная, что мы еще имеем возможность организоваться, мобилизовать промышленность, людей, одним словом, сделать все, чтобы поднять и поставить на ноги народ в борьбе против Гитлера, только тогда Сталин вроде опять немножко пришел в себя. Распределили, кто за что возмется по организации обороны, промышленности и прочее».

Теперь Сталин вынужден был признать правоту Рамзая. И телеграммы, которые он продолжал посылать после 22 июня, немедленно шли в ход.

У Зорге была задача определить позиции Японии на Дальнем Востоке.

Под председательством императора Хирохито 2 июля состоялось секретное заседание тронного совета. Докладывали главнокомандующие армии и флота. Двумя днями позже Зорге узнал о принятых решениях: нападение на Индокитай, сохранение пакта о нейтралитете с СССР, но приведение в готовность достаточного количества войск, чтобы при удобном случае все-таки осуществить нападение. В августе после беседы с германским военно-морским атташе Венеккером Зорге выяснил, что военно-морские силы Японии имеют двухгодичный запас горючего, а войска и промышленность — только на шесть месяцев. О больших сухопутных операциях в данный момент нечего и думать...

Значительная часть этой информации могла бы быть доступной и другому влиятельному корреспонденту. Нужно было не только знать факты, но и уметь их проанализировать, сделать выводы.

В сентябре 1941 года в Токио праздновалась годовщина антикоминтерновского пакта. Накануне вечером японское правительство устроило праздничный прием. Пресс-атташе германского посольства доктор Зорге присутствовал на этом приеме. На следующий день после обеда он был в числе трех тысяч гостей, собравшихся в самом большом зале Токио «Сибия». Во «Франкфуртер цайтунг» появилась очередная информация о торжествах, а в Москву было направлено тщательно проверенное донесение:

«Японское правительство решило не выступать против СССР».

Конец сентября 1941 года:

«Советский Дальний Восток можно считать гарантированным от нападения Японии».

Сообщение Рамзая о том , что Япония не вступит в войну против СССР, сыграло немалую роль в принятии Сталиным решения перебросить свежие, хорошо обученные дивизии с Дальнего Востока и Сибири под Москву.

Эти сообщения шли уже тогда, когда кольцо вокруг разведчика сужалось. Если бы Зорге затаился, ему, может быть, удалось бы уцелеть. Но он жертвовал собой до конца, выполняя долг.

Его арестовали 18 октября 1941 года. Взяли всю группу.

Арест Зорге и его помощников расценивался японской разведкой как самая большая удача. Тридцать два сотрудника тайной полиции получили высшие ордена.

Германское посольство было повержено в шоковое состояние. Особенно сложно было выйти из этого положения Эйнгену Отту.

Следствие затянули. На суде Зорге пытался взять всю вину на себя и доказать, что ни он, ни его друзья не нарушали ни один из законов Японии и не вели против нее подрывной деятельности.

«Я не применял никаких действий, которые могли бы быть наказуемы. Я никогда не прибегал к угрозам или насилию.

Я и моя группа прибыли в Японию вовсе не как враги Японии. К нам никак не относится тот смысл, который вкладывается в обычное понятие «шпион». Лица, ставшие шпионами таких стран, как Англия или Соединенные Штаты, выискивают слабые места Японии с точки зрения политики, экономики или военного дела и направляют против них удары. Мы же, собирая информацию в Японии, исходили отнюдь не из таких замыслов... Центр инструктировал нас в том смысле, что мы своей деятельностью должны отвести возможность войны между Японией и СССР. И я, находясь в Японии и посвятив себя разведывательной деятельности, с начала и до конца твердо придерживался этого указания.

Конечно, я вовсе не думаю, что мирные отношения между Японией и СССР были сохранены на долгие годы только благодаря деятельности нашей группы, но остается фактом, что она способствовала этому».

Судьи руководствовались политическими соображениями, и исход процесса был предрешен. Токийский суд приговорил Рихарда Зорге к смертной казни. Но смертный приговор привели в исполнение только через 2 года. Чего-то ждали? Возможно, предполагали обменять Рамзая на японских агентов. Но советское посольство в Токио молчало, не было попыток изменить судьбу Зорге, используя неофициальные каналы.

Берия, ненавидевший талантливого разведчика, подверг допросу его жену, а затем ее отправили в район Красноярска. Там она в 1943 году погибла якобы от несчастного случая.

7 ноября 1944 года Рихард Зорге был казнен в Токийской тюрьме. Его похоронили в общей тюремной могиле. Но японским друзьям после долгих лет хлопот разрешили предать его тело огню. В Токио на кладбище Таме над могилой Зорге возвышается гранитный камень. На нем высечены слова: «Здесь покоится тот, кто всю свою жизнь отдал борьбе за мир».

МАТЬ И ТЕЩА АНАСТАСА МИКОЯНА УМЕРЛИ НА ОДНОЙ НЕДЕЛЕ

Родство в семье имеет определенную генетическую меру, определяющую долю общих генов у любых двух членов семьи, связанных общностью (даже отдаленной) происхождения. Наиболее распространенные типы родства могут быть выражены долей генов, унаследованных от общего предка. Это имеет значение в вопросах регулирования браков, в случае наследственных заболеваний и при медико-генетическом консультировании относительно риска заболевания, отмеченного в семье.

Анастас Микоян был женат на своей троюродной сестре Ашхен. Это противоречило армянским народным обычаям, но и Анастас и его возлюбленная стали членами партии большевиков, поэтому народные обычаи для них не имели силы закона, которому нужно подчиняться. И все же сомнения были... Не зря Анастас Микоян в своих мемуарах посвящает целые страницы проблемам своей женитьбы: « Уже в 1913 году, за четыре года до Февральской революции, я понял, что мои чувства к ней (к Ашхен — В.К.) больше, чем к сестре. Но по старинному армянскому обычаю троюродный брат не может жениться на троюродной сестре. Народный обычай требовал «семи колен», а здесь не хватало одного колена. Конечно, я давно уже был атеистом, но народные привычки имели свою силу. Я понимал, что родители и родственники будут против нашего брака и осудят меня за него.

Я все больше и больше любил Ашхен, и мне становилось труднее скрывать свои чувства. Через два-три года мне захотелось объясниться ей в любви, но я как-то испугался и не сделал этого, хотя несколько раз пытался. Я видел ее хорошее отношение ко мне, как сестры к брату. «А вдруг она откажет мне?» Мужская гордость не позволяла рисковать своей честью. Четыре года я не осмеливался признаться ей в своем чувстве: вел себя строго и отчужденно. Однако в 1917 году, летом, я не выдержал и объяснился Ашхен в любви. Она сказала, что и сама давно любит меня, только всегда поражалась моему черствому, сухому отношению к ней. Она объясняла это тем, что, очевидно, не нравилась мне.

Предвидя все трудности, я сказал Ашхен, что нам надо немного подождать с женитьбой: ведь в предстоящей революционной борьбе я могу погибнуть, а она может остаться вдовой, да еще, возможно, с ребенком. «Вот когда все успокоится, революция победит, тогда мы с тобой и поженимся», — говорил я. Ашхен со мной согласилась. Она все уже хорошо понимала: за три месяца до этого Ашхен вступила в партию большевиков. Мы условились, что о нашем решении никто не должен знать. Она училась тогда в последнем классе Тифлисской армянской женской средней школы. Через год окончила учебу и уехала преподавать в деревню, в район Сухума. Мне было отрадно узнать, что все это время она, в нелегальных условиях, вела партийную работу. В частности, с важным заданием крайкома партии ездила в буржуазную Армению, в Ереванский комитет партии большевиков, передала указание крайкома и получила для него информацию о положении дел в Армении.

В детстве, до поступления в семинарию, я несколько раз бывал на деревенских свадьбах. Обычно они устраивались у нас осенью. Собирались в какой-нибудь одной комнате. Если было тепло, выходили на улицу. Было очень весело. Играла зурна, били барабаны... Нам, мальчишкам, было раздольно и интересно.

Как правило, девушки собирались в одной стороне, парни — в другой. И поглядывали друг на друга. У каждого парня была своя любимая, и он хотел привлечь ее внимание. Между парнями происходило как бы дружеское соревнование. Но если одна девушка нравилась сразу нескольким парням, то иногда это кончалось плохо. Парни обычно ходили с кинжалами. Однажды между двумя парнями, которые увлекались одной и той же девушкой, разгорелся горячий спор, перешедший в ссору и драку, во время которой один из парней ударил другого кинжалом. Тот упал. К счастью, парень оказался крепким и все-таки выжил. Но бывали и другие исходы.

Интересно было смотреть на начало свадьбы, когда невесту привозили из другой деревни. Обычно мы смотрели на это шествие с плоских крыш домов. Зрелище было занятное.

Все родственники невесты на конях ехали «представлять» невесту жителям деревни жениха. Шествие сопровождалось выстрелами из ружей, игрой на зурне и барабанным боем. В деревне кони шли шагом. Впереди — молодежь, затевавшая на ходу борьбу, танцы. Свадьбу устраивали с приглашением многочисленных родственников и жителей всего села. Тот, кто приходил на свадьбу, обычно приносил один-два рубля или равноценный подарок. Это не было, конечно, обязательным, но считалось неприличным приходить на свадьбу без такого дара. Как-никак свадьба требовала больших затрат, и этот подарок был своеобразной компенсацией семьям жениха и невесты за понесенные расходы».

Материальной основой наследственности у человека, как и у других организмов, являются гены, расположенные в хромосомах и передающиеся в поколениях с помощью половых клеток. Каждый из генов представлен в организме дважды — один получен от отца, другой — от матери. В зависимости от различия или тождества унаследованных генов человек соответственно гетерозиготен (т.е. отцовский и материнский гены в данной паре не одинаковы) или гомозиготен (отцовский и материнский гены в данной паре одинаковы). Вероятность гомозиготности по совокупности генов из-за большого их числа крайне мала. Доля генов в гомозиготном состоянии у человека возрастает, если его родители имеют общих предков, от которых унаследовали идентичные гены. Такие случаи, регулируясь в человеческом обществе брачными традициями и законами, встречаются сравнительно редко, и, как правило, индивидуальный набор генов — генотип — формируется сочетанием родительских генов, происходящих из разных частей генофонда — общей совокупности генов популяции. Индивидуальное разнообразие набора генов огромно и образует биологический фундамент уникальности и неповторимости человеческой личности.

Анастас Микоян и его жена Ашхен имели общих предков. Эти предки были трудолюбивые, богобоязненные, искренние люди. Эти качества передались по наследству. При всем своем политическом долголетии и умении маневрировать Анастас Микоян оставался добрым человеком: он помогал детям репрессированных, защищал всех обиженных и обездоленных. За это люди любили и уважали его. Все эти положительные качества был воспитаны в семье. Ведь родители Анастаса Микояна были очень достойные люди. Анастас не забыл об этом, даже вознесясь на вершины партийной власти: «Я родился, когда моего деда Нерсеса уже не было в живых. Но я хорошо помню свою бабушку Вартитер, что в переводе на русский язык значит «лепесток розы». В несоответствии с этим она была крупной женщиной, высокого роста, со строгим лицом, ходила всегда в длинном, до пола, черном платье, опираясь на палку.

Помню, я был как-то с матерью дома. Стуча палкой, бабушка поднялась к нам на веранду, вошла в комнату и что-то спросила у моей матери.

По старинным обычаям замужняя женщина не имела права разговаривать ни с мужчиной, ни с женщиной старше себя по возрасту. Поэтому мать потихоньку прошептала мне на ухо нужный ответ, а я уже громко повторил его бабушке. (Теперь все это показалось бы странным, даже смешным. Но обычай есть обычай!)

Мне всегда казалось, что моя мать побаивалась бабушки, а может быть, воспитанная в духе старых национальных обычаев и традиций, она ее как-то стеснялась. Судя по всему, бабушка была женщиной хорошей, хотя и очень строгой. Она прожила большую трудовую жизнь, родив и воспитав восьмерых детей, а это было не так-то легко при крепостном праве. Вероятно, именно потому, что она была (или казалась) суровой, мы, внуки, не были к ней так сильно привязаны.

В раннем детстве мы всей нашей семьей ходили по воскресеньям в церковь. Хорошо помню это древнее сооружение X—XIII веков, построенное из больших темных и хорошо обтесанных камней. Из этих камней были сделаны и стены, и крыши, и полы церкви. Помню, что, когда надо было становиться на колени — а я повторял за отцом все, что он делал, — коленям было очень холодно.

В ту пору я, естественно, не задумывался над смыслом богослужения: сомнений в том, что Бог есть, у меня не появлялось. Так продолжалось до второго класса семинарии, когда я столкнулся со священником — нашим учителем закона Божьего.

Это был суровый, никогда не улыбавшийся человек. Ласково он к нам не обращался, не допускал шуток, поэтому особого расположения к себе не вызывал. Он был явно не умен, твердя одно: Бог есть, все, что делается на свете, все от Бога, делается по божьему велению, Бог справедлив во всем. Никаких аргументов при этом не приводилось: мы должны были верить на слово.

Постепенно я стал размышлять над всем этим, и у меня (да и не только у меня) стали возникать сомнения: «Если Бог так всемогущ и так справедлив, то почему он не поможет людям, когда они болеют или голодают?..» «Почему одни люди имеют все (хотя они и не лучшие, а порой даже худшие), а другие (и добрые и хорошие) нищенствуют?..»

Количество таких «почему» с годами у меня возрастало.

Все объяснения священника, что бог наказывает одних за грехи, а другим делает благо за их хорошие дела, и другие подобные «доказательства» ни в чем меня не убеждали. Я стал часто спорить на уроках. Это раздражало священника. Он видел, что мои одноклассники начинают одобрительно относиться к тому, что я говорю. В споры втягивались и мои товарищи по классу.

Так продолжалось целый год.

Я стал таким яростным спорщиком в классе по вопросу о Боге, что мои товарищи стали звать меня уже не Анастас, а Анаствац, что по-армянски значит «безбожник». Эта кличка так и осталась потом за мной до окончания семинарии.

Надо сказать, что в ходе всех этих споров, дискуссий и особенно размышлений наедине я как-то окончательно разуверился в существовании Бога. Так же как и другие, я, правда, продолжал исправно учить то, что называлось у нас «законом Божьим». Формально по этому предмету я не был отстающим учеником, и учителю было очень трудно придираться ко мне. Но все же в конце года он поставил мне единицу и назначил переэкзаменовку.

Предмет я знал и поэтому на переэкзаменовке ответил на все вопросы. Правда, вопрос о том, есть Бог или нет, не возникал. Мне поставили тройку и перевели в следующий класс. Эта тройка так и осталась за мной до конца: ее повторили и в выпускном аттестате.

Несколько позднее, когда мне было около 15 лет и я считал себя уже убежденным атеистом, у меня произошел конфликт с матерью, о котором впоследствии я очень сожалел.

Мать была верующей женщиной и строго соблюдала все посты. Работая целый день, она, как говорится, держалась на одном хлебе и картошке или ела кашу на растительном масле. Ни сыру, ни мацони (простокваша), ничего мясного она не брала в рот. Зато нас, детей, она вдоволь кормила всеми молочными продуктами.

Я видел, как трудно ей приходится, как она слабеет. Стал уговаривать ее есть, как и мы. Она отказалась. Один раз я сказал, что она губит себя, подрывает здоровье.

—Никакого Бога нет, — говорил я ей, — а если бы он и был, то какое ему дело до того, что ты ешь!

Но все мои уговоры покушать хоть что-нибудь молочное на нее не действовали.

—Боже упаси, — говорила она, — я этого никогда не сделаю!

Я был возбужден, даже накричал на нее, чего никогда до этого себе не позволял, потому что нежно любил мать.

Она умоляла меня не приставать к ней с едой, все равно она не нарушит пост. Тогда я не выдержал и с досады разбил первую попавшуюся мне под руку тарелку об пол. А тарелок у нас было не так уж много. Потом я выскочил из дома и куда-то убежал.

Немного погодя, одумавшись, я стал рассуждать: «Какой же я глупец! Ведь мать верит во все эти обряды. Вероятно, ее упорство их не нарушать есть проявление ее веры.

Когда я вернулся домой, мать встретила меня очень ласково, как будто ничего между нами и не произошло.

Больше в разговорах с матерью я вопроса о постах и о Боге не затрагивал...

Как-то летом мы сидели всей семьей на веранде и ужинали. Весь наш ужин состоял из картофельного пюре. Я не был голоден и положил себе в тарелку немного этого пюре. Но мать хотела, чтобы я съел больше, и, как я ни сопротивлялся, положила мне в тарелку еще несколько ложек.

В результате я не смог доесть всей порции и часть картошки осталась в тарелке.

Отец сидел рядом и, видя это, заметил, что «надо съедать все, что кладешь себе в тарелку».

— Зачем ты взял больше, чем можешь съесть? Нельзя так обращаться с Божьим добром!

Я возразил, сказав, что больше съесть не могу и что вообще так много картошки я себе не клал, а это сделала мама, вопреки моему желанию.

Не знаю, что случилось с отцом, но в ответ на мои слова он размахнулся и ударил меня по щеке. Было не больно, но обида была велика. Я выскочил из-за стола и, несмотря на темноту, убежал в поле, где росла высокая пшеница.

Мне кричали вслед: «Вернись, остановись!» Но я забежал уже далеко и лег так, что меня не было видно. Однако вскоре я услышал голоса матери, брата, сестры и отца. Все они бросились меня искать. «Арташес, где ты?» — слышал я голоса (дома меня звали Арташес).

Я не откликался.

Уже вечерело. Провести ночь в поле, за селом, мне было страшно: я отчаянно боялся волков (а они водились тогда в наших местах), но и возвращаться домой, по своей, так сказать, воле мне тоже не хотелось: я был обижен отцом, обижен его несправедливостью, и гордость не позволяла мне идти «на попятную».

Наконец, к тайной моей радости, родные обнаружили меня.

Сначала я для видимости сопротивлялся и не хотел идти с ними. Но они были рады, что нашли меня, я был тоже этому рад. Родные взяли меня за руки и привели домой.

После этого случая отец никогда не подни-

366

мал на меня руку. Наверное, ему к тому же попало от матери: хотя при мне она ничего ему не сказала, но я догадался, что между ними был крупный разговор из-за меня. Вообще же наши отношения с отцом были всегда самые теплые.

Не помню, чтобы мать или отец ссорились между собой. Они обычно не повышали голоса, даже когда делали нам, детям, какие-либо замечания.

Помню такой случай. Мне было лет семь-восемь. Как-то мать убиралась дома, сметая веником пыль с нашего глинобитного пола. Только что к нам заходил сосед и попросил взаймы три рубля. Отец дал ему эти деньги, сказав, чтобы он поскорее их вернул. После ухода соседа мать ворчала на отца:

— Вот ты раздаешь последние деньги, не знаешь, вернут их тебе или нет! Сами сидим без денег. Ты нас так по миру пустишь!

Она повторила это несколько раз. Я ждал вспышки со стороны отца. Но он походил немного по комнате, потом подошел к матери и, сделав жест, будто хочет ущипнуть ее за щеку, сказал:

— Помолчи, Отарова дочь! (Отар — имя отца моей матери.) Не твоего ума это дело!

В то время мало у кого из крестьян водились деньги, а если и были, то всегда в обрез. Хозяйство было натуральное: каждый обеспечивал семью продуктами со своего огорода. Тогда сами ткали, сами шили себе одежду, обувь, шапки. Деньги были нужны лишь на уплату налогов, на покупку чая, сахара, тканей, керосина и спичек. Поэтому у нас в деревне было только несколько дворов, где пили чай с сахаром, да и то вприкуску».

В 1934 году в СССР был образован Наркомат пищевой промышленности. Во главе Наркомата был поставлен Микоян. Пищевая промышленность в СССР была очень слабой, почти не существовало системы общественного питания.

По инициативе Микояна сравнительно быстро стали развиваться в годы второй пятилетки многие отрасли пищевой промышленности. Среди них: хлебопечение, производство консервов, производство сахара, конфет, шоколада, печенья, колбас и сосисок, табака, жиров.

Микоян содействовал быстрому роста производства искусственного холода и разных видов мороженого в стране.

Сталин однажды заметил: «Ты, Анастас Иванович, такой человек, которому не так коммунизм важен, как решение проблемы изготовления хорошего мороженого».

По инициативе Микояна в стране значительно увеличилось производство котлет, их лучшие сорта называли «микояновскими».

В подчинении Микояна находилась вся ликеро-водочная промышленность.

На Первом Всесоюзном совещании стахановцев Микоян говорил: «В 1935 году водки продано меньше, чем в 1934-м, а в 1934-м меньше, чем 1933-м, несмотря на серьезное улучшение качества водки. Это единственная отрасль производства Наркомпищепрома, которая идет не вперед, а назад, к огорчению работников нашей водочной промышленности.

Но ничего, если огорчаются наши спиртовики... Тов. Сталин давно нас предупреждал, что с культурным ростом страны уровень потребления водки будет падать, а будет расти значение кино и радио».

В 30-х годах по инициативе Микояна была издана и первая советская поваренная книга — «Книга о вкусной и здоровой пище». К каждому из разделов книги было подобрано в качестве эпиграфа высказывание Микояна или Молотова. Перед разделом «Рыба» можно было прочесть:

«Раньше торговля живой рыбой у нас вовсе отсутствовала. Но в 1933 г. однажды товарищ Сталин задал мне вопрос: «А продают ли у нас где-нибудь живую рыбу?» — «Не знаю, — говорю, — наверное, не продают». Товарищ Сталин продолжает допытываться: «А почему не продают? Раньше бывало». После этого мы на это дело нажали и теперь имеем прекрасные магазины, главным образом, в Москве и Ленинграде, где продают до 19 сортов живой рыбы...»

Перед разделом «Мясо, птица, дичь»:

«Товарищ Сталин еще в 1918 году в тогдашнем Царицыно, когда был занят ликвидацией южного фронта контрреволюции... с гениальной прозорливостью вплотную подошел к проблеме создания пищевой индустрии. Товарищ Сталин писал тогда Ленину об отправке мяса в Москву: «Скота здесь больше, чем нужно... Было бы хорошо организовать по крайней мере одну консервную фабрику, поставить бойню и прочее...» Тогда, в 1918 году, товарищ Сталин говорил про «по крайней мере одну консервную фабрику». Теперь мы можем сказать, что нами строится и уже построено шесть мощных консервных фабрик там, где товарищ Сталин в 1918 году требовал построить хотя бы одну...»

Перед разделом «Холодные блюда и закуски»:

«... Некоторые могут подумать, что товарищ Сталин, загруженный большими вопросами международной и внутренней политики, не в состоянии уделять внимание таким делам, как производство сосисок. Это неверно... Случается, что нарком пищевой промышленности кое о чем забывает, а товарищ Сталин ему напоминает. Я как-то сказал товарищу Сталину, что хочу раздуть производство сосисок; товарищ Сталин одобрил это решение, заметив при этом, что в Америке фабриканты сосисок разбогатели от этого дела, в частности, от продажи горячих сосисок на стадионах и в других местах скопления публики. Миллионерами, «сосисочными королями» стали.

Конечно, товарищи, нам королей не надо, но сосиски делать надо вовсю».

Перед разделом «Горячие и холодные напитки» Микоян привел отрывок из собственной речи:

«... Но почему же до сих пор шла слава о русском пьянстве? Потому, что при царе народ нищенствовал, и тогда пили не от веселья, а от горя, от нищеты. Пили, именно чтобы напиться и забыть свою проклятую жизнь... Теперь веселее стало жить. От хорошей и сытой жизни пьяным не напьешься. Весело стало жить, и выпить можно, но выпить так, чтобы рассудок не терять и не во вред здоровью».

Анастас Микоян был специалистом по внешней торговле, сообразительным, расчетливым, с глубокой проницательностью в отношении людей и дел, на переговорах твердый, но приятный. Он никогда не был первым номером, но всегда входил во внутренний круг, был близким к первому номеру, будь то Сталин, Хрущев или Брежнев. Ему поручали самые сложные миссии.

Есть такой анекдот: глубокой ночью Сталин подходит к телефону и набирает номер Молотова:

— Ну, как твои дела, Вячеслав? Все заикаешься? А английский не учишь?

— Да, я, — дрожащим голосом начинает оправдываться Молотов, — если нужно для партии, и английский выучу, и заикаться...

— Ну, ну, хорошо, — успокаивает его Сталин. — Спокойной ночи.

Набирает номер Лаврентия Берия:

— Как ты там, Лаврентий? — интересуется Сталин. — Говорят, все по бабам бегаешь?

— Да я не так, чтобы очень... — начинает объяснять Берия.

— Ничего, ничего, — говорит Сталин, — я тебе просто хотел пожелать спокойной ночи.

Набирает номер Анастаса Микояна:

— Анастас, дорогой, напомни мне, сколько было бакинских комиссаров? Двадцать семь? А расстреляли сколько? Двадцать шесть? Спасибо, спи спокойно...

Пообщавшись по телефону, Сталин говорит удовлетворенно:

— Друзей успокоил, теперь можно и самому поспать.

Нерасстрелянным бакинским комиссаром был Анастас Микоян, человек, который пятьдесят четыре года подряд был членом ЦК партии и сорок лет работал в составе Политбюро ЦК.

В 1957 году, выступая на заводе «Красный пролетарий», Микоян сам рассказывал, что Сталин вызвал его к себе и сказал с угрозой: «История о том, как были расстреляны 26 бакинских комиссаров и только один из них — Микоян — остался в живых, темна и запутана. И ты, Анастас, не заставляй нас распутывать эту историю».

Сам Анастас Микоян ситуацию с расстрелом бакинских комиссаров объяснял так:

«Чем руководствовались закаспийское правительство и представители английского командования, составляя список 26 из 35 арестованных товарищей, видно из письменного показания, данного в июне 1925 года Суреном Шаумяном, допрошенным в качестве свидетеля по делу Фунтикова:

«...В середине августа 1918 года мы были арестованы в Баку правительством англо-эсеро-меньшевиков. В числе арестованных были кроме 25 погибших впоследствии товарищей еще: Мудрый, Месхи, я — Сурен Шаумян, Самсон Канделаки, Клевцов — итого 30 человек.

Тюремным старостой был Павел Зевни (из 26), у которого находился список всех арестованных, по которому он раздавал провизию, принесенную нам товарищами с воли.

За несколько дней до занятия турками Баку и нашего «освобождения» из тюрьмы заболел дизентерией тов. Канделаки, и его поместили в

372

тюремную больницу. Поэтому из списка довольствующихся он был вычеркнут.

Я был освобожден за два дня до эвакуации из Баку на поруки. Моя фамилия также была вычеркнута из списка.

Месхи, Мудрый и Клевцов с нами на Красноводск на наш пароход не попали и на каком-то другом судне вместе с беженцами попали в Петровск (к бичераховцам), а оттуда пробрались в Советскую Россию.

Когда нас арестовали в Красноводске, у старосты тов. Зевина при обыске случайно нашли список, о котором я говорил выше. После этого уже стали арестовывать и вылавливать из общей массы беженцев (600 чел.) по этому списку.

Кроме имевшихся в списке арестовали еще нескольких товарищей, а именно: 1) Анастаса Микояна, 2) Самсона Канделаки, 3) Варвару Джапаридзе, 4) меня, 5) моего младшего брата — Леона, 6) Ольгу Фиолетовую, 7) Татевоса Амирова, 8) Марию Амирову, 9) Сатеник Мартикян и 10) Маро Туманян. Всех перечисленных красноводские власти не знали и арестовали лишь по указаниям провокаторов из числа беженцев. Лишь Татевоса Амирова они знали как известного советского партизана, поэтому его впоследствии добавили к цифре «25», и, таким образом, получилась цифра «26».

Этим объясняется то обстоятельство, что такие видные большевики, как Анастас Микоян и Самсон Канделаки, остались живы, тогда как в число 26-ти попали несколько работников незначительной величины (Никалайшвили, Метакса, младший Богданов) и даже случайные тт.

(Мишне), арестованные в Баку по недоразумению. Будучи случайно арестованными в Баку, они попали в список старосты, впоследствии оказавшийся проскрипционным.

Не будь у тов. Канделаки дизентерии — попал бы и он так же, как попал бы и я, если бы меня не освободили на поруки накануне эвакуации.

Красноводские же эсеры рассуждали так, что раз лица, перечисленные в списке, были арестованы в Баку, значит, это и есть то, что им нужно, и их следует уничтожить.

В случае, если бы этого списка у тов. Зевина не нашли, то могло бы случиться, что 1) расстреляли бы всех арестованных 35 человек или 2) расстреляли бы наиболее крупных работников, фамилии коих им были известны...»

Точно в таком же положении, как Канделаки, оказался и член Военно-революционного комитета кавказской Красной Армии Эммануил Гигоян. Он был арестован в Баку вместе со всеми товарищами, но также не оказался в списке, обнаруженном у Корганова, ввиду того, что заболел и попал в тюремную больницу.

Хочу к этому добавить, что все аресты бакинских товарищей были произведены на пароходах по пути в Советскую Астрахань, куда они хотели эвакуироваться из Баку. (Следует отметить, что власти старались в то время обмануть бакинских трудящихся, распространив ложный слух, будто бы все эти аресты произошли потому, что бакинские комиссары намеревались предательски убежать с фронта против турок.)

Что касается меня, то я вообще никуда не выезжал из Баку, а как член Бакинского комитета партии был оставлен там для нелегальной партийной работы — и при контрреволюционной власти, и после победы турок.

Находясь на свободе, я принимал меры к спасению арестованных товарищей.

Именно потому, что в Баку я арестован тогда не был, фамилии моей не могло быть и в упоминаемом выше списке тюремного старосты, по которому позднее, в Красноводске, были арестованы бакинские комиссары (в этом списке не было имен и жен комиссаров — большевичек Варвары Джапаридзе и Ольги Фиолетовой, которые в Баку тоже не арестовывались).

Так сложились обстоятельства, вследствие которых трагическая судьба 26 бакинских комиссаров миновала нас троих — Канделаки, Гигояна и меня — ответственных работников Бакинской коммуны, а также Варвары Джапаридзе и Ольги Фиолетовой».

В ночь на 20 сентября 1918 года бакинских комиссаров вывезли из арестного дома и Красноводской тюрьмы и на рассвете их расстреляли.

В тюрьме Микоян думал о своей семье. Особенно его волновало, что мать уже решила, что сын погиб. Она знала, что бакинских большевиков расстреляли, но не могла знать, что ее сын Анастас жив. Вспоминал он и свою любимую Ашхен, и ее мать Вергуш.

«С 1923 года мать жила со мной сначала в Жостове, а потом в Москве, в Кремле, очень довольная тем, что ее сын пользуется в стране большим уважением.

Характерно, что при мне она ни разу не молилась, не ходила в церковь. Возможно, она и не знала, что в Москве есть армянская церковь. Я со своей стороны никогда с ней о Боге или религии не разговаривал, да и она об этом никогда меня не спрашивала. В нашей семье разговоров о религии она никогда не слыхала. Я уж думал, что она вообще перестала верить в Бога.

Когда в 1959 году я возвращался из поездки в Америку на самолете Скандинавской авиакомпании, над океаном отказали два мотора из четырех. Нависла угроза катастрофы. Сведения об этом как-то дошли до моей матери. Вернувшись домой, я спросил у нее:

— Ну, как ты живешь, майрик?

Как обычно, она ответила:

— Хорошо. Я вот только очень беспокоилась о тебе и все время молилась Богу, чтобы ты живым вернулся из этой страны!

Я удивленно посмотрел на нее и сказал:

— Майрик, а разве ты еще веришь в Бога?

— А как же без Бога? — просто ответила она.

Умерла моя мать в 1960 году, в Москве, в возрасте 93 лет. С отцом на политические темы я не разговаривал. Вопросов по этому поводу он мне никаких не задавал, а сам я как-то стеснялся навязываться ему с этими разговорами, а тем более в чем-то его поучать.

Отец умер в 1918 году, от воспаления легких, без медицинской помощи, в возрасте 62 лет.

Вспоминая те давние времена, хочу несколько подробнее рассказать о семье Туманянов.

Моя тетя Вергиния Туманян хотя нигде и не

училась, но умела писать и читать. В политическом же отношении она была человеком достаточно развитым. Конечно, она не разбиралась в тонкостях политики, но всей душой была за революцию и за большевиков.

Муж ее, Лазарь (по паспорту — Габриел) Туманян, был человеком более грамотным. Он работал приказчиком, мечтал стать хозяином лавки, берег каждую копейку и в конце концов приобрел небольшую лавчонку, в которой работал без помощников и продавцов. Однако его «бизнес» продолжался недолго. Однажды в его лавке произошел пожар. Лазарь Туманян снова стал приказчиком. Жили они в собственном доме, в одном из самых заброшенных районов Тифлиса — в Сурпкарапетском овраге.

Лазарь Туманян был трудолюбив, добропорядочен, честен; наверное, это и было главной причиной его неуспеха в «бизнесе». В отличие от жены, революцией и социализмом он не интересовался. Зато от корки до корки ежедневно прочитывал армянскую консервативную газету «Мшак». Более того, он собирал все номера этой газеты и аккуратно переплетал в одну книгу — у него уже было несколько таких переплетенных больших томов. Политически он был ограничен, верил только тому, что писалось в этой газетенке. Жена же его была волевой женщиной и фактически господствовала доме. Муж любил ее и противоречить ей не решался.

Как-то Филипп Махарадзе рассказал мне, что меньшевики стали настойчиво за ним следить. Он непрерывно менял свои нелегальные квартиры, но все же опасался, как бы не попасть в меньшевистскую тюрьму. Я решил поговорить с Вергинией. Расположение их дома и далекие от политики соседи делали по тем условиям ее жилье идеальным для организации конспиративной квартиры. Я спросил тетю, согласится ли она приютить у себя на квартире одного видного грузинского коммуниста, очень хорошего товарища, которого преследуют меньшевики. Без всяких колебаний она согласилась. Осторожности ради я сказал ей: «Имей в виду, дело это опасное. Если он провалится, то и вам всем может здорово попасть». Она ответила, что не боится и готова на все. Тогда я спросил: «А как посмотрит на это твой муж?» — «Не беспокойся, — сказала она, — я с ним поговорю, он возражать не будет».

В следующую ночь я привел с собой Махарадзе, познакомил с семьей. Тетя показала комнату, которая была для него предназначена, и угостила вкусным ужином. Филипп остался доволен радушием, с которым его встретили.

До декабря 1919 года Филипп Махарадзе все еще продолжал благополучно проживать в доме Туманянов. Он вел кипучую революционную работу.

Впоследствии я узнал, что Филипп как-то пренебрег правилами конспирации, вышел в дневное время из дома. Его сразу же узнали на улице и арестовали. С его бородой (он не мог расстаться с нею даже в интересах конспирации!) не узнать Махарадзе было невозможно человеку, который хотя бы раз видел его раньше. У

Филиппа был паспорт Лазаря Туманяна. Полиция раскрыла нелегальную квартиру крайкома, произвела в ней обыск, нашла и изъяла ряд важных партийных документов. Хозяин квартиры и его 17-летний сын-гимназист, исполнявший отдельные поручения Филиппа и мои, были арестованы.

Однако Вергиния Туманян и после этого продолжала заботиться о Филиппе. Через моего 13-летнего брата-школьника Артема, который в то время тоже жил у них, она посылала в тюрьму передачи своему мужу, сыну и Филиппу.

Возможно, представляет интерес документ, который недавно нашел в архиве и привез мне один армянский товарищ. Оказывается, после ареста мужа и сына Вергиния обратилась в армянское консульство в Тифлисе с просьбой вмешаться в это дело и добиться их освобождения.

Как видно из этого документа, Вергиния проявила в этом вопросе тонкую дипломатию, ни слова не сказав о Махарадзе. Все найденные в ее доме большевистские документы она отнесла на мой счет, так как в это время я был вне пределов досягаемости меньшевистского правительства.

Привожу этот документ.

«Советнику дипломатической миссии князю М. Туманяну.

Настоящим имею честь сообщить, что два дня тому назад ко мне пришла жительница села Дсег (Армения) госпожа Вергиния Туманян и заявила, что во главе с начальником особого отряда 1 декабря в ее доме произведен обыск, который положительных результатов не дал. В том же часу обыскали комнату ее соседа и нашли различные листовки и книги большевистского направления. В этой комнате проживал 13-летний ученик Анушаван Микоян со своим братом Анастасом Микояном. Последний приехал из Баку на несколько дней. Особый отряд, не найдя Анастаса Микояна, кому принадлежала запрещенная литература, арестовал мужа госпожи Туманян — Габриела Туманяна, которому 60 лет, и его сына — Гайка, 17 лет, ученика 7-го класса гимназии. Сообщая об этом, госпожа Туманян покорно просит Вашего содействия в освобождении своего мужа и сына. В настоящее время арестованные находятся в Метехской крепости.

Заведующий консульским отделом (подпись), 29 декабря 1919 г.».

Мой брат вспоминал подробности обыска в доме тети Вергуш: «В тот день я был болен, лежал на тахте около окна. Готовились к обеду. Вдруг услышали топот сапог по булыжникам во дворе — дом окружали...

Тетя быстро засунула под мой тюфяк какие-то бумаги, другие бросила на горящий примус, и в это время ворвались жандармы. Они бросились к примусу, схватили то, что не успело сгореть, и начали обыск.

Меня сбросили с тахты. В это время тетя закричала: «Не трогайте больного мальчика!» Но это не помогло: из-под тюфяка уже извлекли бумаги, а меня побили. Меня побили еще раз за то, что я не сказал, где мой брат Анастас.

В это же время в другой комнате били и допрашивали Лазаря и его сына Гайка. Потом их увезли в тюрьму.

Отыскивая тайник, стражники начали ломать перегородку комнаты. Они так и не нашли его, так как тайник был ловко замаскирован шкафом с посудой. (Шкаф прикрывал запасной подземный выход в сад на случай побега конспираторов во время тайных заседаний.)

Передачи, которые я носил в тюрьму, тетя Вергуш ловко маскировала пловом: на дно глубокой посудины опускалось письмо, а сверху накладывался плов. Стражник ковырял ложкой, проверяя, нет ли недозволенных вложений, но — то ли ложка была коротка, то ли посудина глубока — письма все же доходили до адресатов.

Вергиния Туманян была не только умным, передовым человеком, но и отличной матерью. Она родила семерых детей. Трое из них умерли от инфекционных болезней; три дочери и сын вступили в Коммунистическую партию. Гайк Туманян по окончании Коммунистического университета имени Свердлова начал свою службу в Красной Армии. Окончил Военную академию. Был в Испании, когда там шла гражданская война. Всю Отечественную войну провел на фронтах в качестве члена военного совета танковой армии и на Дальнем Востоке — в боях за освобождение Маньчжурии.

Когда я стал работать в Москве, Вергиния Туманян и ее муж вместе с моей матерью подолгу жили у меня. Муж Вергинии умер в возрасте 80 лет. Сама она и моя мать жили дружно, как родные сестры, и умерли в одну неделю, когда Вергинии было 85, а матери 93 года. Все трое похоронены рядом на Новодевичьем кладбище».

Последняя должность Микояна — пост главы государства — Председатель Президиума Верховного Совета СССР. Микоян отошел от власти без конфликтов и оставался все еще членом ЦК КПСС и членом Президиума Верховного Совета СССР.

Несмотря на высокие должности, которые он занимал при жизни, Анастас Микоян не был похоронен у Кремлевской стены. Он обрел вечный покой на Новодевичьем кладбище, там, где похоронены его мать, жена и теща.

ПОЛУЧИЛОСЬ ДАЖЕ ЛУЧШЕ, ЧЕМ БЫЛО ЗАДУМАНО

С молодых лет Клим Ворошилов был мастером мистификаций — он помогал в цирке гипнотизеру. Клим притворялся спящим, и, как бы его ни звали, не подавал виду, что слышит. Гипнотизер приносил небольшой стальной прут с приделанным к нему приспособлением. Имевшиеся на сгибе этого сооружения мягкие шерстяные прокладки гипнотизер прикреплял к правому боку Климента Ворошилова, а другой шнур к левой ноге у самого колена. На мальчика одевались широкие шаровары и широкая ярко-зеленого цвета рубаха — одеяние маскировало крепления и своей яркостью отвлекало внимание публики. Что было дальше? Об этом рассказал Ворошилов в книге воспоминаний «Рассказы о жизни»: «Хозяин увидел меня в толпе и, как будто мы с ним никогда не виделись, обратился ко мне:

— Эй, мальчик в зеленой рубашке, может быть, ты хочешь испытать счастье?

Те, кто были рядом со мной, весело заулыбались, стали подталкивать меня:

— Иди, иди, Клим! Нечего бояться. Валяй!

Получилось даже лучше, чем было задумано. Подталкиваемый знакомыми ребятами, я взошел на подмостки. Вначале я «заснул», потом повторял все, что мне «внушал» «гипнотизер». В заключение меня взяли на руки два цирковых артиста и понесли к шесту, обвили мою руку вокруг него, и я «повис» в воздухе, а затем оказался и совсем в горизонтальном положении.

Зрители долго восхищались «чудесами» и не давали мне прохода, расспрашивая, как это я ничего не чувствовал, когда со мной творилось такое. Разумеется, я никому не выдал «тайну» и удивлялся не меньше их — неужели это было со мной на самом деле, уж не врут ли?»

Склонность к мистификациям очень помогла Клименту Ворошилову в жизни, вознесла его к вершинам власти. Он никогда и никому не выдавал «секретов своего успеха».

В одной из биографических книг, посвященных Ворошилову, можно видеть фотографию: Климент Ефремович с внуками. Хорошая фотография, приятно посмотреть. Трудно усомниться в ее подлинности — стоят два мальчугана и дедушка-полководец... Все правильно, кроме одного: родных внуков у Климента Ворошилова не было, потому что не было родных детей. Он очень любил свою жену, но детей все же у них не было. Как в сказке про старика со старухой...

Об этом сказала невестка Н. И. Ворошилова: «Мне особенно приятно отметить удивительный талант Климента Ефремовича поддерживать хороший микроклимат в семье. Именно, наверное, поэтому в доме никогда не было скучно. При всей своей вечной занятости он умудрялся выкроить время посмотреть с нами кино, покататься на лыжах, почитать интересную книгу. Врезалась в память его фраза, сказанная однажды за чтением рассказов Чехова: «Человек не имеет морального права просто так жить на этом свете. Он обязательно должен делать что-то доброе, полезное и — посадить хотя бы одно дерево...»

К. Е. Ворошилов с особой любовью относился к детям. То ли потому, что у него не было своих (мой муж Петр Климентьевич был усыновлен им, так же как и дети М. В. Фрунзе), то ли оттого, что вдоволь насмотрелся еще в гражданскую на оборванных, голодных сирот. До глубокой старости его карманы вечно были набиты сладостями. Только появится среди детишек — тут же начинает угощать их. Каждого при этом погладит по головке и скажет: «Счастья тебе, радости... Расти умницей и слушайся родителей...» Мне как женщине, как матери всегда было приятно видеть это.

...На нашей бывшей даче растет много деревьев, посаженных Климентом Ефремовичем».

В октябре 1925 года на операционном столе внезапно скончался руководитель Красной Армии 40-летний М. В. Фрунзе, видный политический и военный деятель, служивший исключительно делу, неподконтрольный Сталину и ни в какие группировки не входивший. Пролив слезу на его торжественных похоронах, Сталин сумел поставить на место Фрунзе напарника и своего друга — Ворошилова. Так Ворошилов стал Председателем РВС СССР и наркомвоеном. Детей Фрунзе Ворошилов усыновил. Как в далеком прошлом — он наследовал не только должность, но и все то, что принадлежало его предшественнику.

В любом случае усыновленным детям жилось лучше, чем самому Климу при родной матери.

Мать Ворошилова, Мария Васильевна, когда приходилось совсем туго, посылала своего сына Клима побираться. Об этом «красный маршал» пишет в своих мемуарах. Семья Ворошиловых была очень бедной. В самом прямом смысле Клим Ворошилов имел рабоче-крестьянское происхождение. Родители его были крестьяне, подавшиеся на заработок в город. Они уже оторвались от патриархального деревенского уклада, но не сумели найти свое место в городе. Скажем прямо, к «рабочей аристократии» семья Ворошиловых не принадлежала.

Ворошилов родился в 1881 году 4 февраля (22 января по старому стилю). Его отец работал в то время путевым обходчиком на железной дороге. Клим был третьим ребенком в семье.

После Клима появились еще дети, но это было уже в иных местах: отцу приходилось довольно часто менять работу. Старше Клима были брат Иван и сестра Катя, моложе — сестры Анна и Соня.

Тяжелые условия жизни и частые, в том числе и повальные, болезни косили тогда детвору. Не избежала этой участи и семья Ворошиловых: в раннем возрасте умерли Иван и Соня.

Мать Клима Ворошилова дала сыну воспитание, типичное для своей социальной среды. Такое воспитание в свое время ужаснуло Надежду Константиновну Крупскую, выросшую в интеллигентной семье: «Семейная жизнь связана для женщины-работницы с неустанной заботой о детях. О воспитании обыкновенно нет и речи, речь идет лишь о том, как бы прокормить детей. С детьми сразу крестьянке прибавляется забот... Работа не ждет, и крестьянка уходит на работу, оставляя детей под присмотром какой-нибудь немощной старухи или тех ребятишек, что постарше. Всякий, кто живал в деревне, знает, что это за присмотр. Грудного ребенка пичкают прокислым рожком (мать кормит ребенка случайно, когда удосужится), всякой зеленью, жеваным черным хлебом, трясут в люльке, пока ребенок не теряет сознания, держат в душной избе закутанным в тулуп, а вечером чуть не нагишом тащат за ворота. Постоянно слышишь, что какая-нибудь 6—8-летняя нянька то уронила и зашибла ребенка, то «сожгла» его, то еще сотворила с ним что-нибудь такое, что может прийти в голову только шестилетнему ребенку...

Но даже если и сама мать возится с ребенком, дело немногим лучше. Она не имеет никакого понятия о том, как устроен человеческий организм, как развивается ребенок, что нужно для того, чтобы ребенок рос сильным, крепким, здоровым. При уходе за ребенком крестьянка руководится больше обычаем да предрассудками. Да если бы она и знала, как надо ухаживать за ребенком, она при всем желании не могла бы делать того, что надо. Ребенку нужны чистота, теплота, легкий воздух, а в избе живет десять человек, изба не топлена, в избе тулупы, телята и проч. Поневоле махнешь рукой. Заболеет ребенок, и мать совсем не знает, чем помочь ему, лечить большей частью негде. Хуже всего, если болезнь заразная: оспа, скарлатина и проч.; больного ребенка надо бы отделить от здоровых, а как это сделать в деревне, когда вся семья живет в одной избе? И дети заражаются друг от друга и умирают без всякой помощи. Ничего нет мудреного, что в деревне половина детей умирает до пятилетнего возраста. Выживают только самые крепкие.

Фабричная работница отличается слабым здоровьем. Женский организм еще хуже переносит вредные условия фабричного труда. А слабая, больная женщина родит и слабых детей. «Выходя замуж, работницы на спичечных фабриках (женщины и дети составляют большинство рабочих на спичечных фабриках), — говорит один исследователь, — являются рассадником такого же, как и они сами, хилого, полуживого поколения, отягощенного целым рядом болезней, которые ведут его к ранней могиле». В нашем фабричном законодательстве нет никаких ограничений, никаких облегчений работы беременных женщин. Лишь в правилах о хранении и расходовании штрафного при фабриках капитала сказано, что из штрафного капитала «можно», между прочим, выдавать пособия работницам, находящимся в последнем периоде беременности и прекратившим работу за две недели до родов. Таким образом, никакой обязательной выдачи пособия не установлено, говорится только, что такое пособие выдавать «можно», т. е. эта задача вполне предоставляется на усмотрение фабрикантов. На деле эти пособия почти нигде и не выдаются. Не получая пособия, боясь потерять работу, женщина работает на фабрике чуть не до последнего дня и приходит на работу, еще не оправившись от родов. Потому-то так часто и бывают у фабричных женщин выкидыши, преждевременные роды и всякого рода женские болезни. С детьми фабричной работнице приходится очень трудно. Придя усталая с фабрики, она должна приниматься за стирку, шитье, уборку, должна кормить, обмывать детей. Иногда ей приходится целые ночи напролет нянчиться с больным ребенком. Обыкновенно мать рада-радехонька, если какая-нибудь соседка надоумит ее попоить ребенка маком, ребенок спит спокойно, а мать и рада. Она и понятия не имеет о том, что таким питьем она отравляет своего ребенка (в маке много опиума, а опиум — страшный яд), что от такого питья ребенок может сделаться в будущем полным идиотом. Днем, уходя на работу, фабричная работница оставляет детей на попечение какой-нибудь соседке — старухе, а когда они подрастут несколько, то и без всякого призора. Дети почти что растут на улице. Они недоедают, мерзнут, ходят оборванные, грязные, с раннего детства наглядятся на все — на пьянство, разгул, драки и пр. Так растут дети дошкольного возраста. В городе школы есть, но городские и пригородные школы обыкновенно бывают переполнены, так что попасть туда очень трудно, а при фабриках и заводах не всегда бывают школы. Закон «предоставляет» фабрикантам устраивать школы для детей рабочих, но устройство школ не вменяется в обязанность. Таким образом, в школу попадают далеко не все дети рабочих. Когда дети войдут в тот возраст, что их берут на фабрику (по нашему фабричному законодательству дети принимаются на фабрику двенадцати лет), они начинают сами содержать себя и становятся скоро совершенно самостоятельными. В общем фабричная работница видит много горя с детьми, много забот, но бывает она с ними редко, и дети вырастают наполовину чужими для нее.

Если мы примем во внимание, как трудно фабричной работнице приходится с детьми, особенно если ребенок незаконный и содержание его всецело падает на мать, то поймем, почему женщина часто бывает вынуждена отдавать своих детей или в воспитательный дом, или на выращивание какой-нибудь женщине, специально этим занимающейся. В газетах не раз сообщалось, что в том или другом большом промышленном городе обнаружена «фабрика ангелов». Какая-нибудь женщина промышляет тем, что берет на воспитание за известную плату грудных детей и голодом, опиумом и тому подобными средствами старается как можно скорее отправить их на тот свет, понаделать из них «ангелов». Начинается дело, и делательница «ангелов» отправляется на каторгу, а где-нибудь в новом месте возникает новая «фабрика ангелов», порождаемая теми же самыми условиями: невозможностью для фабричной работницы прокормить своего ребенка.

Такая же участь ожидает и ребенка женщины, живущей по местам прислугой. Прислуге не полагается иметь семью. Прислугу нанимают сплошь и рядом с условием, чтобы к ней не ходили в гости мужчины, и неохотно берут на место замужнюю женщину, к которой ходит муж. С детьми прислугу не берут никогда. Таким образом, поступая на место, прислуга запродает все свое время. В этом отношении ее положение еще хуже, чем положение фабричной работницы. Та отработает положенное число часов, а затем сама себе хозяйка; прислуга же, живя на месте, никогда не может располагать собой. Все ее время принадлежит хозяевам.

Хозяева обыкновенно не допускают, чтобы прислуга часть своего времени посвящала ребенку, и поэтому ей приходится волей-неволей отдавать ребенка либо кому-нибудь на воспитание — тогда большая часть ее заработка уходит на содержание ребенка, либо опять-таки в воспитательный дом».

Но как объяснить, что многие «кухаркины дети» после октябрьского переворота оказались у руля власти? С чем это связано?

Идея власти как средства компенсации неполноценности была высказана психологом А.Адлером, который полагал, что «воля к власти» — это стремление от чувства неполноценности к «богоподобному превосходству».

Лассвел развил эту мысль: «Власть помогает преодолеть низкое самоуважение». Истоки низкой самооценки кроются в опыте детства. На примерах, показывающих поразительное сходство детского и юношеского развития многих политических лидеров, можно увидеть, как они, страдая в детстве от комплекса неполноценности, преодолели его в своем стремлении властвовать над умами людей.

Действительно, в истории немало случаев, когда физический или психический недостаток личности не только не был препятствием для политической карьеры, но, напротив, мобилизовал силы: известно, что Демосфен в юности был косноязычен, а Сталин остро переживал неприязнь одноклассников, которую он относил за счет бедности и низкого происхождения своей семьи, также своей внешности.

С другой стороны, куда чаще встречаются люди, страдающие комплексом неполноценности и выбирающие политическую пассивность или ищущие компенсацию в других сферах жизни.

«Мои родители, — вспоминал Климент Ворошилов, — как и все простые люди в то время, были совершенно неграмотными. Характеры их были своеобразные — различные, несхожие. В отце жил беспокойный, бунтарский дух, он был горяч, вспыльчив, самолюбив и нередко защищал свое человеческое достоинство от всяких обидчиков весьма примитивным способом — кулаками. Он не мог переносить незаслуженных обид, несправедливости и именно поэтому часто кочевал с места на место. Мать была его прямой противоположностью. Спокойная, набожная, она безропотно трудилась всю жизнь, молча сносила все невзгоды и лишения. Мне очень дорога их память, и я не могу не сказать о них теплых слов сыновней признательности, не выразить им своей глубокой, сердечной благодарности.

Отец мой, Ефрем Андреевич Ворошилов (1844—1907), происходил из крестьян. Он был шестым сыном в большой семье моего деда Андрея, которого я никогда не видел. Братья отца — Свирид, Василий, Иван и другие — были привязаны к земле и никогда не отлучались из своей деревни. Судьба отца сложилась по-иному.

В свои детские годы он, как и все члены их семьи, крестьянствовал, а с 17—18 лет пошел отбывать солдатчину. Призван он был в царскую армию не в свой срок, а вместо одного из своих старших братьев (такие замены тогда допускались законом). Чем это было вызвано, я не знаю, и отец никогда об этом не рассказывал, да, скорее всего, он и сам не знал этого.

Солдатская служба в ту далекую пору продолжалась более десяти лет, и, кроме того, по существовавшему в те времена закону крестьяне, призываемые в армию, исключались из так называемой ревизской сказки и тем самым лишались земельного надела по месту жительства (этот порядок был отменен лишь после 1867 года, когда, по военной реформе, вернувшимся с военной службы стали предоставлять землю). Однако мой отец, Ефрем Андреевич, возвратившись после военной службы в родное село, оказался без земельного участка — основного средства существования. Ему ничего не оставалось, как пойти скитаться в поисках работы, пробиваться случайными заработками. Такова была тогда доля любого безземельного крестьянина. И отец испытал ее до конца.

Братья отца, видимо, не оказали ему помощи, и он начал кочевать с места на место. Работал в помещичьих имениях, на шахтах и рудниках, путевым обходчиком на железной дороге. Впоследствии отец весьма редко вспоминал о братьях и не особенно интересовался их жизнью. Следует сказать, что и они, в свой черед, не пытались выяснить судьбу младшего брата, а она у него была нелегкой, и во многом оттого, что он выручил одного из них.

Женившись на такой же, как и он сам, беднячке, отец стал постоянным наемным рабочим. Он не гнушался никаким трудом. Вскоре, однако, пришла новая беда — он опять угодил в солдаты: шла русско-турецкая война 1877— 1878 годов. И только спустя более двух лет отец снял солдатскую шинель и вернулся к семье. Но и после этого положение его ни в чем не изменилось: ему предстояло шагать все по той же трудной дороге батрака-чернорабочего.

Мать моя, Мария Васильевна Ворошилова, урожденная Агафонова (1857—1919), была потомственной крестьянкой и в девичестве никуда не выезжала из своего родного села Боровское. Знала лишь свой дом, поля да выгоны. Зато после замужества жизнь ее потеряла устойчивость, и ей вместе с моим отцом приходилось часто менять местожительство. Нужда, невзгоды и беспокойный характер отца тяжело отзывались на ее жизни, но она не склонила головы и, будучи обремененной семьей, работала и по дому, и в наймах — была и прачкой, и кухаркой.

Особенно трудно приходилось во время очередной ссоры отца с хозяином или с приказчиками. Тогда он сам бросал работу (что бывало довольно часто) или его увольняли, и он на долгое время оставлял семью, пропадая в поисках хотя бы случайного заработка.

В это время все заботы о семье сваливались на плечи матери. Надо было хоть как-нибудь накормить нас. Об одежде и обуви думать не приходилось — мы ходили полубосые и полураздетые.

Мать оставалась спокойной и ровной. Только темнела лицом и была более молчаливой. Когда было совсем лихо, матушка посылала меня и старшую сестру Катю по миру — просить милостыню. И хотя это случалось довольно редко, она мучилась, переживая это как великое горе.

Вспоминается одна встреча с людьми из этого далекого от нас барского мира. Было это в тихий и погожий летний день. Моя мать, работавшая тогда в имении генерала, вела меня как-то по барскому саду. Я был еще очень мал, и она часто брала меня на руки. В это время нам встретились две господские барышни. Они были очень веселы и стали расхваливать меня:

— Какой здоровый, крепкий мальчик!

Потом одна из барышень спросила матушку:

— А как тебя зовут?

— Мария, — ответила мать, смущенно улыбаясь.

— Какое простое и хорошее русское имя — Маша, — сказала одна из девушек.

А другая добавила:

— Пойдемте с нами.

Помнится, мы поднялись на второй или даже на третий этаж господского дома. Все, мимо чего мы проходили, поражало своим великолепием: ковры, красивые занавески, блестящие канделябры. Особенно живописно было в комнате барышень. На их кроватях были яркие покрывала, груды подушек. Пахло духами. Все было для нас необычно, поразительно красиво. Мы боялись сделать лишний шаг, чтобы не задеть за что-либо нашей простой и грубой одеждой.

Видимо, мы попали барышням на глаза под хорошее настроение. Они угостили нас конфетами, пряниками. Кое-что завернули в бумагу — с собой. И мы ушли.

Из этой поры раннего детства в памяти сохранилось два события.

Одно из них связано с ребячьей шалостью. Как-то в землянке мы затеяли игру не то в жмурки, не то в пятнашки. И когда одна из сестер хотела схватить меня, я попытался увернуться и резко кинулся в сторону (споткнувшись, я упал и при этом очень сильно ударился лбом об угол плиты). Все мое лицо залила кровь, и мы едва уняли ее. Рана вскоре зажила, но на лбу у меня на всю жизнь осталась отметина — небольшой шрам. В дальнейшем, когда я уже вступил на путь революционной борьбы, по этому шраму старались опознать меня сыщики и полиция.

Другое памятное событие тех лет — болезнь и смерть самой младшей и горячо любимой всей семьей моей сестренки Сони. Не знаю почему, но оспа, вспыхнувшая тогда в уезде, свалила в нашей хатенке только ее, хотя ни у кого из членов нашей семьи не было противооспенной прививки.

Соня болела долго и мучительно. Ни о какой врачебной помощи и лекарствах мы, конечно, не могли и помышлять, только горестно сокрушались, глядя на больную. Она металась в жару, таяла на глазах, часто стонала и что-то неслышно бормотала пересохшими губами. В такие минуты мы всячески старались облегчить ее страдания. Но что мы могли сделать? Потеплее укрыть, поднести лишнюю кружку воды — вот и вся наша помощь несчастной.

Когда Соня скончалась и ее попытались обмыть, то с нее даже не снялась рубашонка: материя прилипла к струпьям на теле. Страшно было смотреть на все это.

Отцу была положена нищенская плата — 60 рублей в год, или 5 рублей в месяц. Как и у генерала Суханова, ему выдавали небольшую приплату натурой: муку, пшено, постное масло, а иногда и свиное сало — в весьма ограниченном количестве. Всего этого не хватало — пошла внаем и мать, стала кухаркой.

Я хорошо помню это время, и у меня до сих пор сердце обливается кровью, когда я вспоминаю, какие тяготы обрушились тогда на мою матушку. Чтобы накормить утром рабочих завтраком, ей приходилось вставать чуть свет. Затем ей надо было готовить обед, ужин и каждый раз после еды мыть гору посуды. Возвращалась она домой позднее всех, усталая, измотанная. Но она была чрезвычайно довольна тем, что имела самостоятельный заработок, — не так страшно, если отец снова останется без работы. Кусок хлеба детям она зарабатывала.

Однако жить становилось все труднее и труднее. Пришлось определить на заработки старшую сестру, тринадцатилетнюю Катю, а затем и меня — совсем еще несмышленыша. Я должен был вставать вместе с матерью еще затемно и вместе со своим напарником Васей, который был года на три старше меня, гнать на пастбище стадо телят.

Хотелось спать, мы с Васей зябли спозаранку от росистой травы, утренних туманов. Стараясь разогреться, мы бегали за телятами или просто размахивали кнутом. Незаметно сон проходил, и мы втягивались в свой трудовой ритм. Становилось теплее, и мы отогревались на солнышке. Но нежиться не приходилось: все время надо было смотреть, как говорится, в оба.

Запомнился и еще один факт, тесно связанный с пастушеской долей и с моим товарищем Васей. Как я уже отмечал, он был старше меня и стремился подчеркнуть это тем, что понемногу покуривал. Как-то раз он нашел в выемке каменной ограды целую пачку махорки и несколько листов курительной бумаги. От нечего делать мы стали крутить цигарки и наготовили их целую кучу. У Васи от такого богатства разгорелись глаза. Будучи по натуре добрым и щедрым, он решил поделиться этим богатством и со мной.

— Одному столько не выкурить, — сказал он. — Давай, Климушка, помогай. Вместе будет веселее.

Я согласился. И мы, удобно расположившись под кустом, стали блаженно потягивать табачную отраву. Вскоре курение приняло характер состязания — кто больше выкурит, и поскольку цигарок было много, мы так увлеклись, что оба, накурившись до одурения, свалились чуть не замертво. Наши телята остались беспризорными, и их пригнали в сарай другие люди. Нас же, одурманенных никотином, нашли лишь на второй день.

Этот печальный случай стал для меня уроком на всю жизнь. После этого я никогда больше не курил и стал ненавистником курения вообще. Иногда мне напоминают об одной фотографии, на которой я, будучи уже наркомом обороны, изображен с папиросой во рту. Но это был шуточный снимок, а в действительности мое отношение к курению всегда и везде было резко отрицательным.

Мне шел десятый год. К этому времени успела выйти замуж моя старшая сестра Катя, хотя ей не исполнилось еще и семнадцати полных лет. Ее мужем стал хорошо мне известный помощник кучера в имении Иван Щербина. Он часто брал меня с собой, когда ухаживал за лошадьми или ехал за сеном. Будучи крепким малым, он легко подбрасывал меня на сложенное в арбе сено — на высоту четырех-пяти аршин. С ним было весело и легко. Он любил петь и обладал хорошим голосом. Я заслушивался и частенько подпевал ему.

Наши молодожены были хорошей парой, все желали им счастья и почтительно называли — Екатерина Ефремовна, Иван Иванович. Мне это нравилось, хотя я и не мог понять, какая моя Катя Ефремовна. Для меня они были по-прежнему Катей и Ваней. Поп не хотел их венчать: сестре не хватало каких-то месяцев до положенного возраста. Но она была стройная, сильная. И мне было жалко, что за венчание, чтобы подмаслить, попу дали целых три рубля!

Между нашими семьями установилась крепкая дружба, хотя они вскоре уехали из имения в другое место. Однако молодые навещали нас, и мать часто советовалась с зятем. Он помогал нам чем мог.

Когда отец бросил свое стадо и ушел неизвестно куда, искать затерявшееся счастье, нам стало совсем худо. Семья лишилась Катиного и моего скромного заработка. Все заботы вновь легли на одни мамины плечи.

— Не знаю и жить-то как дальше, Ваня, — говорила она зятю. — Видно, вновь ребят по миру пущу.

— Не печальтесь, Мария Васильевна, — успокоил Иван.

— Вы ведь знаете моего брата Артема — он у нас здесь, машинистом на молотилке работал?

— Знать-то знаю, а он тут при чем?

— Как при чем! — весело возразил Иван. — Это он меня на рудник переманил. Был я помощником кучера, а теперь машинистом стал — по воздушно-канатной дороге грузы гоняю. Найдется у нас на руднике и для Клима место.

Мать не хотела расставаться со мной, но надо было как-то выходить из положения. И она согласилась.

— Жалко мальчонку, да что поделаешь.

Так начался новый этап моей тогда еще малолетней жизни — путь рабочего человека.

Было жаль самого себя. Я казался себе самым несчастным и вспоминал различные беды, которые приключались со мной.

Вспомнился, в частности, такой случай. Как-то летом, в хатенке, моя мама и соседка занимались шитьем. Я, будучи еще совсем малым ребенком, крутился возле них, а затем залез на подоконник, чтобы посмотреть, что делается на улице. Потом, услышав, что скрипнула дверь, быстро спрыгнул на пол, задел шитье и вдруг почувствовал страшную боль в ноге.

Присев, увидел, что из пятки торчит нитка. Потянув за нее, я увидел лишь обломанное ушко иглы, испугался и закричал. На крик ко мне кинулась мама. Послали за бабкой-знахаркой, но и она ничего не смогла поделать; так и осталась обломанная игла в моей ноге...

Уже став взрослым, я неоднократно рассказывал врачам о случае с иголкой. По моей просьбе уже в советское время было проведено специальное рентгеновское просвечивание всего моего тела, но обломка иглы так нигде и не нашли. Однако как-то раз, уже в преклонном возрасте, при рентгеноскопии обнаружили давнюю мою «потерю»: обломок иголки как бы прирос к пяточной кости. Если бы это не случилось со мной самим, я ни за что бы не поверил, что такое возможно.

У мамы была давняя мечта — научить меня читать псалтырь, сделать «грамотеем». Об этом она и сказала своему брату.

— А зачем тебе да и Климу все это? — ответил Семен Васильевич. — Книжки читать — занятие господское.

— Нет, — возразила мама, — испокон веку говорят: «Ученье — свет, а неученье — тьма».

— А нам все едино тьма — что грамотным, что безграмотным, — настаивал на своем дядя Семен. Он был старше мамы и, видимо, осуждал не только ее мечты о моем обучении грамоте, но и весь образ жизни нашей семьи. — Вы вот оторвались от земли, все маетесь с места на место, а что толку? — спросил он.

— Так ведь птица и та ищет, где лучше, — ответила мать.

Я уже упоминал, что моя матушка, Мария Васильевна, была набожной, глубоко религиозной женщиной и постоянно прививала нам, детям, веру в Бога, водила в церковь, постоянно следила за тем, чтобы мы знали и повторяли молитвы. Слушая наши детские песни и определив, что у меня неплохой голос, она настояла на том, чтобы я стал петь в церковном хоре».

Климент Ворошилов искал и нашел, как говорила его мама, «где лучше»: Маршал Советского Союза (1935), советский партийный, государственный и военный деятель. Дважды Герой Советского Союза (1956, 1968), Герой Социалистического Труда (1961), Герой МНР. В Советской Армии с 1918 года. Один из организаторов и руководителей Советской Армии. С ноября 1917-го комиссар Петрограда, вместе с Ф. Э. Дзержинским вел работу по организации ВЧК. В марте 1918-го возглавлял создание 5-й Украинской армии и руководил ее боевыми действиями. Затем командовал царицынской группой войск, заместитель командующего и член Военного совета Южного фронта, командовал 10-й армией. С ноября 1918-го нарком внутренних дел Украины, командующий войсками Харьковского военного округа, в 1919 — 14-й армией, возглавлял оборону Екатеринослава (Днепропетровск) и Киева. В 1919—21 годах один из организаторов и членов Революцинного военного совета 1-й Конной армии. В 1921 году участвовал в ликвидации Кронштадтского мятежа. В 1921—25-м командовал войсками Северо-Кавказского военного округа и Московского военного округа. В 1925—34-м — нарком по военным и морским делам и председатель РВС СССР, в 1934—40-м нарком обороны СССР, с 1940-го — заместитель Председателя Совета Народных Комисаров (СНК) СССР и председателя Комитета обороны при СНК СССР. В Великую Отечественную войну член Государственного Комитета обороны и Ставки Верховного Главнокомандования, главнокомандующий войсками Северо-западного направления, командующий Ленинградским фронтом, главнокомандующий партизанским движением, с 1943 года — представитель Ставки на фронтах. После войны председатель Союзной контрольной комиссии в Венгрии.

За семь десятилетий существования Советского государства во главе вооруженных сил пребывало около полутора десятков различных военачальников. В среднем каждые четыре-пять лет менялись наркомы обороны (министры обороны). Единственным военачальником, который побил рекорд пребывания на посту наркома обороны, был К.Е.Ворошилов. На этом посту он пробыл почти полтора десятилетия.

К.Е.Ворошилов — сталинский выдвиженец, он начал формироваться как угодник Сталина еще в 1907 — 1908 годах в Баку.

Если проследить, как руководил Ворошилов вооруженными силами, то нетрудно заметить, что в первые четыре-пять лет он продолжал военные реформы, начатые до него, а затем в течение десятилетия шло разрушение армии. В этом и заключалась трагедия Советской Армии и Военно-Морского Флота.

Известно: каковы командные кадры, такова и армия. Хорошо подготовленные в профессиональном отношении и опытные офицеры превращали армию в сильный боевой инструмент, способный решать самые сложные задачи. И наоборот, при отсутствии таких кадров армия больше походила на «сборище едоков», нежели на организационную военную силу.

Летом 1937 года в одной из центральных газет был опубликован дружеский шарж, изображавший двух «сталинских наркомов», обменивающихся крепким рукопожатием. Это были самые популярные тогда лица из ближайшего окружения «вождя всех народов»: Климент Ефремович Ворошилов и Николай Иванович Ежов. В их честь слагали стихи и пели песни. Нарицательными стали выражения «ежовы рукавицы» и «ворошиловский стрелок». Однако в истории страны память о них запечатлена по-разному. Ежов стал символом массовых репрессий. Ворошилов остался эмблемой доблести и героизма.

Справедливо ли это? Ворошилов принес нашему народу, нашей стране неисчислимые бедствия. Ворошилов — один из главных организаторов массового уничтожения десятков тысяч ни в чем не повинных людей — посмертно носит придуманную для него биографию «легендарного полководца» и «народного героя».

Ворошилов стал символом сталинистского толкования истории гражданской войны и Красной Армии. И с этой точки зрения был неприкасаем. Он остался символом и после смерти Сталина. Человек-легенда, одним из авторов которой частично он был сам.

Он тридцать пять лет входил в ближайшее окружение Сталина и остался почти единственным, кого за столь долгий период Сталин не поставил к стенке.

Когда Климент Ворошилов был еще совсем молодым, он за копейки выступал в цирке — помогал гипнотизеру и изображал медведя. Клим Ворошилов, одетый в медвежью шкуру со страшной мордой ходил на четвереньках, вставал на дыбы, откликался на различные команды и смешил народ: в медвежьей шкуре ревел, вставал на задние лапы, плясал под губную гармошку. Все смеялись, а Клима Ворошилова так и подмывало скинуть медвежью шкуру и выкинуть перед зрителями замысловатое коленце — не от «медведя», а от себя. Про это подробно рассказано в мемуарах Ворошилова: «После, когда я уже играл в самодеятельном театре, я рассказывал товарищам этот случай, и мы долго смеялись над этой историей. Когда же мне удавалось та или иная роль, ребята подшучивали: «А что Климу? Он и медведем стать может!»

Роль «красного маршала» и народного героя у Ворошилова была сыграна отлично.

В 1956 году к собственному семидесятипятилетию и в 1968 году — к пятидесятилетию Советской Армии, в поддержку «легендарного полководца», Ворошилов был дважды удостоен звания Героя Советского Союза.

«МЫ НАХОДИМСЯ ПОД ГНЕТОМ НАШИХ ЖЕНЩИН!» — ГОВОРИЛ ХРУЩЕВ

После женитьбы на Раде Хрущевой Алексей Аджубей стал главным редактором «Комсомольской правды». В конце пятидесятых до дня отстранения Хрущева от власти был главным редактором «Известий», членом ЦК КПСС, депутатом Верховного Совета. За участие в освещении в печати визита тестя в Америку получил Ленинскую премию.

Карьера молниеносная и блестящая, но в октябре шестьдесят четвертого после отставки тестя она прервалась.

В возрасте 25 лет Алексей Аджубей вошел в достаточно большую семью Хрущевых.

Никита Сергеевич Хрущев был женат дважды.

Первая жена умерла рано, и от нее остались сын Леонид, расстрелянный во время войны, и его дочь Юла.

Вторая его жена, Нина Петровна, родила ему Раду, Сергея и Елену, которая умерла в 28 лет от «волчанки».

Хрущев очень любил внучку Юлу, дочь Леонида, которая была замужем за экономистом Н. П. Шмелевым, с которым развелась еще до ухода Никиты Сергеевича на пенсию.

Никита Сергеевич любил, чтобы внуки чаще бывали возле него, чтобы их непременно привозили в выходные дни на дачу, а во время отпуска брал их на юг — в Крым или на Кавказ.

Бабушка Нина Петровна всегда требовала от внуков выполнять летние задания по английскому языку.

У Хрущева была сестра Ирина Сергеевна, которая иногда приезжала к нему в гости. Она любила собирать на даче яблоки и всех угощала ими. О Никите Сергеевиче она говорила: «Если, бывало, Никита в чем-либо заупрямится, то его всем домом не свернешь».

Хозяйка дома Хрущева была строга. Дети и обслуживающий персонал не так боялись Хрущева, как ее. Говорила она немного, но требовательно относилась ко всему и ко всем.

В обществе Нина Петровна старалась держаться в стороне и вести себя скромно.

Жена Хрущева владела английским языком, но выезжала с Никитой Сергеевичем за границу всего лишь один раз — в США и старалась не попадать в объектив фотоаппарата или кинокамеры.

Индийский дипломат Т. Кауль оставил такое воспоминание о Нине Петровне Хрущевой: «Госпожа Хрущева была сама доброта, мягкость, понимание, материнство. Ее ласковая улыбка утверждала победу человеческого духа над всеми страданиями, тяготами и невзгодами. Она была счастлива своей жизнью скромной жены, матери, бабушки и всегда держалась позади мужа. Она продолжала преподавать в школе даже после того, как ее муж занял высшее положение в советской иерархии.

Он не был рожден диктатором и не хотел им становиться. С людьми он обращался резко, порой даже грубо, что в конце концов и стоило ему его места.

Хрущев любил выпить, когда его жены не было рядом или она отворачивалась. Однажды на завтраке, который я давал в честь Индиры Ганди, присутствовали Хрущев с женой и дочерью Радой. Хрущев отвлек внимание жены словами:

«Посмотри, какая красивая картина», и пока она ее разглядывала, выпил залпом стакан красного вина. Она сделала вид, что не заметила, но широко ему улыбнулась. Он сказал Индире Ганди: «Мы находимся под гнетом наших женщин. Они превосходят нас численностью». Но Хрущев не пил крепких напитков, только вино, по совету врача. И в отличие от Сталина и Молотова, которые пили минеральную воду, делая вид, что это — водка, Хрущев никогда не обманывал».

Наряду с множеством домашних привилегий кремлевские жены связаны суровыми ограничениями.

По собственному признанию Хрущева, его поездке в США предшествовали тяжелые, многодневные раздумья по поводу того, брать или не брать с собой свою жену — женщину исключительного достоинства, ума и такта, ибо путешествовать с женами считалось «мелкобуржуазной роскошью». Перед отъездом в Америку Хрущев придирчиво проинструктировал Нину Петровну, как себя вести, как держаться на официальных приемах, что говорить и что не говорить (строжайший наказ — «ни слова о политике!»), и поставил условием, чтобы на приемах она капли в рот не брала спиртного, включая шампанское. Нина Петровна отлично справилась с нелегкой ролью первой советской леди, так что в следующие заграничные поездки Хрущев ослабил вожжи личного управления и предоставил ей большую свободу действий, полагаясь на ее врожденный такт и чувство собственного достоинства.

Исключительное достоинство и такт Нины Петровны проявились и в ее коротких воспоминаниях.

«Не помню даты, к сожалению. Когда В.М. Молотов стал наркомом иностранных дел, то ему построили дачу по специальному проекту, с большими комнатами для приема иностранных гостей, и в какой-то день было объявлено, что правительство устраивает прием для наркомов и партийных руководителей Москвы на этой даче. Работники приглашались вместе с женами, так и я попала на этот прием. Пригласили женщин в гостиную, там я уселась у двери и слушала разговоры московских гостей. Все собравшиеся женщины работали, говорили о разных делах, о детях...

Позвали в столовую, где были накрыты столы буквой «П». Усадили по ранее намеченному порядку. Я оказалась рядом с Валерией Алексеевной Голубцовой-Маленковой, напротив — жена Станислава Косиора, которого только что перевели на работу в Совет Народных Комиссаров СССР. Уже было известно, что на его место секретарем ЦК Украины поедет Н. С. Хрущев. За ужином я стала спрашивать жену Косиора, что из кухонной посуды взять с собой. Она очень удивилась моим вопросам и ответила, что в доме, где мы будем жить, все есть, ничего не надо брать. И действительно, там оказалась в штате повариха и при ней столько и такой посуды, какой я никогда даже не видела. Так же и в столовой... Там мы начали жить на государственном снабжении: мебель, посуда, постели — казенные, продукты привозили с базы, расплачиваться надо было один раз в месяц, по счетам.

Вернусь к приему, где для меня все было очень любопытно. Когда гости сели, из двери буфетной комнаты вышел И. В. Сталин и за ним члены Политбюро ЦК и сели за поперечный стол. Конечно, их долго приветствовали аплодисментами. Не помню точно, но, кажется, сам Сталин сказал, что недавно образовано много новых наркоматов, назначены новые руководители, в Политбюро решили, что будет полезно собрать всех в такой дружеской обстановке, познакомиться ближе, поговорить...

Потом говорили многие, называли свои учреждения, рассказывали, как представляют себе свою работу. Дали слово женщинам. Валерия Алексеевна Голубцова-Маленкова говорила о своей научной работе, за что была осуждена женщинами. В противовес ей молодая жена наркома высшего образования Кафтанова сказала, что будет делать все, чтобы ее мужу лучше работалось на новом ответственном посту, чем вызвала всеобщее одобрение.

За этим ужином я узнала, что у т. Косиора два сына. Жена Косиора произвела на меня очень приятное впечатление; я впоследствии часто вспоминала ее, когда через годы узнала, что она была сослана безвинно в лагерь и расстреляна, а резолюцию о расстреле написал единолично В. М. Молотов. Мне об этом рассказал Н. С. при следующих обстоятельствах. Полина Семеновна Молотова встретила меня во дворе дома на ул. Грановского и попросила передать Н. С.

просьбу принять ее в ЦК по поводу восстановления в партии В. М. Молотова, исключенного несколько лет тому назад... Н. С. принял Полину Семеновну и показал ей документ с резолюцией Молотова о расстреле жены Косиора, Постышева и других ответственных работников Украины, затем спросил, можно ли, по ее мнению, говорить о восстановлении его в партии или надо привлекать к суду. Это Н. С. рассказал мне, отвечая на вопрос, приходила ли к нему Полина Семеновна и чем разговор закончился».

Алексей Аджубей занимал в доме Хрущевых особое место. Про него ходило много анекдотов и даже рифмованных выражений. Например: «Не имей сто рублей (или друзей), а женись, как Аджубей».

Он много пил. Продолжал пить и после того, как попал в дом Н.С.Хрущева.

Народная мудрость констатирует такой факт: редко бывает, чтобы свекруха любила невестку. Даже если это невестка высокопоставленная. Даже если отец невестки — глава государства. Так было и в случае с Аджубеем и Радой Хрущевой.

«Я неплохо знал Хрущева, — вспоминал сын Лаврентия Берия Сергей. — Знал я и его семью. С зятем Хрущева, Алексеем Аджубеем, познакомился еще до его женитьбе на Раде. Мать Алексея была отличной портнихой. Жаловалась моей матери, что из-за карьеры сын губит жизнь. Она была категорически против этого брака, потому что семью Хрущева не переносила, называя их Иудушками Головлевыми.

Алексей был парень действительно способный. Учился в актерской студии.

Хотя сам Хрущев, как я говорил, бывал у нас часто, с его семьей мы не общались. Ни я, ни мама в их доме никогда не бывали, хотя с дочерью Хрущева мы учились в одной школе. Что-то знали от Нины Матвеевны, матери Аджубея.

— Ну почему ты переживаешь, — успокаивала ее мама. — Хорошая девочка, Серго рассказывает, что учится хорошо...

— А ты ее видела? — спрашивала Нина Матвеевна. — Нет? Не будет он ее любить. Не понимаешь разве, из-за чего он женится? Никогда не думала, что Алексей может так поступить...

Спустя несколько месяцев, когда мы вместе обедали у нас дома, Нина Матвеевна неожиданно вновь вернулась к больной для себя теме. Видимо, просто хотела с кем-то поделиться:

— Ужасная семья, Нина! Они меня не принимают. Я для них всего лишь портниха.

Мама опешила:

— Да что ты такое говоришь! Ты — мастер, ты — художник. Этого не может быть.

— Еще как может. Вы исходите из своего отношения, а там совершенно другое. Они — элита, а я всего лишь портниха, человек не их круга. И в такую семью попал Алеша».

Алексей Аджубей попал не просто в семью, а в клан. Ему открылся путь к власти. Ведь пресса — «четвертая власть».

В клановости политика возвращается к своим древним истокам, где организация власти и борьба за нее существовали и развивались на

412

уровне семейных отношений, а мощь власти вождя племени зависела от силы и многочисленности его клана.

«Я вошел в семью Хрущева в 1949 году, — вспоминал Алексей Аджубей, — женившись на его дочери Раде. Ей было двадцать, мне двадцать пять лет. Мы учились в Московском университете, готовились стать журналистами. По молодости не заглядывали далеко вперед. Мог ли я предположить, что из молодежной «Комсомольской правды» перейду в солидную, официальную газету «Известия», на должность главного редактора?! И уже вовсе нелепой показалась бы мне мысль о возможной работе вблизи Никиты Сергеевича.

Я видел Никиту Сергеевича в семье, на отдыхе. Теперь у меня появилась возможность наблюдать его в работе в самых разных обстоятельствах.

Родился я в знаменитом на весь мир древнем городе Самарканде. Самое раннее детство связано для меня с образом мамы, а потом и отчима. Отца я почти не знал.

Иван Савельевич Аджубей оставил семью, когда мне было чуть больше двух лет. Лишь однажды он попросил мать «показать ему сына», и я поехал в Ленинград. Шла война с финнами. Город был затемнен, однако большой тревоги жители, видимо, не испытывали. Работали театры, толпы народа заполняли зимний, припорошенный снегом проспект Кирова, бывший Невский, вновь обретший свое старинное название в 1944 году, когда наши войска прорвали блокаду города.

За ту неделю, что я пробыл у Ивана Савельевича, мы никак не сблизились. Было неприятно, когда он целовал меня узкими холодными губами в щеку. Седая щетина отцовской бороды покалывала так, что я съеживался. Иван Савельевич именовал меня ласково — «сыночка», отчего казался и вовсе противным.

Блестящий паркет, большой рояль. На крышке лежали: твердая кожаная подушечка и небольшая палочка, похожая на короткий биллиардный кий. Висело несколько фотографий отца. Он в театральном костюме в обнимку с Федором Шаляпиным. Под снимком подпись «Ивану-гвоздиле» от собрата Федора». Дело в том, что до революции отец пел в Мариинской опере, у него, как рассказывали, был сильнейший и редкий голос драматического тенора.

Откуда у вас такая «турецкая» фамилия? — спрашивают меня иногда. Отвечаю: она украинская, как Кочубей и многие другие похожие. На Украине фамилия не вызывает удивления.

Иван Савельевич родом из Кировоградской области, села Алексеевка, из бедной крестьянской семьи. Пел мальчиком в церковном хоре. Помещица угадала в мальчике талант и — пришел срок — устроила его «казеннокоштным» (то есть на стипендию) студентом в Петербургскую консерваторию.

Там он проучился пению несколько лет и в 1910— 1913 годах стал именитым певцом, выступал вместе с Шаляпиным и Собиновым. В опере он взял себе псевдоним «Войтенко».

Началась первая мировая война, затем гражданская. Иван Савельевич воевал с 1914 по 1920 год и раненым оказался в госпитале в Самарканде. Сестрой милосердия там работала моя мама — Нина Матвеевна Гупало. Читатель вправе нарисовать в воображении сентиментальную картину: влюбленный солдат и молоденькая сестра милосердия...

В 1924 году родился я, а в 1926-м мать и отец расстались: Иван Савельевич уехал в Ленинград. Петь он не мог, мешали раны, полученные на фронте. Стал преподавать вокал. И преуспел в этом. «Ставить голос» к Ивану Савельевичу приезжали многие певцы из Москвы, других городов.

Мой сосед по дому, народный артист СССР Павел Герасимович Лисициан, как только мы поселились в одном подъезде, спросил: не сын ли я Ивана Савельевича Аджубея? Оказалось, он тоже учился у отца. «Иван Савельевич, — рассказывал Лисициан, — вел занятия очень строго: лупил по кожаной подушке на рояле палкой и кричал: «Обопри дыхание на диафрагму...»

Уж коли я пустился в плаванье по семейному морю, расскажу и о том, как очутилась в Самарканде моя мама — в ней текла украинская и русская кровь, с некоторыми «добавками» польской и армянской.

Мама родилась во Владикавказе, а когда ей исполнилось восемь лет, было это в 1906 году, всю семью выслали в колонию в Самарканд — мамин отец и его братья сочувствовали социал-демократам. Видно, материальное положение семьи стало ненадежным. Маму и брата Георгия, моего дядю, определили в монастырский приют.

Я очень любил маму. Она часто говорила, что ненавидит свою портняжную профессию, что ей надоели кичливые бабы, которых она вынуждена одевать. Но это «вынуждена» исчезало начисто, когда Нина Матвеевна брала в руки большие ножницы и безо всяких мелков, «на глаз» разрезала куски нарядных тканей. Алексей Толстой как-то увидел маму в работе, заехав в мастерскую со своей женой Людмилой Ильиничной, и прислал ей книгу «Хождение по мукам» с дарственной надписью: «Великому мастеру Нине Гупало. Алексей Толстой».

И еще мама была щедрой. Деньги для нее существовали только для того, чтобы их с охотой тратить. Когда Елене Сергеевне Булгаковой бывало «не по средствам» одеваться у Гупало, Нина Матвеевна говорила: «Бросьте, Алена, о деньгах — сочтемся».

Когда материальное положение Елены Сергеевны поправилось, — а это случилось после издания книги «Мастер и Маргарита» во многих странах мира, — она была подчеркнуто щедра к маме. Эта щедрость выражалась в еженедельных посылках блоков импортных сигарет — другие подарки мама не принимала. Елена Сергеевна оставалась единственной женщиной, которой Нина Матвеевна разрешала приехать на «совет», когда мама уже тяжело болела. Елена Сергеевна умерла за полгода до смерти Нины Матвеевны, осенью 1970 года. Не успела вкусить сполна ни славы, ни богатства. Умерла, как и мама, в одночасье.

Какой-то магнит притягивал этих женщин

друг к другу, быть может, умная бесшабашность и уверенность в своих силах.

Второй муж матери — Михаил Александрович Гапеев вошел в мою детскую жизнь как дядя Миша. Мы дружили с ним. Он служил юрисконсультом, занимался организацией юридической службы в хлопковых трестах Средней Азии. Мы часто переезжали из города в город. Жили в Бухаре, Новом Кагане, а в зиму 1931 года уехали в Караганду.

Дядя Миша держал себя со мной по-мужски, «на равных», случалось, защищал от суровых наказаний матери — она хоть и не часто, но умело работала ремнем.

Зима 1931 года в Караганде проходила ужасно. Жили мы в каменном барачного типа доме для ИТР. Вьюга так заносила входную дверь, что по утрам Михаил Александрович с трудом открывал ее и обнаруживал в сугробах замерзших. Голодные люди искали спасения у дверей человеческого жилья, но их голоса поглощала вьюга...

Михаил Александрович приехал в Караганду по просьбе своего старшего брата профессора-угольщика, занимавшегося карагандинским угольным бассейном в начале 20-х годов. Он должен был наладить хозяйственно-юридическую службу, а затем мы собирались переехать в Москву.

В начале лета 1932 года Михаил Александрович заболел тифом и, так как никакой серьезной медицинской помощи больные не получали, умер. Мама решила искать счастья в Москве.

Я стал газетчиком не сразу. Вначале хотел быть — и почти стал — актером. Учился после войны в школе-студии Художественного театра.

Отставка Хрущева мгновенно отразилась и на моей карьере журналиста. Сказать по правде, я понимал, что так случится, и не воспринял это трагически. «Все к лучшему в этом лучшем из миров...» — утешал я себя, вспоминая Вольтера.

В последний раз я исполнил обязанности главного редактора газеты «Известия» 13 октября 1964 года.

Странное чувство облегчения овладело мной. Я еще не знал никаких подробностей, когда мне позвонила жена и передала разговор с отцом. Он сказал, что вопрос с ним решен. Подбодрил тем, что на заседании Президиума ЦК отметили рост подписки на газету «Известия» (с 400 тысяч в 1959 году до почти 9 миллионов на октябрь 1964 года) и что мне, как было сказано, «подыщут соответствующее журналистское занятие».

По свидетельству бывшего главы КГБ Владимира Семичастного, Леонид Брежнев весной 1964 года готовил физическое устранение Никиты Хрущева. Однако в один из наиболее напряженных моментов у Брежнева сдали нервы, он «расплакался» в кругу заговорщиков и стал повторять:«Никита убьет нас всех». О существовании заговора был предупрежден сын Никиты Сергеевича Хрущева. Его предупредил сотрудник спецслужб Голюков. По свидетельству сына

Хрущева, Сергея, его отца в ту пору тревожили проблемы более глобальные, чем сохранение личной власти.

Б.В.Петровский вспоминал: «Я был лечащим врачом семьи Хрущевых много лет. Лечил всех и когда Никита Сергеевич был уже в отставке, поэтому говорю со знанием дела.

Познакомились мы с ним в мае 1954 года. Я работал тогда Главным хирургом Лечсанупра Кремля. Большинство наших профессоров были совместителями, работали в институтах и других клиниках. Вдруг меня и профессора Маркова приглашают на квартиру Хрущева, который жил в доме напротив кремлевской больницы на улице Грановского. Заболела его супруга Нина Петровна.

Приходим. Большая квартира с казенной обстановкой на третьем этаже. Нина Петровна лежала в спальне. Только что у нее закончился сильный приступ болей в правом предреберье — доложил лечащий врач. Мы поставили диагноз и на другой день госпитализировали больную. Требовалась операция, и Никита Сергеевич попросил оперировать меня, что, признаюсь, мне польстило. Все прошло удачно.

Потом я часто посещал свою пациентку, бывал у Хрущевых на даче. Меня всегда гостеприимно приглашали выпить чаю.

Вспоминается еще одна встреча с Хрущевым. Она произошла в трагической ситуации, вскоре после моего назначения министром, в конце 1965 года. Мне позвонила Нина Петровна и попросила приехать на дачу в Петрово-Дальнее.

Только я положил трубку, разумеется, пообещав немедленно приехать, и стал собираться к ним, как раздался звонок от Брежнева. Брежнев сказал, что Хрущев тяжело заболел и хочет, чтобы я его оперировал: «Вы ведь лечащий хирург семьи Хрущевых, сделайте все, что нужно».

Никиту Сергеевича трудно было узнать: он очень похудел, кожа обвисла. Желтуха. Боли в животе. Сердце работает плохо, тоны глухие. Осмотр показал наличие камней в желчном пузыре и общем желчном протоке. Требовалась операция. Но при таком состоянии пациента риск весьма велик. Я назначил диету, холод на живот, антибиотики. Завтра решил перевести больного на Грановского и там оперировать.

Держался он стоически. Я все сделал, чтобы успокоить Нину Петровну. Эта женщина во всех жизненных ситуациях являла такт, недюжинный ум, доброту, скромность и исключительное обаяние. Надо сказать, что с семьей нашему бывшему премьеру удивительно повезло: прекрасная жена, хорошие дети. Надежная психологическая ниша во многом сохраняла здоровье Хрущева, продлевая ему жизнь в отставке.

Мы сделали что могли. Дело пошло на выздоровление, у Никиты Сергеевича появился аппетит, вылечили желтуху. Он начал ходить. Когда я приезжал в Петрово-Дальнее, Никита Сергеевич, бывало, после обязательного чая приглашал меня на прогулку. Вместе с его внуком и большой немецкой овчаркой мы ходили по парку, и он рассказывал мне о своем прошлом. Ни разу не заговорил о политике, о своем освобождении от работы, никогда не высказывал своих огорчений и обид.

Но всякий, у кого вырывают власть, кто не отдает ее по своей воле, не забывает об этом. Психологически такое не проходит даром, оно гнетет. Умер Хрущев в 1971 году от инфаркта миокарда».

Алексей Аджубей входил в семейный клан Хрущева, поэтому отставка тестя поставила крест на карьере зятя. Весь спектр опасностей, излучаемых властью, порождается либо ее силой, либо бессилием.

Политики в борьбе за власть (и даже обладая ею) предпочитают полагаться не на закон и формальные государственные структуры, а на собственные тайные или полулегальные структуры. Основная черта этих структур — клановость.

Члены кланов объединены тесными неформальными связями — кровным родством, землячеством, взаимными симпатиями, общностью целей, друзей и врагов (против кого дружите?) и т.п.

Клановость как неформальный и наиболее архаический способ организации власти характерна для деспотических авторитарных режимов. Возникнув в древности, меняя свои формы, но сохраняя прочность связей, кланы благополучно дошли до наших дней. Фракции, партии, команды, союзы, группы соратников, землячества — это всего лишь современные слова-маскировки, за которыми скрывается грозная мощь кланов.

СОВЕТНИЦА
И ВДОХНОВИТЕЛЬНИЦА

Поколение, совершившее октябрьский переворот, выдвинуло множество известных лидеров-женщин.

Это были не просто любовницы, жены, сестры, матери, а соратники, боевые товарищи, партийные деятели.

Пример — Александра Коллонтай, откровенная защитница прав женщин и теории «свободной любви», первая женщина-посол.

Надежда Крупская была публицистом, работником социальной сферы и достаточно влиятельным общественным деятелем.

После октябрьского переворота любимая женщина Владимира Ильича Ленина Инесса Арманд была избрана в Московский губисполком и его президиум, в губком партии и его бюро. Она член ВЦИК от Москвы. Это, так сказать, официальные ее посты, выборные должности. А всевозможные поручения растут как снежный ком... Зимой 1918 года «товарищ Инесса» получила новое, трудное и ответственное поручение партии.

Ее назначили председателем Московского губернского совета народного хозяйства. После того как командные высоты экономики были захвачены рабочим классом, предстояло сделать следующий шаг — взять в свои руки управление промышленностью, наладить контроль за производством, вернуть к жизни поставить на службу Советской власти замолкшие, пустынные, обледеневшие предприятия, безжизненные станки и потухшие вагранки... Можно подумать, что фаворитка «вождя мирового пролетариата» была именно тем человеком, который способен это сделать.

Еще одно направление деятельности Инессы — женотдельское, партийная работа среди женщин.

Шло время, и все менялось. Сталин, верный кавказским традициям, косо смотрел на эмансипацию. Вторая жена Иосифа Сталина, Надежда Аллилуева, попыталась повлиять на политику мужа и погибла...

Очень часто женщины, увлекаясь честолюбивыми стремлениями, погружаясь в мир мелких интриг и низких страстей, падали под ударами событий, оставив после себя скандальную память.

Очень интересно дело Жемчужиной, жены Молотова. Жемчужина работала начальником Главного управления текстильно-галантерейной промышленности Минлегпрома СССР и была арестована по распоряжению Сталина якобы за утрату важных документов, которые, надо думать, у нее выкрали специально, чтобы иметь повод для ареста. Вместе с нею взяли под стражу ее технического секретаря Мельник-Соколинскую и несколько мужчин, ответственных работников Главка. Ни Жемчужина, ни Мельник-Соколинская, ни другие арестованные не признавались во вражеской деятельности, а без их признаний версия обвинения рушилась, на Лубянке произвели оригинальный эксперимент — под пытками вынудили двух мужчин из Минлегпрома дать показания о том, что они сожительствовали с Жемчужиной. А затем устроили очную ставку, где те выложили разученные наизусть подробности связи вплоть до излюбленных поз и иных деталей. Оскорбленная Жемчужина разрыдалась, а удовлетворенный достигнутым эффектом сотрудник органов госбезопасности проговорился, шепнув стоящему рядом следователю: «Вот будет хохоту на Политбюро».

В последующие времена, за небольшим исключением, кремлевские жены оставались в тени. Образ супруги советского лидера, созданный Ниной Хрущевой, Викторией Брежневой и Анной Черненко, если вообще можно говорить об образе, — это квадратные фигуры, добрые лица, немодно и безвкусно одетые пожилые женщины.

До самой смерти Юрия Андропова в 1984 году западные наблюдатели не знали, женат ли он, а если женат, то жива ли его жена. Татьяна разрешила эти сомнения, появившись на похоронах Генерального секретаря. О том, что у Андропова это была не первая, а вторая жена — широкая общественность не могла знать и подавно.

В 1891 году в России вышла брошюра «Женщина перед судом уголовным и судом истории». Ее автор г. Рейнгардт свел «возвышенные женские характеры к трем типам: Пенелопы, Эгерии и Сивиллы. Из этих «возвышенных характеров» особенной симпатией автора пользуется тип Пенелопы: «Деятельность Пенелопы, по-видимому, ничтожна, неширока, она вся сосредоточена на интересах семьи, на мелком домашнем хозяйстве, но, однако эта скромная муравьиная работа, незаметная для простого наблюдателя, но представляющаяся грандиозной по своим результатам. Женщина типа Пенелопы оказала величайшую услугу человечеству: этот тип создал семью, возбудил в непостоянной и беспокойной натуре мужчины любовь к постоянству, сделав милым домашний очаг, родную землю».

Однако скромной, но великой ролью Пенелопы г. Рейнгардт не ограничил жизненное поприще женских характеров. Эти характеры могут выражаться в типе нимфы Эгерии — советницы и вдохновительницы мужчин, и прорицательницы Сивиллы, которая самостоятельно совершает благие или злые дела, независимо от мужчины. Автор называет Сивиллами всех женщин, действующих на свой страх и риск.

Мне такая классификация представляется упрощенной. К какому типу вы, например, отнесете Раису Максимовну Горбачеву?

Раиса Горбачева (урожденная Титаренко) с самого детства была окружена заботой и вниманием родителей: «Я была первым ребенком в семье. По православной традиции меня крестили. Не в церкви — какая уж там церковь в 1932 году, в самый разгар борьбы с ними, церквами, — а на квартире у священника. Правда, имя выбрали не из святцев. Вы же знаете традицию: раньше священник предлагал имя, отыскивая его в святцах. А мое имя выбирали уже сами родители. Отец выбрал. Известно, как много у нас красивых народных, славянских, русских имен. А тогда уже появились и новые имена. Новые имена нового времени.

Среди моих сверстниц много Октябрин, Владилен. Стали появляться и имена новой интеллигентной волны — Нелли, Жанна, Алла. А отец назвал меня Раисой. Раечка. Он мне потом объяснил, что для него оно означало «рай». Райское яблочко.

Картинки моего детства лишены цельности. Они как бы рваны. Возможно, одна из причин — бесконечная перемена мест.

В связи с частыми переездами семьи, мне пришлось менять много школ. Это, конечно, создавало определенные трудности. Каждый раз новые учителя, разный уровень преподавания, разные требования, другой школьный коллектив. И — в общем-то — неизбежный в подобных случаях повышенный интерес к новичку.

Учебник на четверых-пятерых. В годы войны — ежедневная миска жидкой похлебки на обед. Вспоминаю всех нас, тогдашних детей, одетых в фуфаечки, телогреечки, в лучшем случае — в курточки и «пальто» из домотканой или бумажной материи. Был такой материал — саржа. Первое настоящее пальто получила в подарок от отца с матерью, когда была уже студенткой университета. С каракулевым воротником, «бостоновое», как уверяет мама. Носила я его долго. Пальто помнит вся семья. Тогда отец по облигации выиграл тысячу рублей. И знакомые, рассказывает мама, помогли в сельпо купить его. Дефицит! Все помнят пальто — это была прямо веха в истории семьи».

В книге «Жизнь и реформы» Михаил Горбачев описал историю своей любви к Раисе: «В июне

1952 года, в одну из белых ночей, мы проговорили в садике общежития на Стромынке до утра. В ту июньскую ночь, может быть, до конца поняли: мы не можем и не должны расставаться. Жизнь показала: друг в друге мы не ошиблись.

Через год решили пожениться. Но вставали обычные в таких случаях вопросы: где будем жить, что скажут родители о «студенческом браке», а главное, на какие средства будут существовать молодожены? На две мизерные стипендии, на помощь (скорее символическую) из дома?

На отдельную комнату в общежитии на Стромынке рассчитывать не приходилось. Но молодость есть молодость. После окончания третьего курса поехал в родные края, сообщил родителям о своем решении, отработал весь сезон механизатором на машинно-тракторной станции. Трудился более чем усердно. Отец посмеивался: «новый стимул появился».

Перед отъездом в Москву продали мы с отцом девять центнеров зерна, и вместе с денежной оплатой полагалась почти тысяча рублей — сумма по тем временам значительная, раньше я таких денег и в руках не держал. Так что материальная база под наши «семейные» планы была подведена.

В Москву приехал раньше на несколько дней, чтобы встретить Раю, ездившую на каникулы к родителям. Во время одной из первых совместных прогулок мы проходили мимо Сокольнического ЗАГСа. Я предложил: «Давай зайдем!»

Зашли, выяснил, какие документы необходимы для оформления брака. А 25 сентября 1953 года мы вновь переступили порог этого почтенного учреждения, где и получили за номером РВ 047489 свидетельство о том, что гражданин Горбачев Михаил Сергеевич, 1931 года рождения, и гражданка Титаренко Раиса Максимовна, 1932 года рождения, вступили в законный брак, что соответствующими подписями и печатью удостоверялось. Получилось несколько прозаично, но быстро.

В нашем семейном «фольклоре» сохранилась память о том, что именно в те дни Раисе приснился сон.

Будто мы — она и я — на дне глубокого, темного колодца, и только где-то там, высоко наверху, пробивается свет. Мы карабкаемся по срубу, помогая друг другу. Руки поранены, кровоточат. Невыносимая боль. Раиса срывается вниз, но я подхватываю ее, и мы снова медленно поднимаемся вверх. Наконец, совершенно обессилев, выбираемся из этой черной дыры. Перед нами прямая, чистая, светлая, окаймленная лесом дорога. Впереди на линии горизонта — огромное, яркое солнце, и дорога как будто вливается в него, растворяется в нем. Мы идем навстречу солнцу. И вдруг... С обеих сторон дороги перед нами стали падать черные страшные тени. Что это? В ответ лес гудит — «враги, враги, враги». Сердце сжимается... Взявшись за руки, мы продолжаем идти по дороге к горизонту, к солнцу...

Свадьбу сыграли немного позже — 7 ноября, в день революционной годовщины. К этому сроку на деньги, заработанные летом, в ателье на Кировской из итальянского крепа Райчонке сшили красивое платье. Выглядела она в нем просто потрясающе. Мне пошили первый в моей жизни костюм из дорогого материала, который назывался «Ударник». Так что к торжеству мы были готовы. Вот только на белые туфли невесте денег уже не хватило. Пришлось брать взаймы у подруги.

Праздновали свадьбу в диетической столовой на той же Стромынке. Собрались наши друзья-сокурсники. Стол был студенческий — преобладал неизменный винегрет. Пили шампанское и «Столичную». Тост следовал за тостом. Зденек умудрился посадить на свой роскошный «заграничный» костюм здоровенное масляное пятно. Было шумно и весело. Много танцевали. Получилась настоящая студенческая свадьба. Так что, как поется в песне, милой сердцу российских революционеров, «нас венчали не в церкви»...

Начался несколько «странный» период нашей семейной жизни. Почти целый день вместе, а поздно вечером каждый уходил в свою стромынскую густонаселенную «нору». Отдельные комнаты получили мы лишь осенью, когда переехали в общежитие на Ленинских горах, где разместили студентов естественных факультетов и старшекурсников — гуманитарных.

Получить отдельную «семейную» комнату не удалось. Наоборот. Беспокоясь о нашей нравственности, ректорат реализовал уникальный вариант размещения студентов. Все общежитие поделили на две части: мужскую и женскую. Раю поселили в «Зоне Г», а меня в «Зоне В». Вход в ту и другую «зону» ограничивался строгой системой пропусков. С трудом удалось добиться разрешения на ежедневные посещения. Причем каждый раз я носил с собой паспорт с отметкой о регистрации брака. Но и это никак не помогало: ровно в 11 часов вечера у Раисы в комнате раздавался пронзительный телефонный звонок дежурной по этажу: «у вас посторонний».

Но пришел декабрь 1953-го, собралась первая после смерти Сталина университетская комсомольская конференция, и мы, делегаты-студенты, устроили членам ректората нещадный разнос за их ханжество. По ходу конференции выпускались сатирические плакаты по фактам жизни университета. И вот на одном из них (длиною в 4—5 метров) нога ректора, а под его ботинком свидетельство о браке.

Выступление комсомола было резким и решительным. Все было пересмотрено и изменено. Студенты стали жить по факультетам. Восстановилось нормальное общение. Жизнь вошла в естественное русло. Теперь уже у нас случались и семейные завтраки и ужины, а то и обеды. К нам заглядывали приятели. В общем, мы были счастливы, и я уже начинал себя чувствовать настоящим семьянином.

Летом 1954 года мы с Раисой поехали на Ставрополье. Мне казалось, что родители мой выбор примут с восторгом. Но у родителей (как я это понял потом, став отцом) существуют всегда свои представления о «выборе». Отец отнесся к Раисе с любовью, кстати, как и бабушка Василиса, мать — настороженно, ревниво. И что-то от этого первого знакомства осталось навсегда. Иными словами, «сентиментального путешествия» явно не получилось.

Решение было принято. И вот в официальном направлении, где значилось: «в распоряжение Прокуратуры СССР», вычеркнули «СССР» и поверх строки дописали — «Ставропольского края».

Итак, домой, обратно в Ставрополь. Предварительно решили съездить к родителям Раисы Максимовны. Надо было «замаливать грехи».

Встретили нас соответственно: не то чтобы недоброжелательно, но обиды своей не скрывали — ведь мы сообщили им о нашей женитьбе лишь постфактум. Сегодня, как отец, я это вполне понимаю. А тут мы еще добавили и новую весть — московская аспирантура дочери срывается, увожу я ее в неизвестность, в какую-то ставропольскую «дыру».

С младшим поколением семьи, братом и сестрой Раисы Максимовны — Женей и Людой, которая как раз окончила 10-й класс, — все было в порядке, сразу же возникла взаимная симпатия. С родителями было сложнее. Отец держал себя более спокойно, а вот с матерью, Александрой Петровной, сначала не получалось. Это у нас потом сложились добрые и сердечные отношения. Особенно подружились наши отцы — Максим Андреевич и Сергей Андреевич».

Живя в Ставрополе, семья Горбачевых испытывает определенные трудности. Эти годы многое значили для Раисы Горбачевой: «В ночь под православное Рождество, 6 января 1957 года, родилась наша дочь Иринка.

В роддоме в медицинском паспорте записали:»Вес при рождении 3 килограмма 300 граммов. Рост 50 сантиметров. Вес при выписке из роддома 3 килограмма 100 граммов. Здоровая». Запись эту помню наизусть, а в те счастливые дни она для меня вообще звучала как музыка.

У нас росла дочь. Ходила в городской детский сад. Училась в городской общеобразовательной школе. В обычной, рядовой школе микрорайона, где мы жили. Занималась музыкой, на каникулы ездила к бабушке с дедушкой в село. Жили мы всегда сами, без старших. И наша дочь делила вместе с нами радости и трудности тех лет. В меру своих сил помогала убираться по дому, готовить. Ходила в магазин, овладевала навыками составления домашней библиотечной картотеки и даже — классификации и обработки моих многочисленных социологических анкет и документов. Надо сказать, Иришенька очень рано научилась составлять библиотечную картотеку, а у нас в семье это — работа, поскольку книг в доме всегда было очень много.

Но ребенок есть ребенок. И я постоянно испытывала и испытываю чувство, что где-то в детстве обделила ее материнским вниманием... Не отдала столько, сколько могла, или еще точнее — сколько она того требовала. Родилась она у меня в то время, когда по закону декретный отпуск был всего два месяца. Материальные условия нашей жизни, трудности с работой не позволили мне хотя бы какое-то время жить на зарплату мужа. И я никогда не забуду, как ранним утром, недоспавшую, наспех одетую, едва не бегом несла ее в детские ясли, сад. А она приговаривает: «Как далеко мы живем! Как далеко мы живем!» Не забуду ее глазенок, полных слез и отчаяния, расплющенный носик на стекле входной двери садика, когда, задержавшись допоздна на работе, я опять же бегом врывалась в детский сад. А она плакала и причитала: «Ты не забыла меня? Ты не оставишь меня?» Вот так...

Она часто и много болела. Врачи, консультации, разные диагнозы, разные рекомендации — порой взаимоисключающие. Все это тоже не проходило мимо материнского сердца. Стараешься лишний раз не брать больничный лист: ведь на работе заменить тебя некому. Когда Иришка стала старше, она оставалась дома и одна».

Об этих же событиях вспоминает Михаил Горбачев: «5 января 1957 года Раисе Максимовне исполнилось 25 лет, а 6 января родилась дочь Ирина. Мы радовались дочке, так как оба этого хотели, но очень переживали. Дело в том, что после тяжелого ревматического заболевания, перенесенного в студенческие годы, Раисе врачи запретили идти на такой шаг. Жизнь наша теперь значительно осложнилась. Квартировали по-прежнему на Казанской улице. Магазины, рынок — далеко, в центре города. За водой, как и раньше, приходилось бегать к водоразборной колонке, туалет во дворе, уголь и дрова там же.

По случаю рождения ребенка в те времена отпуск матери составлял всего 55 дней. Жить на одну мою зарплату мы не могли. Надо было идти работать. Стали искать няню. С трудом на время нашли. Ох, как трудно было Раисе Максимовне. Чтобы покормить дочку, надо было бежать домой по ходу дня, оставить грудное молоко на последующие кормления. Никакого детского питания не было и в помине — что могли, изобретали сами. Недоставало всего, бедствовали по-настоящему. Когда Иринке исполнилось два года, стали носить ее на день в детские ясли.

Насмотревшись на нашу маету, коллеги стали хлопотать о квартире. И мы получили две комнатки в так называемом «административно-жилом» доме, в котором два верхних этажа были построены под жилье, а нижний — для расположения всякого рода учреждений, сейчас бы сказали — под офисы. Но городу недоставало жилья, и первый этаж тоже был использован для проживания людей. После заселения он превратился в огромную девятикомнатную коммунальную квартиру с общей кухней и туалетом. Мы прожили там три года до того, как получили отдельную двухкомнатную квартиру.

Эти годы мне хорошо запомнились. Жили здесь с семьями газосварщик, отставной полковник, механик швейной фабрики, холостяк-алкоголик со своей матерью и четыре женщины-одиночки. Уникальный мир, где переплеталось все — и раздражение, злость от тесноты, неустроенности, и искренняя взаимопомощь, если хотите — своеобразный коллективизм: дружили, ссорились, выясняли отношения, мирились, вместе отмечали дни рождения, праздники, вечерами играли в домино.

Донашивали вещи, приобретенные родителями еще в студенческие годы.

Время от времени приезжал отец, привозил нам кой-какую деревенскую снедь. Подолгу беседовали с ним о сельских делах, о событиях в крае, в мире. Изредка, по большим религиозным праздникам, гостевала у нас бабушка Василиса (в Привольном церкви не было). Жаловалась на здоровье, на невнимание к ней родных, сердилась, что не крестили дочь, но говорила это не зло. Очень она привязалась к Раисе Максимовне, к Иринке, каждый раз, отправляясь в церковь, ласково приговаривала: «Помолюсь за всех троих, чтобы Бог простил вас — безбожников». Спустя годы мы узнали, что в одну из поездок в Привольное Иринку, тайно от нас, покрестили.

Свои перемены шли и в семье. Ирине исполнилось 10 лет, мы ей подарили фотоальбом — история ее жизни в фотографиях. В 1967 году Раиса Максимовна защитила диссертацию по социологии, ей была присвоена ученая степень кандидата философских наук. Она с увлечением занималась лекционной, педагогической работой, проводила социологические исследования в районах края. В том же году я окончил экономический факультет сельхозинститута. Успешную защиту диссертации и мое завершение учебы мы отпраздновали с друзьями.

Жизнь наша была чрезвычайно наполненной и, как нам казалось, имеющей большой смысл и значение. Жили дружно, помогая во всем друг другу. Наши доходы выросли, стало лучше жить материально. Появилась возможность обустроить двухкомнатную квартиру, полученную в 1960 году. Купили телевизор «Электрон», до того обходились радиолой.

Мой приезд в Ставрополь для «сдачи дел» был кратким, как и решение, принятое 4 декабря пленумом крайкома: «Освободить Горбачева М.С. от обязанностей первого секретаря и члена бюро Ставропольского крайкома КПСС в связи с избранием секретарем ЦК КПСС».

Штампы в описании образа жизни в бывшем Советском Союзе переносятся и на описание жизненного пути Горбачева.

Особенно много невероятного придумано в попытках объяснить, как удалось человеку из народа возглавить государство, пройти все ступени иерархии. Тут фантазия некоторых авторов не знает удержу. Разрабатывая тему «покровителей», утверждают, якобы наша семья по линии Раисы Максимовны связана родственными узами с Громыко, Сусловым, знатными учеными и т.д. Все это досужие выдумки. Мы сами сотворили свою судьбу, стали теми, кем стали, сполна воспользовавшись возможностями, открытыми страной перед гражданами.

Наверное, наш пример для Ирины был решающим. Ирина — наша единственная дочь, хорошо училась все годы, среднюю школу окончила с золотой медалью, занималась музыкой. Не помню, чтобы мы применяли какую-то специальную методику воспитания. Нет, просто вели активную, интересную трудовую жизнь. Мы доверяли дочери, и она пользовалась своей самостоятельностью во благо. К 16 годам прочитала всю отечественную и зарубежную классику в нашей библиотеке. Потом, уже будучи взрослой, призналась, что читала в основном по ночам.

В последний год нашей жизни на Ставрополье в семье произошло большое событие: Ирина вышла замуж. 15 апреля 1978 года сыграли свадьбу.

А свадебное путешествие молодожены провели в поездке на теплоходе по Волге. Вернулись, полные впечатлений и счастливые, за день до нашего юбилея — серебряной свадьбы.

Ирина и Анатолий, как мне показалось, легче, чем мы, расставались со Ставрополем. Москва их манила, по перешептываниям, нетерпеливым взглядам было видно, что мысленно они уже там, в столице».

К середине 70-х годов Раиса Максимовна Горбачева закончила заочную аспирантуру по марксизму-ленинизму при Московском университете.

Приезжая по правилам аспирантуры по нескольку раз в год все в то же университетское общежитие на Ленинских горах, где она провела с мужем «медовый год», она сравнивала провинциальный уклад жизни в Ставрополе с интенсивной, полной богатых возможностей жизнью столицы.

Она была честолюбива. По свидетельству одной ее ставропольской приятельницы, Раиса Максимовна Горбачева часами простаивала в «Детском мире» за недосягаемым в Ставрополе дефицитом. Еще больше любила она ездить в столицу вместе с мужем на съезды партии — «отовариваться»: делегатам за символическую цену выдавались недоступные даже москвичам товары — каракулевые шапки, дубленки, банки с икрой, импортные стереокомбайны.

По свидетельству ее ставропольской знакомой, Раиса Максимовна одевалась и вела дом не по-ставропольски, а по-московски, питала слабость к импортным вещам, хотя сам Горбачев строго придерживался демократического партийного кодекса поведения и отказывался носить яркие свитера и куртки, которые жена покупала ему в Москве.

Иметь женой «партийную даму», нацеленную на марксизм-ленинизм, не очень приятно. В таком супружестве отсутствует семейная теплота и непосредственность, съеживается интимный быт. По словам одного московского чиновника, такая атмосфера напоминает «затянувшееся на всю жизнь партийное собрание».

Раиса Максимовна вовсе не была идеологическим ортодоксом. Вступление в партию и специализация в области марксизма создавали в ее честолюбивых расчетах наилучшие условия для карьеры.

После защиты кандидатской она преподавала историю партии в Ставропольском педагогическом институте — вплоть до внезапного вознесения Горбачева в Москву в 1978 году. Их дочь Ирина к тому времени окончила Ставропольский медицинский институт и сравнительно рано вышла замуж за сокурсника Анатолия, который стал хирургом.

Семейная жизнь Горбачева, по воспоминаниям ставропольчан, была ровной, удачной, с несомненной гегемонией жены в вопросах воспитания дочери и с ее честолюбивым давлением на мужа.

Были в семье Михаила Горбачева проблемы с алкоголем.

Вот что сообщает бывший телохранитель Горбачева, выступивший под псевдонимом Ян Касимов: «Знал он все об Анатолии (зяте — В.К.), о том, для чего тот вечерами, случалось по нескольку часов, просиживал в гараже. Поэтому М.С. не раз проводил с ним воспитательные беседы на тему «трезвость — норма жизни».

Жертвой алкоголя стал брат Раисы Максимовны, в чем она призналась в книге «Я надеюсь...»

«Брат — одаренный, талантливый человек. Но его дарованиям не суждено было сбыться. Его талант оказался невостребованным и погубленным. Брат пьет и по многу месяцев проводит в больнице. Его судьба — это драма матери и отца. Это моя постоянная боль, которую я ношу в сердце уже больше тридцати лет. Я горько переживаю его трагедию, тем более что в детстве мы были очень близки, между нами всегда была особая душевная связь и привязанность... Тяжело и больно».

Михаил Горбачев вспоминал: «Уже в первые месяцы моего «генсекства» к Ирине и Анатолию стали поступать по месту работы обращения по разным вопросам от москвичей, приезжих, даже из-за рубежа. О злоупотреблениях местных властей, гонениях, преследовании за критику, с просьбами о помиловании, выделении

439

жилья, помощи в лечении тяжелых болезней и многом другом. Появились «брошенные» мной жены, матери, дети. Потянулись и странные люди — с навязчивыми идеями, прожектами.

Ясно, что Ирина и Анатолий не имели никаких прав для того, чтобы решать проблемы. И чтобы откликнуться на обращения, советовали людям куда пойти, а в крайних случаях, когда дело не терпит, звонили в общий отдел ЦК и помогали встретиться с теми, кто может что-то сделать.

Все больше забот у нас к этому времени было о стареющих родителях. Моя мать, продолжавшая жить в Привольном, постоянно болела. Здоровье родителей Раисы Максимовны, живших в Краснодаре, тоже стало ухудшаться. Сказывались годы, то, что пришлось вынести их поколению. В июне 1986 года нас постигло тяжелое горе — умер отец Раисы Максимовны.

Максим Андреевич был человеком на редкость добрым, мягким, работящим и жизнелюбивым. Даже уйдя на пенсию, не захотел по примеру других просиживать днями на скамейке, «забивать козла» да судачить. Нашел посильную работу и каждый день шел делать дело — не важно какое. Неожиданно и для него, и для всех нас сдало сердце. Его поместили в кремлевскую больницу, поставили стимулятор сердечной деятельности, самочувствие Максима Андреевича улучшилось. Поправляясь, он сказал Раисе Максимовне: «Спасибо тебе, доченька, ты вновь подарила мне жизнь». Кажется, все образовалось, а вскоре его не стало: возвращался с прогулки и скоропостижно скончался на пороге дома. На похороны отца съехались все близкие.

В Краснодаре, где закончилась долгая трудовая жизнь Максима Андреевича Титаренко, покоится его прах. Спустя несколько месяцев по просьбе Раисы Максимовны над могилой соорудили надгробье. Добросердечные люди ухаживают за ней, и мы им за это безмерно благодарны.

Пришла беда — отворяй ворота: в августе 1986 года скончался отец Анатолия, наш с Раисой Максимовной ровесник. Погубил рак головного мозга. Самая квалифицированная помощь — академика-нейрохирурга Александра Коновалова — не помогла.

1987 год для семьи ознаменовался несколькими событиями. В январе исполнилось 30 лет Ирине. В марте она родила еще одну внучку, а в сентябре Ксения пошла в школу».

В 1984 году Раиса вышла на международную арену. Это было в Лондоне, куда она приехала с шестидневным визитом вместе с мужем, членом Политбюро и перспективным кандидатом на самую высокую должность.

С тех пор появление Раисы за границей так или иначе было связано с тем успехом, который ей сопутствовал в Лондоне. Вот несколько моментальных зарисовок.

Париж, 1985 год. Сопровождая Горбачева в его первой поездке на Запад в качестве лидера Советского государства, Раиса очаровывает Даниэль Миттеран, Первую леди Франции, шутя просит ее о помощи, когда они вместе осматривали только что отделанный кабинет Миттерана: «Мне очень нужен ваш совет. Я новичок в этом деле».

Осматривая полотна импрессионистов в музее Жэ де Пом, она демонстрирует понимание искусства, к которому проявляла постоянный интерес.

Она удивит официальных представителей США своими познаниями в живописи XIX и XX столетий на американской художественной выставке в ноябре 1987 года в Москве.

Она мило беседует с Пьером Карденом на демонстрации моделей в его салоне, заявив: «Я ценю их как произведения искусства». После знакомства с достопримечательностями города, включая книжные лавки вдоль Сены, в компании Даниэль Миттеран она нежным голоском проворковала: «Я влюблена в Париж». Педантичная парижская пресса, пишущая о модах, выговаривает ей за то, что она дважды за день надевала темный шерстяной костюм. А в салоне «Карден» она прервала показ моделей, чтобы попросить отвернуть в другую сторону софиты — они светили ей прямо в глаза. Лоренс Мазурель, обозреватель «Пари матч», комментирует: «Наверняка с ней непросто ладить каждый день: она знает, чего хочет». Тем не менее журнал Мазурели с восторгом констатирует: «Женское лицо изменило имидж Советского Союза».

Вашингтон, 1987 год. На третьей встрече в верхах Раиса Максимовна — оживленная и разговорчивая — ослепляет столицу США своей лучезарной улыбкой. В Национальной галерее, когда служащие собрались поприветствовать ее, она остановилась побеседовать с ними, заметив, что

442

«очень рада видеть так много женщин среди служащих галереи».

Воспоминания Владимира Медведева, начальника охраны Брежнева и Горбачева — еще одно свидетельство того, что Александр Коржаков не одинок в своих литературных опытах.

Так вот, в воспоминаниях Владимира Медведева Раиса Максимовна Горбачева предстает такой: «Жена первого президента СССР во время визитов любила менять наряды раз по пять в день. Прилетели в Ташкент для встречи с лидером Афганистана Наджибуллой. После прибытия Раиса Максимовна решила поменять костюм, вызвала меня: где вещи? А вещи в дороге, местные гаишники не разобрались и притормозили машину с багажом. Еще раз она меня спросила, потом еще, а потом вызвали меня уже вдвоем, накачала она мужа крепко, он еле сдерживался: «Почему так долго не было вещей? А какого черта ты здесь делаешь?» — «Я занимаюсь своими обязанностями». — «На хрена ты мне здесь нужен, ты должен был вещи доставить!» Он так кричал, что крик разносился по всему коридору. Я вдруг почувствовал, что он готов меня ударить, лицо его покрылось краской: «Прилетим в Москву — я тебя выгоню!» — «Я готов». Особые хлопоты доставляли нам взаимоотношения супруги президента с телекорреспондентами. Она требовала, чтобы кассеты с записями давали ей на просмотр, и всегда спешила к программе «Время», чтобы увидеть себя. Но снимать ее было сложно. На встречах, приемах стоит при Михаиле Сергеевиче спокойно, а как только наводят на нее камеру, тут же начинает кому-то указывать, поднимать зонтик и потом делала замечания: снимают «неудачно».

Кто-то осмелился намекнуть Горбачеву, что, может, не стоит так часто брать жену в поездки, он резко ответил: «Ездила и будет ездить».

В Париже в 1985 году французская пресса была удивлена поведением Горбачева, когда он приехал в Национальное собрание, чтобы выступить с речью. Его взгляд беспокойно скользил по аудитории, пока не остановился на Раисе, сидящей в первом ряду. Взгляд его сразу смягчился, он улыбнулся, как будто ее присутствие успокоило его. Раиса на следующий день заявила хозяйке дома, куда была приглашена на обед: «Я очень счастлива с Михаилом. Мы настоящие друзья, или если хотите, у нас полное согласие».

Раиса Максимовна иногда сопровождает жен иностранных знаменитостей, приезжающих в Москву. В 1985 году она устраивала для Сони Ганди, жены индийского премьер-министра, экскурсии в художественные галереи Москвы.

Она сопровождает своего мужа на многие культурные мероприятия.

Философ Кант сказал: «Тот, кто первый назвал женщин прекрасным полом, хотел, может быть, сказать этим нечто лестное для них, но на самом деле выразил нечто большее, чем сам предполагал.

У прекрасного пола столько же ума, сколько у мужского, с той лишь разницей, что это прекрасный ум, наш же, мужской, — глубокий ум, а это лишь другое выражение для возвышенного...

Прекрасному ничто так не противно в такой мере, как то, что вызывает отвращение, и ничто не столь далеко от возвышенного, как смешное. Поэтому для мужчины нет ничего более обидного, чем обозвать его глупцом, а для женщины — сказать, что она безобразна».

Вот какая шутка была пущена в Великобритании в 1987 году: «Раиса Горбачева — первая жена советского лидера, которая весит меньше своего мужа».

СОДЕРЖАНИЕ

По вопросам оптовой покупки книг
издательства АСТ обращаться по адресу:
Звездный бульвар, дом 21, 7-й этаж
Тел. 215-43-38, 215-01-01, 215-55-13

Книги издательства АСТ
можно заказать по адресу:
107140, Москва, а/я 140,
АСТ — "Книги по почте".

Научно-популярное издание

Краскова Валентина Сергеевна

КРЕМЛЕВСКИЕ ТЕЩИ

Ответственный за выпуск *Т. Г. Ничипорович*
Редактор Т. И. Ревяко

Подписано в печать с готовых диапозитивов 12.02.99.
Формат 84×108 1/32. Бумага типографская. Печать офсетная.
Усл. печ. л. 23,52. Тираж 20 000 экз. Заказ 512.

Фирма «Современный литератор». Лицензия ЛВ № 319
от 03.08.98. 220029, Минск, ул. Красная, 5 — 12.

При участии ООО «Харвест». Лицензия ЛВ № 32 от 27.08.97.
220013, Минск, ул. Я. Коласа, 35 — 305.

Отпечатано с готовых диапозитивов заказчика
в типографии издательства «Белорусский Дом печати».
220013, Минск, пр. Ф. Скорины, 79.

Качество печати соответствует качеству предоставленных
издательством диапозитивов.